Y0-CAS-495

Le grand guide des prénoms

Florence Le Bras

Le grand guide des prénoms

MARABOUT

Sommaire

Introduction

Notre prénom est l'un des premiers mots que nous entendons à l'aube de notre vie. On peut imaginer que l'une des premières syllabes articulées par nos lointains ancêtres fut destinée à appeler leurs compagnons, leurs compagnes, leurs enfants. C'est peut-être par quelques ébauches de prénoms que le langage humain est apparu.

Le prénom est la première marque d'une identité qui nous individualise dans la fratrie et dans la famille. Son choix a été, pendant des siècles, une simple formalité : la gamme était fort limitée, et le poids de la tradition très présent. Aujourd'hui, le choix n'a pour limite que l'imagination des parents.
Les modes se succèdent, à un rythme variant entre trois et cinq ans. Ce fut, par exemple, le cas de Vanessa et d'Ophélie. La vogue de certains prénoms, comme Nicolas, dure parfois plus de vingt ans...
Au XXIe siècle, les courants d'inspiration sont très diversifiés. Si, depuis les années 1980, la mode US a largement influencé le choix des parents, *via* le cinéma et les séries télévisées, les prénoms latins, italiens, espagnols sont apparus plus récemment, ainsi que les prénoms des héros de la mythologie, et ceux des personnages de légende ou de la littérature.
Et pour élargir ce panorama déjà très vaste, la vogue est, depuis peu, de composer des prénoms nouveaux à partir des syllabes de deux prénoms. Ainsi les parents ont-ils le sentiment de personnaliser encore davantage leur choix et de faire un cadeau inestimable à leur enfant. L'intention est louable, mais il ne faut pas oublier l'intérêt de

l'enfant, qui aura sans doute à épeler son prénom toute sa vie s'il ne veut pas qu'il soit régulièrement écorché ou transformé.

Comment choisir le bon prénom ?

Le choix d'un prénom pour votre enfant est un acte personnel, acte d'amour, puisque c'est un don que vous lui faites, et acte de raison, car il engage votre responsabilité envers lui. Comment choisir le bon prénom ? Il me paraît bien présomptueux de vous proposer une recette !

Le maître mot est, à mes yeux, l'harmonie : harmonie entre les préférences des deux parents, bien sûr, mais aussi harmonie avec le cadre de vie et les origines, et harmonie phonétique entre le prénom et le patronyme.

Ce jeune couple qui hésitait entre Paul et Paolo a choisi ce dernier prénom, moins traditionnel que le premier, parce qu'il convenait mieux à leur style de vie moderne. Ces jeunes gens d'origine portugaise ont renoncé à prénommer leur fille Ingrid malgré leur attirance pour ce prénom, bien trop typé nordique ! Ces parents bretons voulaient affirmer leurs origines en attribuant à leurs enfants des prénoms de la tradition celte : Malo, Aenor et Nolwenn.

Certains noms de famille particulièrement longs ou complexes réclament un prénom court ou simple, d'autres patronymes très courants gagnent à être personnalisés par un prénom original.

Les types de prénoms

Originalité, tradition, exotisme... on a pris l'habitude, dans le domaine des prénoms comme dans d'autres, d'effectuer une classification.

Les prénoms intemporels

Ne connaissant pas de mode, ils ne se démodent pas : Antoine et Nicolas, Anne et Sophie en sont les champions.

Les prénoms traditionnels

Ils ont été portés par un aïeul plus ou moins lointain : la coutume est courante aux États-Unis où l'on rencontre plusieurs générations qui portent le même prénom, assorti de senior ou junior...

Les prénoms à la mode

Chaque décennie a la sienne : dans les années 1920, Roger, Marcel, Denise, Yvonne... Dans les années 1950, Martine et Annick, Michel et Jean-Louis... Dans les années 1970, Sandrine et Christelle, Stéphane et Sébastien. Dans les années 1980, Kévin et Jordan ou Thomas et Mathieu, Audrey et Camille, selon le milieu social. Dans les années 1990, Charlotte et Mathilde, Louis et Martin. En 2000, Lucas et Hugo, Chloé et Léa.
Depuis 2010, ce sont, chez les garçons, Nathan, Jules, Gabriel, Louis, Arthur, Raphaël, Ethan qui sont en tête, accompagnés par Lucas, Enzo, Mathis qui ont la vie dure. Chez les filles, Emma, Jade, Zoé sont au top, suivies de Chloé, Léa, Manon, Inès, Maëlys, Louise et Lilou.

Les prénoms étrangers

La consonance anglo-saxonne séduit toujours, avec Brittany ou Steve, mais ce sont les prénoms italiens qui ont le vent en poupe : Enzo, Matteo, Clara, Ornella...

Les prénoms originaux

La volonté de choisir un prénom rare, voire méconnu, est bien déterminée : Swanahilde, Trifina, Jagu, Clovis, Erispoé, Liébaut...

Les variantes de prénoms classiques

L'attachement aux prénoms traditionnels n'a pas disparu, mais on s'attache aux variantes et aux diminutifs. Ainsi Élie se décline en Élian,

Quelle orthographe choisir ?

Vous avez choisi un prénom dont la sonorité vous plaît. Allez-vous adopter l'orthographe conventionnelle ou vous démarquer ?
Par exemple, côté garçon, est-ce que ce sera Killian ou Kylian ? Lauris ou Laurys ? Mathis, Mathys, Matisse ou encore Matis ? Mathéo, Matéo ou Mattéo ?
Et côté fille, pour quelle orthographe allez-vous opter : Cassie, Cassy, Kassie ou Kassy (comme diminutif de Cassandre) ? Lili ou Lily ? Elina ou Elyna ? Gisèle ou Gysèle ou encore Giselle ?
Parfois, selon l'orthographe choisie, l'origine et la signification du prénom changent. Ainsi, Rayan est celte et signifie « petit roi », alors que Rayane est d'origine arabe et signifie « désaltéré ». Maé est un diminutif de Maël, celte, qui désigne un « prince », mais Mahé est un dérivé de Matthieu, hébraïque, qui signifie « don ».
Il en va de même pour les prénoms féminins : ainsi, Talie est hébraïque et signifie « rosée », alors que Thalie est grecque et désigne la muse de la comédie. Callie, diminutif de Calliope, est d'origine grecque, tandis que Kali désigne une déesse hindoue, et Kalie, d'origine irlandaise et dérivé de Kelly, désigne une « église ». Enfin, Emmy ou Emmie sont des variantes d'Emma, la germanique, qui signifie « universelle », mais Aimy, qui a la même prononciation, est une variante d'Aimée, d'origine latine, qui signifie « aimée ».

Élias, Eliès, accompagné par l'américain Eliott. Hélène devient Éléa, Éline, Lana, Léna, Léni, suivies par l'espagnole Elena et la hongroise Ilona. Maël devient Timaël, Maëlle au féminin se transforme en Maëlane ou Maëline.

Les diminutifs

Les prénoms courts sont en vogue. On utilise aussi de plus en plus souvent des diminutifs : Cassie, Lalie, Lélia, Lily, Lou, Milla, Millie, Tullia... pour les filles, Louan, Naël, Mahé, Tim, Tom, Tiago, Théo, pour les garçons.

L'origine des prénoms

La grande majorité des prénoms a une signification ; leurs origines sont diverses :

- latines : Lucas, Maxime, Adrien, Victoire, Solène, Laetitia...
- hébraïques : Benjamin, David, Samuel, Abigail, Léa, Sarah...
- araméens : Marthe, Barnabé, Gaspard, Thomas...
- germaniques : Charles, Louis, Robin, Mathilde, Solveig...
- celtes : Arthur, Malo, Nolwenn...
- slaves : Boris, Vladimir, Ludmilla, Véra...
- mythologiques : Ariane, Apolline, Diane...
- patronymiques : Vianney, Mazarine...
- littéraires : Lorelei, Wendy...

L'indulgence de la législation

L'administration a longtemps été pointilleuse, et l'attribution d'un prénom hors du commun donnait lieu à des procédures décourageantes.

Ce n'est plus le cas. Jusqu'à la promulgation de la loi du 8 janvier 1993, le choix des prénoms n'était pas libre. Le code civil était très strict et formel à cet égard : « Les noms en usage dans les différents calendriers, et ceux des personnages connus dans l'histoire ancienne pourront seuls être reçus, comme prénoms, sur les registres de l'état civil destinés à constater la naissance des enfants ; et il est interdit aux officiers publics d'en admettre aucun autre dans leurs actes. »
Ces dispositions, qui dataient de la loi du 11 germinal an XI, avaient été prises pour éviter l'attribution de prénoms fantaisistes, parfois ridicules. L'imagination des parents était déjà fertile à cette époque, puisque des enfants furent déclarés sous les gracieux prénoms de Betterave et de Tricolore !

La coutume et la jurisprudence ont peu à peu assoupli ces règles en acceptant :
• les prénoms des calendriers français ou étrangers ;
• les noms de personnages connus de l'histoire ancienne ;
• les prénoms consacrés par l'usage et relevant d'une tradition étrangère ou française, nationale ou locale ;
• les prénoms conformes à une tradition familiale.

Ainsi, des prénoms coraniques, et d'autres prénoms à consonance étrangère, comme Dimitri ou Sheila, par exemple, ont été acceptés, ainsi que des orthographes moins classiques que celles couramment adoptées, comme Christèle pour Christelle. Encore fallait-il justifier son choix : une origine russe ou anglaise, même lointaine, par exemple. Mais devant l'afflux de protestations et de réclamations qui submergeait la Chancellerie, la loi fut aménagée.
Depuis la loi du 8 janvier 1993, les parents peuvent choisir librement le prénom de leur enfant. Voilà pour le principe. Mais, en réalité, cette liberté n'est pas absolue, le droit se conservant la faculté de protéger les enfants de fantaisies parentales qui pourraient leur nuire.

La législation a donné deux limites à la liberté de choix des prénoms :
• l'intérêt de l'enfant : les prénoms ayant une consonance ridicule, péjorative ou grossière, et ceux faisant référence à un personnage historique déconsidéré sont en majorité rejetés ;
• la protection des droits des tiers : la jurisprudence a toujours protégé les patronymes, et il est rarement admis de prénommer un enfant d'un nom de famille, aussi harmonieux soit-il.

Dans la pratique, l'officier d'état civil qui reçoit la déclaration d'un prénom qu'il estime inacceptable doit en aviser immédiatement le procureur de la République qui lui-même en saisit, s'il le juge nécessaire, le juge aux affaires familiales. Celui-ci décide en dernier lieu, et ordonne éventuellement la suppression du prénom refusé ; il demande aux parents de choisir un autre prénom plus conforme aux exigences de la loi. S'ils refusent, c'est lui qui attribue à l'enfant son prénom définitif. La mention de la décision est alors portée en marge des actes de l'état civil de l'enfant.

Cet ouvrage vous propose une gamme très vaste de prénoms : intemporels, grands classiques, démodés qui reviendront demain au goût du jour, médiévaux disparus malgré une belle sonorité, « branchés » dans l'air du temps, compositions originales... pour vous accompagner dans l'un des actes d'amour les plus merveilleux de votre aventure de parents.

Les origines des prénoms

Certains prénoms de consonance très différente ont la même signification selon les étymologies ; parfois, ces différences existent alors qu'ils ont la même origine. En voici quelques exemples.

- **Aurore :** Aurore pour les Latins, Dawn pour les Anglais, Anatole pour les Grecs.
- **Blonde :** Flavie, Fulvie pour les Latins, Fiona pour les Celtes.
- **Blanc, blanche :** Alban, Albane, Albin, Albine pour l'étymologie latine *albus*. Canut, Knut pour les Scandinaves. Gwenn, Alwena, Guenièvre et Jennifer pour les formes celtes. Laban pour la forme hébraïque. Zahra pour la langue arabe.
- **Clair :** Clair et Claire, Clarisse, Clarence, Clara, Chiara pour les Latins.
- **Colombe :** Colman, Colomban, Colombe et Colombine pour les Celtes. Yona pour la forme hébraïque. Koulm pour la forme arabe.
- **Dieu :** Théodore et Théodora, Théophile, Théotime, Théoxane, Dionne, Dorella, Dorine, Dorothée, Dorian et Doriane selon l'étymologie grecque.
- **Glorieux combattant :** Clovis, Ludovic, Louis et Louise, Lou, Aloys, Héloïse selon l'étymologie germanique.
- **Étoile :** Esther, Estelle, Sterenn.
- **Laurier :** Laura, Laure, Laurène, Laurent, Laurence, Laurie, Laurine.
- **Lumière :** Luc, Luce et Lucette, Lucas, Lucie et Lucile pour l'étymologie latine. Noor, Nour, Noura pour les Arabes.
- **Maure :** Amaury, Maurice, Maurane, Maureen selon l'étymologie latine.
- **Noble :** Adèle, Adélaïde, Adeline, Aldo, Alda, Alice, Aline, Alix, Alisson d'après l'origine germanique.
- **Victoire :** Victor, Victoria et Victoire pour les Latins. Nicolas, Colin, Colette, Coline, Nicole selon l'étymologie grecque.

les prénoms de garçons

Aaron

Ce prénom biblique est plus courant aux États-Unis qu'en France.
• **Origine hébraïque**, signifie « celui qui vient après ».
• Caractère : **virilité, autorité, sensibilité, ambition, fierté**.
• Arabe : *Haroun*.

Abbas

Ce prénom est celui de l'oncle de Mahomet, et d'un shah de Perse qui établit sa capitale à Ispahan, au VIe s.
• **Origine arabe**, signifie « l'élevé ».
• Caractère : **étude, réflexion, spiritualité, rigueur**.

Abdias

• **Origine hébraïque**, signifie « serviteur ».
• Caractère : **persévérance, volonté, travail, générosité**.
• Variante : *Obadiah*.

Abeau

Cette forme médiévale d'Abel n'est plus usitée depuis plusieurs siècles.
• **Origine hébraïque**, signifie « ce qui passe ».
• Caractère : **émotivité, intuition, fidélité, rigueur**.

Abel

Ce prénom biblique n'est pas plus courant que Caïn, contrairement à Adam et Ève.
• **Origine hébraïque**, signifie « ce qui passe ».
• Caractère : **dynamisme, adaptabilité, diplomatie, intuition**.
• Breton : *Avel, Avelig*. Portugais : *Abelho*.

Abélard

Ce prénom, autre forme médiévale d'Abel, est rendu célèbre par le récit des amours du moine Abélard et de son élève Héloïse au Moyen Âge.
• **Origine hébraïque**, signifie « ce qui passe ».
• Caractère : **intelligence, affectivité, sens de l'observation**.
• Espagnol : *Abelardo*. Italien : *Averardo*.

Abelin

Forme médiévale d'Abel, il est rarissime.

• **Origine hébraïque**, signifie « ce qui passe ».

• Caractère : **activité, secret, réalisme, vitalité.**

• Variantes : *Avelain, Avelin.*

Abraham

Ce prénom de patriarche est plus courant aux États-Unis.

• **Origine hébraïque**, signifie « père des nations ».

• Caractère : **courage, énergie, efficacité, impatience.**

• Autre orthographe : *Abram.*

• Diminutifs : *Abbie, Abby.*

• Arabe : *Brahim, Ibrahim.* Espagnol : *Abraham.* Italien : *Abramo.* Portugais : *Abrâo.* Russe : *Avraam, Avraami.*

Absalom

Ce prénom biblique est celui d'un fils du roi David qui se révolte contre son père ; vaincu au combat, il s'enfuit, mais sa longue chevelure se prend dans les branches d'un arbre, et il est tué.

• **Origine hébraïque**, signifie « mon père est paix ».

• Caractère : **sensibilité, émotivité, fermeté, autorité.**

Acace

Ce prénom rarissime est le surnom du dieu Hermès.

• **Origine grecque**, signifie « innocent ».

• Caractère : **travail, sens des responsabilités, patience, sérieux.**

• Espagnol : *Acacio.*

Achille

Ce prénom est en pleine évolution.

• **Origine grecque**, d'Achileos, prénom d'un demi-dieu de la mythologie grecque, fils de la

Le talon d'Achille

C'est une expression synonyme d'un état de faiblesse ou de fragilité. Savez-vous pourquoi ? Ce héros de la mythologie grecque était réputé invincible, car sa mère l'avait trempé tout entier, à sa naissance, dans le fleuve Styx, censé protéger des blessures. Mais elle le tenait par le talon. Cette partie de son corps qui n'avait pas été immergée, d'après la légende, lui fut fatale puisqu'elle fut touchée par une flèche ennemie empoisonnée.

nymphe Thétis et de Pélée, roi des Myrmidons.
• Caractère : **curiosité, passion, responsabilité, ambition.**
• Diminutifs : *Chilou, Chiloun.*
• Anglo-saxon et germanique : *Achilles.* Espagnol : *Aquiles.* Grec : *Akilee.* Italien : *Achilleo.*

Adalbert

On rencontre rarement cette forme originelle d'Albert.
• **Origine germanique**, signifie « noble et illustre ».
• Caractère : **prudence, réserve, travail, persévérance.**
• Espagnol et italien : *Adalberto.*

Adalgis

• **Origine germanique**, signifie « noble et sage ».
• Caractère : sens de la justice, harmonie, rigueur, travail.
• Autre orthographe : *Adalgise.*

Adalric

Forme dérivée d'Alaric, qui n'est guère plus courant.
• **Origine germanique**, signifie « tout-puissant ».
• Caractère : **sensibilité, combativité, autorité, réserve.**
• Variantes : *Adelric, Aldric, Alric, Auric.*

Adam

Ce prénom, longtemps resté dans l'ombre en France, est devenu l'un des favoris des années 2010 ; il est le prénom international par excellence.
• **Origine hébraïque**, signifie « fait de terre ».
• Caractère : **énergie, ambition, audace, autorité.**
• Espagnol : *Adan.* Italien : *Adamo.* Portugais : *Adão.* Arabe : *Adem.*

Adelind

Ce prénom est le masculin d'Adelinde.
• **Origine germanique**, signifie « noble et doux ».
• Caractère : **rigueur, concience, travail, sens des responsabilités.**

Adelphe

Ce prénom a une sonorité plus douce qu'Adolphe.
• **Origine grecque**, signifie « frère ».
• Caractère : **générosité, harmonie, altruisme, perfectionnisme.**

Adenet

Ce prénom est une forme dérivée d'Adam qui est courante au Moyen Âge. Il a été porté par un célèbre trouvère du XIIIe s., auteur de Berthe au grand pied, un éloge de la reine Bertrade, mère de Charlemagne.

• **Origine hébraïque**, signifie « fait de terre ».

• Caractère : **esprit logique, volonté, intelligence, mémoire**.

• Variantes : *Adanet, Adenot, Adnet, Adnot*.

Adhémar

Prénom médiéval rare, traditionnel dans certaines familles.

• **Origine germanique**, signifie « noble maison ».

• Caractère : curiosité, intuition, opportunisme, habileté.

• Autre orthographe : *Adémar*.

• Variantes : *Aldemar, Azémar*.

• Italien : *Ademaro, Valdo*.

Adisson

Ce prénom, mixte aux États-Unis, apparaît dans l'Hexagone depuis l'année 2000.

• **Origine américaine**, signifie « fils d'Adam ».

• Caractère : **idéologie, altruisme, volonté, persévérance**.

Adjutor

Ce prénom rare est dans la même ligne que Victor.

• **Origine latine**, signifie « celui qui secourt ».

• Caractère : **ambition, efficacité, réalisme, générosité**.

• Variantes : *Adjuteur, Ayoutre*.

Adolphe

Ce prénom, courant au début du XXe s., est devenu tabou depuis la Seconde Guerre mondiale.

• **Origine germanique**, signifie « noble loup ».

• Caractère : **esprit d'analyse, étude, réserve, ambition**.

• Espagnol, italien, portugais : *Adolfo, Adulfo*. Germanique : *Adolf, Adulf, Dolfus*. Provençal : *Adoufe*.

Adonis

Dans la mythologie, Adonis est un dieu phénicien célèbre pour sa grande beauté ; blessé par un sanglier dans la forêt, il est changé en anémone par Aphrodite pour ne pas être achevé par l'animal.

• Caractère : **sensibilité, épicurisme, charisme, curiosité**.

Adrien

Ce prénom d'empereur romain a connu un grand succès dans les années 1980.

• **Origine latine**, signifie « originaire d'Adria », ville de Vénétie qui a donné son nom à l'Adriatique.
• Caractère : **équilibre, diplomatie, courage, générosité**.
• Autre orthographe : *Hadrien*.
• Italien : *Adriano*. Provençal : *Adrian*.

Aël

Ce prénom est une variante bretonne d'Ange.

• **Origine grecque**, signifie « messager ».
• Caractère : **sérieux, réserve, fiabilité, rigueur**.

Agapé

Ce prénom typiquement grec est rare.

• **Origine grecque**, signifie « amour ».
• Caractère : **vivacité, charisme, curiosité, opportunisme**.
• Autre orthographe : *Agapet*.
• Variante : *Agapit*.
• Espagnol : *Agapito*.

Agathon

Ce prénom, masculin d'Agathe, est surtout usité dans les familles roumaines.

• **Origine grecque**, signifie « bon ».
• Caractère : **sensibilité, charisme, prudence, travail**.
• Grec : *Agapes, Agapios*.

Agénor

Ce prénom mythologique est celui d'un fils de Poséidon, dieu de la Mer.

• **Origine grecque**, signifie « vaillant ».
• Caractère : **confiance en soi, sens des responsabilités, énergie, ambition**.

Agnan

Ce prénom est la version masculine d'Agnès.

• **Origine grecque**, signifie « chaste ».
• Caractère : **sensibilité, charisme, éloquence, sens artistique**.

Agrippa

Ce prénom, apparu dans l'Antiquité, revient timidement à la mode au XVIIe s. avant de disparaître presque complètement.

• **Origine latine**, signifie « issu des Agrippa », illustre famille romaine du Ier s. avant J.-C.

• Caractère : **curiosité, vivacité, éloquence, diplomatie.**
• Variante : *Agrippin.*

Ahmed

Ce prénom est l'un des dérivés de Mohammed.
• **Origine arabe**, signifie « le loué ».
• Caractère : **sensibilité, prudence, rigueur, perfectionnisme.**
• Variantes : *Ahmad, Ahmet.*

Aidan

Ce prénom est en pleine évolution.
• **Origine celte**, signifie « petite flamme ».
• Caractère : **charme, autorité, affectivité, sens des responsabilités.**
• Variantes : *Aedan, Aogan, Ega, Hayden.*

Ailbe

Ce prénom, dérivé d'Alban, est très rare.
• **Origine latine**, signifie « blanc ».
• Caractère : **sociabilité, autorité, sensibilité, ambition.**

Aimé

Prénom rare, malgré quelques personnalités contemporaines.
• **Origine latine**, signifie « aimé ».
• Caractère : **sérieux, calme, efficacité, exigence.**
• Variante : *Aimable.*
• Arabe : *Azziz.* Espagnol : *Amado.* Italien : *Amato.* Provençal : *Amat.*

Aitor

Certains prénoms basques ont franchi les frontières de leur région. Aitor est de ceux-là.
• **Origine basque**, signifie « bon père ».
• Caractère : **sociabilité, affectivité, sens des responsabilités, idéalisme.**

Akira

• **Origine japonaise**, signifie « intelligence »
• Caractère : élégance, réserve, volonté, sociabilité.

Alain

Grand classique des années 1950, ce prénom a cédé la place à sa forme celte.
• **Origine latine**, signifie « issu des Alani », nom d'une tribu des bords de la mer Noire qui envahit la Gaule en 406 et qui, passée en Espagne, fut vaincue par les Wisigoths.
• Caractère : **passion, orgueil, sensibilité, courage.**

• Diminutif : *Al*.
• Anglo-saxon : *Alan*, *Allan*, *Allen*. Celte : *Alan*. Espagnol : *Alano*. Italien : *Alano*.

Alan

Forme celte d'Alain, ce prénom à consonance anglo-saxonne est très en vogue aujourd'hui.

• **Origine latine**, signifie « issu des Alani », nom d'une tribu des bords de la mer Noire qui envahit la Gaule en 406 et qui, passée en Espagne, est vaincue par les Wisigoths.
• Caractère : **passion, efficacité, volonté, rigueur**.
• Autre orthographe : *Allan*.
• Breton : *Alanic*.

Alaric

• **Origine germanique**, signifie « tout-puissant ».
• Caractère : **solidité, charme, rigueur, ambition**.
• Variante : *Alric*.
• Anglo-saxon : *Allary*. Breton : *Allor*, *Allore*. Espagnol : *Alarico*. Germanique : *Alarik*, *Alrik*. Italien : *Alarico*.

Alban

Ce prénom, qui dénote le raffinement, a été en vogue dans les années 1990.

• **Origine latine**, signifie « blanc ».
• Caractère : **élégance, éloquence, sensibilité, diplomatie**.
• Italien : *Albano*. Provençal : *Auban*.

Albéric

• **Origine germanique**, signifie « très illustre et puissant ».
• Caractère : **rigueur, sérieux, activité, autorité**.
• Espagnol : *Alberigo*, *Alvaro*. Germanique : *Alberich*, *Elberich*. Italien : *Alberico*.

Albert

Prénom de roi dans l'histoire, Albert connaît un franc succès au début du XXe *s.*

• **Origine germanique**, signifie « noble et illustre ».
• Caractère : **prudence, réserve, travail, persévérance**.
• Variante : *Aldebert*.
• Alsacien : *Albrecht*. Anglo-saxon : *Albert*, *Bert*, *Bertie*. Espagnol, italien, portugais : *Alberto*. Germanique : *Albrecht*. Normand : *Aubert*, *Aubertin*, *Oberon*.

Albin

Dérivé d'Alban, ce prénom a une connotation plus précieuse.
• **Origine latine**, signifie « blanc ».
• Caractère : **intuition, affectivité, adaptabilité, sociabilité**.
• Autre orthographe : *Albain*.
• Italien : *Albino*.

Alceste

Ce prénom mythologique grec a été repris par Molière pour nommer le principal personnage du Misanthrope. *À l'origine, ce prénom est féminin ; Alceste accepte de mourir à la place de son mari, et elle est sauvée des Enfers par le dieu Héraclès. Cette légende a inspiré une tragédie à Euripide.*
• **Origine grecque**, signifie « force active ».
• Caractère : **sensibilité, diplomatie, adaptabilité, harmonie**.
• Espagnol : *Alcestes*.

Alcide

Ce prénom est une forme moderne d'Alcibiade.
• **Origine grecque**, du nom d'un général grec du Ve s. av. J.-C.
• Caractère : **indépendance, idéalisme, gentillesse, réserve**.
• Espagnol : *Alcides*.

Aldebert

Forme primitive d'Albert.
• **Origine germanique**, signifie « noble et illustre ».
• Caractère : **prudence, réserve, travail, persévérance**.
• Variante : *Adalbert*.

Aldo

Ce prénom est une forme latine d'Aude, répandue en Italie.
• **Origine germanique**, signifie « ancien ».
• Caractère : **calme, prudence, curiosité, opportunisme**.
• Anglo-saxon : *Aldous*.

Aldric

Ce prénom strict est peu usité malgré sa belle sonorité.
• **Origine germanique**, signifie « noble roi ».
• Caractère : **activité, émotivité, intuition, charisme**.
• Variantes : *Aldred*, *Adalric*.

Aldwin

Ce prénom, dérivé de Baudouin, se rencontre surtout dans les pays germaniques.
• **Origine germanique**, signifie « ami audacieux ».
• Caractère : **volonté, altruisme, goût du pouvoir et de l'aventure**.

• Variante : *Audouin*.
• Anglo-saxon : *Alvin*, *Alwin*, *Alwynn*, *Elwin*, *Elwynn*. Espagnol et italien : *Alvino*. Germanique : *Adalwin*, *Adelwin*.

Aleaume

• **Origine germanique**, signifie « casque ».
• Caractère : **détermination, opiniâtreté, rigueur, courage**.

Alex

Diminutif d'Alexandre ou d'Alexis, il devient un prénom à part entière dans les années 1990.
• **Origine grecque**, signifie « l'homme qui repousse ».
• Caractère : **charisme, intelligence, énergie, diplomatie**.

Alexandre

Prénom de rois, d'empereurs, de papes et de plus de quarante saints, Alexandre est une valeur sûre. Illustré par Alexandre le Grand, conquérant par excellence, il est synonyme de puissance et de gloire.
• **Origine grecque**, signifie « l'homme qui repousse ».
• Caractère : **séduction, éloquence, épicurisme, force**.
• Diminutifs : *Alex*, *Sacha*.
• Anglo-saxon : *Alec*, *Alexander*, *Allistair*, *Sander*. Germanique : *Alexander*. Italien : *Alessandro*, *Alessandrino*, *Sandro*. Roumain : *Alexandru*. Russe : *Aleksandr*, *Aliocha*, *Sacha*.

Alexis

Ce prénom, qui a la même étymologie qu'Alexandre, devient un grand classique dès les années 1990.
• **Origine grecque**, signifie « l'homme qui repousse ».
• Caractère : **indépendance, affectivité, ambition, volonté**.
• Espagnol : *Alejo*. Italien : *Alessio*. Provençal : *Alessi*. Russe : *Aleksii*.

Alfred

Prénom vedette du XIXe s., Alfred est bien discret aujourd'hui.
• **Origine germanique**, signifie « grande paix ».
• Caractère : **volonté, exigence, autorité, rigueur**.
• Variantes : *Aufray*, *Aufroy*.
• Anglo-saxon : *Alf*, *Alfie*, *Alfy*, *Avery*. Italien : *Alfredo*. Provençal : *Alfret*.

Ali

Ali est le cousin de Mahomet et également son gendre : il épouse sa fille Fatima au VIIe s. Il assure

la lignée du clan hachémite et devient le 4ᵉ calife. Il est assassiné à la suite de troubles qui entraîneront la scission de l'islam.
• **Origine arabe**, signifie « supérieur ».
• Caractère : **travail, stabilité, rigueur, autorité**.

Allistair

Forme gaélique d'Alexandre, ce prénom est bien connu dans la culture anglo-américaine.
• **Origine grecque**, signifie « l'homme qui repousse ».
• Caractère : **autorité, volonté, activité, énergie**.
• Autre orthographe : *Alistair*.
• Variante : *Allastair*.

Allowin

La vogue de Halloween, son homologue anglo-saxon, ces dernières années n'a pas permis à ce prénom de se faire une place à l'état civil. Il reste rare.
• **Origine germanique**, signifie « tout » et « ami ».
• Caractère : **discrétion, solidité, diplomatie, sociabilité**.

Aloys

Forme médiévale de Louis, ce prénom est en vogue dans les milieux traditionnels.
• **Origine germanique**, signifie « glorieux vainqueur ».
• Caractère : **sociabilité, charisme, sensibilité, affectivité**.
• Variantes : *Eloïs, Eloys, Loÿs*.
• Autre orthographe : *Aloïs*.
• Espagnol : *Aloisio*. Germanique : *Aloysius*.

Alphée

Ce prénom mythologique reste rare.
• **Origine grecque**, signifie « bouvier ».
• Caractère : **calme, sociabilité, réserve, fidélité**.

Alphège

• **Origine grecque**, signifie « lumineux ».
• Caractère : **altruisme, sens des responsabilités, persévérance, autorité**.
• Variante : *Elphège*.

Alphonse

Tout comme Alfred, Alphonse régnait au XIXᵉ s. ; il a, pour l'instant, disparu de l'état civil.
• **Origine germanique**, signifie « très vif ».

• Caractère : **charisme, persuasion, charme, éloquence.**
• Espagnol : *Alonzo*. Italien : *Alfonso*. Provençal : *Anfos, Anfous.*

Alvar

Ce prénom est surtout connu dans les pays scandinaves.
• **Origine germanique**, signifie « noble chef ».
• Caractère : **calme, affectivité, sensibilité, équilibre.**
• Espagnol et portugais : *Alvaro.*

Alwin

Ce prénom se développe aux États-Unis.
• **Origine germanique**, signifie « ami des elfes ».
• Caractère : **réalisme, travail, rigueur, persévérance.**
• Variantes : *Allowin, Alvin.*

Amaël

• **Origine celte**, variante de Maël, qui signifie « prince ».
• Caractère : **autonomie, énergie, curiosité, ambition.**
• Variante : *Emaël.*

Amalric

Ce prénom est une forme dérivée d'Aldric.
• **Origine germanique**, signifie « noble roi ».
• Caractère : **activité, combativité, impatience, intuition.**
• Italien : *Amalrico.*

Amance

Ce prénom rarissime est très ancien.
• **Origine latine**, signifie « qui aime ».
• Caractère : **énergie, vivacité, éloquence, exigence.**
• Autre orthographe : *Amans.*

Amand

Rare au masculin, ses féminins Amanda, et surtout Amandine, sont plus fréquents.
• **Origine latine**, signifie « amoureux ».
• Caractère : **calme, travail, amitié, affectivité.**
• Provençal : *Amanet.*

Amaury

Ce prénom est une forme moderne de Maur. Grand classique depuis les années 1980, il reste favori dans les milieux traditionnels.
• **Origine latine**, signifie « d'origine maure ».

• Caractère : **curiosité, impatience, affectivité, réserve.**
• Autres orthographes : *Amauri, Amory.*
• Variantes : *Aimeri, Aimery, Amauric, Améric, Amery.*
• Espagnol : *Aimerigo, Amalrigo, Amerigo.*

Ambroise

La vogue des prénoms Renaissance nous ramène ce beau prénom distingué.
• **Origine grecque**, signifie « immortel ».
• Caractère : **autorité, indépendance, travail, énergie.**
• Variantes : *Ambroisie, Ambroisin.*
• Anglo-saxon : *Ambrose.* Germanique : *Ambros, Ambrosius.* Italien : *Ambrogio.* Russe : *Amvrosii.*

Amédée

Prénom traditionnel de la dynastie de Piémont et Savoie, Amédée n'a jamais été courant dans le public. Sa forme latine Amadeus fut le second prénom de Mozart.
• **Origine latine**, signifie « aimé de Dieu ».
• Caractère : **sensibilité, ambition, calme, activité.**
• Variante : *Amadour.*
• Espagnol : *Amadeo, Amadeu, Amadis.* Germanique : *Amadeus.* Italien : *Amadeo, Amedeo.*

Amiel

Forme provençale d'Émile.
• **Origine latine**, signifie « émule ».
• Caractère : **sensibilité, passion, exigence.**

Amine

Ce prénom est en pleine évolution.
• **Origine arabe**, signifie « florissant ».
• Caractère : **étude, réflexion, générosité, écoute.**

Amos

Ce prénom biblique est celui de l'un des douze « petits prophètes » ; il est très répandu aux États-Unis, mais rarissime en Europe.
• **Origine hébraïque**, signifie « chargé ».
• Caractère : **sociabilité, fantaisie, curiosité, indépendance.**

Anaël

• **Origine hébraïque**, signifie « gracieux ».
• Caractère : **affectivité, sens des responsabilités, sensibilité, idéalisme.**
• Diminutif : *Naël.*

Anastase

Ce prénom n'a jamais connu de réel succès.

• **Origine grecque**, signifie « résurrection ».

• Caractère : **courage, persévérance, loyauté, ambition**.

• Grec : *Anastasios*. Italien : *Anastasio*. Russe : *Anastasii*.

Anatole

Ce prénom est surtout prisé des familles slaves.

• **Origine grecque**, signifie « aurore ».

• Caractère : **indépendance, adaptabilité, curiosité, rigueur**.

• Russe : *Anatolii*, *Astola*, *Tola*.

Ancelin

Ce prénom est une forme dérivée d'Anselme.

• **Origine germanique**, signifie « protégé du dieu Ans ».

• Caractère : **volonté, passion, intelligence, exigence**.

André

Ce prénom est un classique des années 1920 ; c'est maintenant sa forme italienne qui a les faveurs des parents, tant pour les garçons que pour les filles.

• **Origine grecque**, signifie « homme ».

• Caractère : **charme, diplomatie, sens des responsabilités**.

• Anglo-saxon : *Anders*, *Andy*, *Andrew*. Arabe : *Lounès*. Breton : *Andrev*. Espagnol : *Andrès*. Germanique : *Andreas*. Grec : *Andros*. Hongrois : *Andor*. Italien : *Andrea*. Normand : *Andrieu*. Occitan : *Andéol*. Provençal : *Andiu*, *Andreu*. Russe : *Andréï*. Tchèque : *Andrej*.

Andréa

Cette forme italienne d'André, masculine à l'origine, est devenue mixte et connaît un réel succès depuis les années 1990.

• **Origine grecque**, signifie « homme ».

• Caractère : **harmonie, équilibre, sens de la justice, rigueur**.

Andy

Ce diminutif anglo-américain d'André plaît beaucoup en France depuis l'année 2000. Il fait partie du top 200 des prénoms masculin.

• **Origine grecque**, signifie « homme ».

• Caractère : **sens des responsabilités, conformisme, équilibre, affectivité**.

Ange

Ce prénom est surtout répandu en Corse et dans le Sud. Sa forme anglo-saxonne Angel a quelques adeptes.

• **Origine grecque**, signifie « messager ».
• Caractère : **amabilité, charme, sociabilité, curiosité**.
• Variantes : *Angel, Angelin*.
• Diminutifs : *Angelino, Lino*.
• Anglo-saxon : *Angel, Angie, Angy*. Breton : *Ael, Aelig*. Grec : *Angelon*. Italien et portugais : *Angelo*.

Angelo

Cette forme italienne d'Ange est l'un des favoris de ce début de XXIe s., dans le sillage de Matteo et Enzo.

• **Origine grecque**, signifie « messager ».
• Caractère : **finesse, subtilité, sens artistique, diplomatie**.
• Diminutif : *Angelino*.
• Grec : *Angelos*.

Angilran

Forme dérivée d'Enguerrand.

• **Origine germanique**, signifie « ange » et « corbeau ».
• Caractère : **réserve, sensibilité, maîtrise, prudence**.

Anicet

• *Ce prénom n'a jamais eu grand succès.*
• **Origine grecque**, signifie « invincible ».
• Caractère : **indépendance, passion, aventure, sociabilité**.

Anis

Ce prénom est en pleine progression.

• **Origine arabe**, signifie « sympathique ».
• Caractère : **indépendance, détermination, sociabilité, rigueur**.

Anselme

Bien que rarissime, ce prénom a de nombreuses formes dérivées, toutes aussi peu fréquentes que lui.

• **Origine germanique**, signifie « protégé du dieu Ans ».
• Caractère : **calme, sérieux, sens des responsabilités, réserve**.
• Variantes : *Ancelin, Anthelme, Aycelin*.
• Italien et portugais : *Anselmo*.

Ansfrid

Ce prénom a toujours été rare.

• **Origine germanique**, signifie « la paix du dieu Ans ».
• Normand : *Anfray*.

Anthime

En progression depuis 2010.
• **Origine germanique**, dérivé d'Anselme, qui signifie « protégé du dieu Ans ».
• Caractère : **réflexion, sagesse, étude, volonté**.

Anthony

Ce prénom, forme anglo-saxonne d'Antoine, a connu un grand succès dans les années 1970.
• **Origine latine**, signifie « inestimable ».
• Caractère : **calme, sensibilité, réserve, stabilité**.
• Autre orthographe : *Antony*.
• Diminutif : *Tony*.

Antoine

Un classique indémodable du XXe s.
• **Origine latine**, signifie « inestimable ».
• Caractère : **solidité, équilibre, curiosité, charme.**
• Diminutifs : *Titouan*, *Toinet*.
• Variantes : *Antonien*, *Antonin*, *Antoinon*.
• Anglo-saxon : *Anthony*. Espagnol et portugais : *Antonio*, *Tonio*. Germanique : *Anton*. Italien : *Antonello*, *Antonino*, *Antonio*. Provençal : *Antounet*. Russe : *Anton*.

Antonin

Ce prénom dérivé d'Antoine, qui date de l'Antiquité, revient au goût du jour.
• **Origine latine**, signifie « inestimable ».
• Caractère : **sociabilité, sérieux, calme, sens des responsabilités**.
• Italien : *Antonino*.

Anwar

Prénom en grande progression.
• **Origine arabe**, signifie « lumière ».
• Caractère : **dynamisme, activité, charisme, détermination**.

Aodren

• **Origine celte**, signifie « royal »
• Caractère : **dynamisme, activité, énergie, communication**.

Apollinaire

Ce prénom ne rencontre pas le même succès que son féminin Apolline.
• **Origine grecque**, signifie « relatif à Apollon ».
• Caractère : **franchise, autorité, sens de l'organisation, sociabilité**.
• Portugais : *Apolinario*. Russe : *Apolloni*.

Aquila

Ce prénom est dans la même lignée qu'Agrippa.
• **Origine latine**, signifie « aigle ».
• Caractère : **discrétion, intuition, opiniâtreté, réserve.**
• Variante : *Aquilin.*

Archibald

Ce prénom typiquement anglo-saxon trouve ses adeptes en Angleterre et en Écosse.
• **Origine germanique**, signifie « très audacieux ».
• Caractère : **calme, affectivité, diplomatie, sociabilité.**
• Variante : *Archambaud.*
• Diminutif : *Archie.*
• Espagnol : *Archibaldo.* Germanique : *Erkenbald.* Italien : *Arcibaldo.*

Argan

Forme bretonne de Barthélemy, ce prénom est peu courant malgré une belle sonorité.
• **Origine araméenne**, signifie « fils de Tolomé ».
• Caractère : **dynamisme, éloquence, passion, finesse.**

Ari

Ce prénom est en progression.
• **Origine hébraïque**, signifie « lion ».
• Caractère : **réflexion, sagesse, détermination, courage, charisme, travail, exigence.**

Ariel

Ce prénom est peu courant.
• **Origine hébraïque**, signifie « vaillant ».
• Caractère : **solidité, charisme, travail, exigence.**

Aristide

Ce prénom connaît son heure de gloire à la fin du XIXe s. ; il est passé de mode pour l'instant.
• **Origine grecque**, signifie « le meilleur fils ».
• Caractère : **prudence, réserve, discipline, travail.**
• Espagnol : *Aristidès.* Italien : *Aristeo.*

Armand

Ce prénom de charme de la fin du XIXe s. n'est pas encore revenu à la mode.
• **Origine germanique**, signifie « homme fort ».
• Caractère : **calme, sérieux, stabilité, sens des responsabilités.**

• Variante : *Armandin*.
• Germanique : *Hermann*. Italien et portugais : *Armando*.

Armel

Typiquement breton, ce joli prénom est plus fréquent dans sa forme féminine.
• **Origine celte**, signifie « prince » et « ours ».
• Caractère : **réserve, travail, opiniâtreté, stabilité**.
• Variante : *Armaël*.
• Breton : *Arzhel*.

Armen

Ce prénom est sur la voie du succès.
• **Origine arménienne**, signifie « arménien ».
• Caractère : **solidité, détermination, travail, méthode**.

Arnaud

Ce prénom médiéval est l'un des indémodables du XXe s.
• **Origine germanique**, signifie « aigle qui gouverne ».
• Caractère : **dynamisme, curiosité, vivacité, gentillesse**.
• Autres orthographes : *Arnauld*, *Arnault*.
• Variantes : *Arnold*, *Arnould*, *Arnoult*.
• Anglo-saxon : *Arnall*, *Arnard*. Breton : *Arneg*. Espagnol : *Arnaldo*. Italien et portugais : *Arnaldo*, *Arnolfo*. Scandinave : *Arend*, *Arnd*.

Arnold

Ce prénom est la forme primitive d'Arnaud.
• **Origine germanique**, signifie « aigle qui gouverne ».
• Caractère : **dynamisme, curiosité, vivacité, gentillesse**.
• Italien : *Arnoldo*.

Arsène

Le « gentleman cambrioleur » Arsène Lupin, s'il a illustré ce prénom, ne l'a pas mis à la mode ; il est toujours très rare.
• **Origine grecque**, signifie « viril ».
• Caractère : **élégance, charme, autorité, travail**.
• Russe : *Arsenii*.

Arthaud

On rencontre plus souvent ce prénom comme patronyme.
• **Origine germanique**, signifie « celui qui gouverne » et « fort ».
• Caractère : **énergie, ambition, volonté, exigence**.
• Germanique : *Artwald*.

Arthur

Arthur est un prénom médiéval par excellence. Valeureux et royal, il entre dans la légende avec les chevaliers de la Table ronde. Il est à l'honneur depuis 1980.

• **Origine celte**, signifie « ours ».
• Caractère : **indépendance, volonté, énergie, charme**.
• Variantes : *Arthus, Artus, Thurel.*
• Diminutifs : *Art, Artie, Arty.*
• Breton : *Arzhul.* Italien : *Arturo.*

Ashley

Ce prénom celte, inconnu en France jusqu'aux années 1990, commence à être attribué aussi bien aux filles qu'aux garçons.

• **Origine celte**, signifie « bois de frêne ».
• Caractère : **stabilité, charme, prudence, opportunisme**.

Aslan

Ce prénom était peu courant dans l'Hexagone jusqu'à récemment.

• **Origine turque**, signifie « lion ».
• Caractère : **intuition, discrétion, fiabilité, diplomatie**.

Athanase

Ce prénom est plus courant en Grèce qu'en France où il n'a jamais été en vogue. Athos, prénom d'un des Trois Mousquetaires, est probablement une forme dérivée d'Athanase.

• **Origine grecque**, signifie « immortel ».
• Caractère : **stabilité, ambition, fidélité, énergie**.
• Grec : *Athanasios.* Italien : *Atanasio.*

Aubert

Ce prénom est la forme la plus ancienne d'Albert.

• **Origine germanique**, signifie « très illustre ».
• Caractère : **volonté, activité, indépendance, ambition**.
• Variantes : *Aubéri, Aubry, Ober, Oberon.*

Aubin

Cette forme dérivée d'Albin, d'une sonorité plus virile, commence à apparaître.

• **Origine latine**, signifie « blanc ».
• Caractère : **exigence, fidélité, travail, volonté**.

Aubry

Une forme dérivée d'Albéric, fréquente comme patronyme.
• **Origine germanique**, signifie « très illustre et puissant ».
• Caractère : **rigueur, sérieux, activité, autorité**.
• Normand : *Aubriet*, *Aubriot*.

Audric

Forme masculine d'Audrey.
• **Origine germanique**, signifie « noble gloire ».
• Caractère : **calme, charme, détermination, étude**.
• Variantes : *Audry*, *Autric*, *Autry*.

Augias

Prénom issu de la mythologie grecque.
• Caractère : **travail, sens pratique, persévérance, courage**.

Les écuries d'Augias

Dans la mythologie grecque, Augias est l'un des Argonautes partis à la recherche de la Toison d'or. Il possède d'immenses écuries, que le demi-dieu Héraclès nettoie en y faisant passer le fleuve Alphée.

Auguste

Ce prénom de l'Antiquité, synonyme de majesté, était en vogue au XIXe s. Il réapparaît timidement.
• **Origine latine**, signifie « vénérable ».
• Caractère : **travail, énergie, sociabilité, ambition**.
• Variantes : *Augustin*, *Gustave*.
• Anglo-saxon : *August*, *Austin*. Italien : *Agosto*, *Augusto*. Occitan : *Angoustan*, *Aoust*. Portugais : *Augusto*.

Augustin

Bien moins en vogue qu'Auguste au XIXe s., Augustin, son dérivé, est plus apprécié que lui aujourd'hui.
• **Origine latine**, signifie « vénérable ».
• Caractère : **sérieux, prudence, fidélité, opiniâtreté**.
• Anglo-saxon : *Austen*, *Austin*. Espagnol : *Agustin*. Italien : *Agostino*, *Tino*.

Aurèle

Ce prénom de l'Antiquité n'a jamais remporté le succès de son dérivé Aurélien.
• **Origine latine**, signifie « en or ».
• Caractère : **dynamisme, sens pratique, diplomatie, susceptibilité**.

• Autre orthographe : *Aurel*.
• Variante : *Aurélien*.
• Anglo-saxon : *Orell*. Italien : *Aurelio*.

Aurélien

Cette forme dérivée d'Aurèle est au top des prénoms dans les années 1980.

• **Origine latine**, signifie « en or ».
• Caractère : **calme, émotivité, exigence, prudence**.
• Italien et portugais : *Aureliano*. Occitan : *Aurelian*.

Auxane

• *Ce prénom est très rare, malgré sa belle sonorité.*
• **Origine grecque**, signifie « hospitalier ».
• Caractère : **confiance en soi, habileté, sociabilité, goût de l'aventure**.
• Variante : *Euxane*.

Auxence

• **Origine grecque**, signifie « qui grandit »
• Caractère : **rigueur, méthode, énergie, travail**.

Aven

Forme bretonne de Venance.

• **Origine latine**, signifie « celui qui vient ».
• Caractère : **intuition, réserve, intelligence, détermination**.

Axel

Ce prénom nordique est une forme dérivée de l'hébraïque Absalom. Il est en vogue depuis les années 1980.

• **Origine hébraïque**, signifie « père de la paix ».
• Caractère : **courage, harmonie, sensibilité, diplomatie**.
• Italien : *Assalonne*.

Aylan

Prénom en pleine évolution.

• **Origine berbère**, signifie « bouclier ».
• Caractère : **énergie, persévérance, travail, sens des responsabilités**.

Aymar

Ce prénom a toujours été discret.

• **Origine germanique**, signifie « illustre maison ».
• Caractère : **activité, adaptabilité, courage, exigence**.
• Autres orthographes : *Aimar*, *Eymard*.

Aymeric

Ce prénom médiéval connaît un grand succès dans les années 1980.

• **Origine germanique**, signifie « la maison du roi ».

• Caractère : **réserve, élitisme, affectivité, persévérance.**

• Autres orthographes : *Aimeric, Émeric.*

• Anglo-saxon : *Emery*. Italien : *Amerigo.*

Azziz

• **Origine arabe**, signifie « aimé ».

• Caractère : **harmonie, équilibre, sens de la justice, rigueur**.

Bachir

Ce prénom est l'un des noms qui désignent le Prophète.

• **Origine arabe**, signifie « celui qui annonce de bonnes nouvelles ».

• Caractère : **indépendance, adaptabilité, curiosité, aventure**.

Baldéric

Ce prénom germanique est peu courant.

• **Origine germanique**, signifie « hardi et puissant ».

• Caractère : **émotivité, calme, responsabilité, sens pratique**.

• Variantes : *Baldric, Baudry.*

Balthazar

Les Rois mages font ici une entrée remarquée dans l'état civil.

• **Origine akkadienne**, signifie « Dieu protège le roi ».

• Caractère : **sensibilité, adaptabilité, rigueur, opportunisme**.

• Anglo-saxon : *Balthasar.*

• Espagnol : *Baltasar.* Italien : *Baldassare.* Provençal : *Bautezar.*

Baptiste

« Le baptiste », c'est ainsi que l'on surnommait Jean, qui annonçait la venue du Christ sur la rive du Jourdain. Ce surnom est devenu prénom. Il est courant sous sa forme composée dès le XVIIe s. Aujourd'hui, on le préfère dans sa simplicité.

• **Origine grecque**, signifie « celui qui baptise ».

• Caractère : **altruisme, calme, diplomatie, persuasion**.

• Variante : *Baptistin.*

• Espagnol : *Bautista*. Italien : *Battista*. Provençal : *Baptistet*, *Batistoun*, *Titoun*.

Barclay

• **Origine anglaise**, signifie « vallée de bouleaux ».
• Caractère : **harmonie, équilibre, droiture, sens de la justice.**

Barnabé

• **Origine araméenne**, signifie « fils de Nabû ».
• Caractère : **sensibilité, réserve, affectivité, discrétion.**
• Anglo-saxon : *Barnabas*, *Barn*, *Barney*. Espagnol : *Bernabe*.

Barthélemy

Ce prénom fait immanquablement penser au massacre des protestants, en 1572.
• **Origine araméenne**, signifie « fils de Tolomé ».
• Caractère : **ambition, travail, éloquence, charisme.**
• Anglo-saxon : *Bart*, *Bartholomew*. Breton : *Argan*, *Argantaël*. Espagnol : *Bartolome*. Germanique : *Bartholomaus*. Italien : *Bartolo*, *Bartolomeo*. Provençal : *Bartoumieu*, *Bertoumieu*.

Basile

Répandu dans les pays slaves, Basile apparaît timidement depuis 2000.
• **Origine grecque**, signifie « roi ».
• Caractère : **sociabilité, sens des responsabilités, épicurisme, harmonie.**
• Anglo-saxon : *Basil*. Espagnol : *Basilio*. Germanique : *Basilius*. Normand : *Bazire*. Provençal : *Basillou*. Russe : *Vassili*.

Bastien

Ce diminutif de Sébastien est en vogue depuis les années 1990.
• **Origine grecque**, signifie « couronné ».
• Caractère : **sensibilité, exigence, volonté, travail.**
• Breton et occitan : *Bastian*. Italien : *Bastiano*.

Baudile

Ce prénom à la douce consonance est rare.
• **Origine germanique**, signifie « audacieux combat ».
• Caractère : **modération, diplomatie, émotivité, réserve.**
• Variantes : *Baudilon*, *Baudis*.
• Espagnol : *Baldirio*.

Baudouin

Ce prénom est un classique, discret mais toujours présent.

• **Origine germanique**, signifie « audacieux ami ».

• Caractère : **sens des responsabilités, exigence, générosité, prudence**.

• Autres orthographes : *Baudoin, Beaudoin, Beaudouin.*

• Variantes : *Aldwin, Audouin.*

• Espagnol : *Balduino.*

Ben

Ce prénom ressemble à un diminutif de Benjamin, mais il est un prénom à part entière. Dans la Bible, il est porté par le fils de Léa et de Jacob qui occupe la fonction de portier du Temple.

• **Origine hébraïque**, signifie « le fils ».

• Caractère : **sensibilité, intuition, diplomatie, harmonie**.

Benjamin

Dans la Bible, ce prénom est celui du dernier des douze fils de Jacob et Rachel ; c'est un grand classique depuis les années 1980.

• **Origine hébraïque**, signifie « fils de bon augure ».

• Caractère : **passion, ambition, vitalité, affectivité**.

• Anglo-saxon : *Benjamin, Benny.*

• Espagnol, germanique : *Benjamin.*

• Italien : *Beniamino.*

Benoît

Ce prénom fait partie des classiques, jamais très en vogue, mais jamais démodé.

• **Origine latine**, signifie « béni ».

• Caractère : **sensibilité, générosité, calme, efficacité**.

• Arabe : *Moubarak.* Breton : *Benead, Bénédig, Bennideg, Bennigan.* Germanique : *Benedikt.* Italiens : *Benito, Benedetto.* Provençal : *Bénédit, Bénezet.*

Béranger

Ce prénom médiéval est plus répandu sous sa forme féminine.

• **Origine germanique**, signifie « ours » et « lance ».

• Caractère : **émotivité, curiosité, dynamisme, imagination**.

• Autre orthographe : *Bérenger.*

• Espagnol : *Berenguer.* Italien : *Bellingero.*

Bérard

Ce prénom est beaucoup plus rare que Bernard, qui a la même étymologie.

• **Origine germanique**, signifie « ours fort ».

• Caractère : **perfectionnisme, exigence, réflexion, sensibilité.**
• Espagnol : *Berardo.*

Berckeley

Ce prénom mixte, variante de Barclay, est en vogue aux États-Unis, dans la tendance des prénoms à consonance géographique.
• **Origine anglaise**, signifie « vallée de bouleaux ».
• Caractère : **sensibilité, adaptabilité, goût de l'aventure, indépendance.**

Bernard

Voici l'un des grands classiques du début du XXe s.
• **Origine germanique**, signifie « ours fort ».
• Caractère : **réalisme, volonté, fidélité, sens des responsabilités.**
• Variante : *Bernardin.*
• Alsacien : *Bernward.* Anglo-saxon : *Barnard, Bernie, Berny.* Breton : *Bernez.* Espagnol et italien : *Bernardo.* Germanique : *Bernhardt.* Provençal : *Bernat.* Scandinave : *Björn.*

Bernardin

Ce prénom est une forme dérivée de Bernard.
• **Origine germanique**, signifie « ours fort ».
• Caractère : **réflexion, prévoyance, rigueur, réserve.**

Berthold

Ce prénom est rare.
• **Origine germanique**, signifie « gloire illustre ».
• Caractère : **réserve, étude, réflexion, conciliation.**

Bertil

Ce prénom, assez répandu en Suède, apparaît timidement en France. Mixte, il s'écrit indifféremment Bertil ou Bertille.
• **Origine germanique**, signifie « illustre et habile ».
• Caractère : **sociabilité, diplomatie, habileté, coopération.**

Bertrand

Ce prénom chevaleresque, illustré par Du Guesclin, connaît ses heures de gloire au milieu du XXe s.
• **Origine germanique**, signifie « illustre corbeau ».
• Caractère : **calme, stabilité, sociabilité, détermination.**

• Anglo-saxon : *Ebertram*, *Bertram*. Germanique : *Bertram*. Italien : *Bertrando*. Provençal : *Bertranet*.

Béryl

Ce prénom traditionnellement féminin devient mixte.

• **Origine latine**, signifie « béryl », nom d'une famille de pierres précieuses de différentes couleurs (vertes, ce sont des émeraudes ; bleues, des aigues-marines ; jaunes, des héliodores ; roses, des morganites).

• Caractère : **réalisme, fidélité, volonté, sens des responsabilités**.

Bienvenu

Ce prénom est peu courant.

• **Origine latine**, signifie « bienvenu ».

• Caractère : **réserve, exigence, sérieux, persévérance**.

• Espagnol : *Bienvenido*. Italien : *Benvenuto*.

Bilal

Ce prénom est celui d'un esclave noir dont la voix était si puissante et si belle qu'il devint le premier muezzin de la mosquée du Prophète.

• **Origine arabe**, signifie « don ».

• Caractère : **altruisme, discrétion, travail, rêverie**.

Bili

Ce prénom n'est pas un diminutif, mais un vieux prénom breton.

• **Origine celte**, signifie « brillant ».

• Caractère : **équilibre, générosité, rigueur, fidélité**.

Bixente

Ce prénom est la forme basque de Vincent.

• **Origine latine**, signifie « celui qui vainc ».

• Caractère : **indépendance, exigence, volonté, opportunisme**.

Björn

Ce prénom est l'un des plus connus de la culture scandinave.

• **Origine scandinave**, signifie « fort comme un ours ».

• Caractère : **curiosité, aventure, dynamisme, esprit d'entreprise**.

• Variante : *Bjarni*.

Blaise

Bien qu'il soit illustré par un homme de génie, Blaise Pascal, ce prénom est resté discret.

• **Origine latine**, signifie « bègue ».

• Caractère : **sensibilité, sens des responsabilités, étude, sociabilité**.

• Anglo-saxon : *Blaze*. Breton : *Bleiz*. Espagnol : *Blas*. Germanique : *Blasius*. Italien : *Biagio*, *Biasio*.

Occitan : *Blaisian*. Provençal : *Blasioun*.

Bodmaël

Ce prénom est une forme dérivée de Beuzeg, vieux prénom breton.

• **Origine celte**, signifie « victoire du prince ».

• Caractère : **étude, réflexion, sagesse, rigueur**.

• Variantes : *Bodvaël, Bodzaël*.

Boèce

Ce prénom évoque le poète latin qui a traduit dans sa langue de nombreux philosophes grecs.

• **Origine latine**, signifie « de Boétie ».

• Caractère : **stabilité, travail, rigueur, réflexion**.

• Espagnol : *Boecio*.

Bogomil

Ce prénom n'a pas encore atteint la popularité de Dimitri.

• **Origine slave**, signifie « ami de Dieu ».

• Caractère : **autorité, droiture, travail, rigueur**.

Bonaventure

Ce prénom est rare, tout comme Bienvenu, malgré une étymologie positive. Il a donné naissance à deux patronymes italiens : Venturo, Ventura.

• **Origine latine**, signifie « bonne nouvelle ».

• Caractère : **émotivité, prudence, activité, curiosité**.

• Espagnol : *Buenaventura*. Italien : *Bonaventura*.

Boniface

Ce prénom est surtout connu pour avoir été porté par neuf papes.

• **Origine latine**, signifie « bonne destinée ».

• Caractère : **énergie, autorité, travail, curiosité**.

• Espagnol et italien : *Bonifacio*. Germanique : *Bonifacius*. Provençal : *Bounifaci*.

Boris

Ce prénom n'a pas encore, en Europe, le succès de Dimitri.

• **Origine slave**, signifie « combattant ».

• Caractère : **sociabilité, tolérance, harmonie, affectivité**.

• Variante : *Borislav*.

Bradley

Ce prénom, issu du vieil anglais, est plus courant aux États-Unis sous son diminutif Brad.

• **Origine anglaise**, signifie « vaste prairie ».

• Caractère : **calme, sérieux, persévérance, discipline**.

• Diminutif : *Brad*.

• Variante : *Bradly*.

Brahim

Ce prénom est le diminutif d'Ibrahim, forme arabe d'Abraham.

• **Origine hébraïque**, signifie « père des nations ».

• Caractère : **affectivité, sens des responsabilités, harmonie, générosité**.

Bran

• **Origine celte**, signifie « corbeau ».

• Caractère : **réalisme, volonté, fidélité, sens des responsabilités**.

• Variante : *Brewen*.

Brandon

Ce prénom est une forme dérivée de Brendan, qui connaît quelques années de succès à la fin du XXe s.

• **Origine celte**, signifie « corbeau ».

• Caractère : **opiniâtreté, esprit d'aventure, curiosité, activité**.

• Italien : *Brando*.

Brendan

Ce prénom américain d'origine irlandaise s'implante en Europe depuis les années 1990.

• **Origine celte**, signifie « corbeau ».

• Caractère : **originalité, curiosité, détermination, adaptabilité**.

Brett

Ce prénom anglo-saxon, diminutif de Brittany, est en vogue en Australie.

• **Origine celte**, signifie « qui vient de (Grande)-Bretagne ».

• Caractère : **émotivité, diplomatie, adaptabilité, sociabilité**.

• Variante : *Britt*.

Brévalaer

Il est une forme dérivée de Brendan.

• **Origine celte**, signifie « corbeau ».

• Caractère : **calme, harmonie, réserve, conscience professionnelle**.

• Autres orthographes : *Brévalaire, Bréwalaer*.

• Variantes : *Brewalan, Brewalenn*.

Brewen

Il est une forme dérivée de Bran, forme bretonne de Brévin.

- **Origine celte**, signifie « corbeau ».
- Caractère : **sérieux, patience, réserve, détermination.**
- Variante : *Brewan.*

Briac

Ce prénom typiquement breton est plus connu sous sa forme anglo-saxonne, Bryan.

- **Origine celte**, signifie « important prince ».
- Caractère : **élégance, indépendance, charme, sens des responsabilités.**
- Variantes : *Briag, Brieg.*
- Anglo-saxon : *Brian.*

Brice

Ce prénom élégant est peu courant.

- **Origine celte**, signifie « bigarré ».
- Caractère : **dynamisme, activité, habileté, indépendance.**
- Breton : *Brizh.*

Brieuc

Rendu familier par la ville de Saint-Brieuc, ce prénom revient en vogue depuis les années 1990. Il est une forme dérivée de Brieg.

- **Origine celte**, signifie « important prince ».
- Caractère : **affectivité, générosité, fidélité, perfectionnisme.**
- Variantes : *Brieg, Briog.*

Brivaël

Ce prénom est une forme dérivée de Briag.

- **Origine celte**, signifie « important prince ».
- Caractère : **sens des responsabilités, générosité, calme, harmonie.**

Bruce

Ce prénom était à l'origine un patronyme normand, porté par l'un des compagnons de Guillaume le Conquérant ; il fut adopté comme prénom par les Écossais dès le XIVe s. Il est toujours en vogue chez eux.

- **Origine normande**, signifie « épais buisson ».
- Caractère : **réflexion, passion, réserve, activité.**

Bruno

Malgré sa consonance latine, ce prénom a une origine germanique.

• **Origine germanique**, signifie « bouclier ».

• Caractère : **secret, réflexion, étude, gentillesse.**

Bryan

Forme anglo-saxonne de Briac.

• **Origine celte**, signifie

• « important prince ».

• Caractère : **individualisme, intuition, sens du devoir, fiabilité.**

• Autre orthographe : *Brian.*

• Italien : *Briano.*

Cadwal

• **Origine celte**, signifie « combat » et « valeur ».

• Caractère : **réserve, calme, activité, réflexion.**

• Variantes : *Cadwallader, Cadwallen, Cadwallon.*

Caleb

Ce prénom biblique désigne l'un des envoyés de Moïse parti apprécier les chances d'investir la terre de Canaan, qui deviendra la Terre promise.

• **Origine hébraïque**, signifie « comme le cœur ».

• Caractère : **curiosité, autorité, sociabilité, goût du pouvoir.**

Calliste

Ce prénom mixte longtemps méconnu apparaît discrètement à l'état civil.

• **Origine grecque**, signifie « le plus beau ».

• Caractère : **intuition, émotivité, idéalisme, rêverie.**

• Variante : *Calixte.*

• Espagnol : *Calixto.*

Calvin

Ce prénom est actuellement surtout en vogue aux États-Unis. La renommée de Calvin Klein nous habitue à sa consonance.

• **Origine latine**, signifie « chauve ».

• Caractère : **réserve, sensibilité, esthétisme, perfectionnisme.**

Cameron

Prénom très courant en Écosse.

• **Origine gaélique**, signifie « rivière ».

• Caractère : **affectivité, harmonie, sens des responsabilités, réflexion.**

Camille

Prénom mixte connu dès l'Antiquité. Il nomme les garçons et les filles qui, à Rome, assistent les prêtres dans les cérémonies de sacrifice aux dieux païens. Il est aujourd'hui presque exclusivement féminin.

• **Origine latine**, signifie « qui fait partie de la famille Camillus ».

• Caractère : **énergie, sociabilité, travail, indépendance.**

• Espagnol : *Camilo*. Germanique : *Kamill*. Italien : *Camillo*. Provençal : *Camilho*.

Canut

Forme francisée de Knut.

• **Origine scandinave**, signifie « blanc ».

• Variantes : *Knud, Knut.*

Caradec

• **Origine celte**, signifie « ami ».

• Caractère : **communication, sensibilité, charme, éloquence.**

• Autre orthographe : *Karadec.*

• Variantes : *Caradoc, Karadeg.*

Carel

Forme originelle de Charles, ce prénom est courant dans les pays de l'Est.

• **Origine germanique**, signifie « viril ».

• Caractère : **sociabilité, charisme, optimisme, sens artistique.**

• Autre orthographe : *Karel.*

• Variantes : *Carol, Karol.*

Carloman

Ce prénom fut porté par plusieurs rois francs.

• **Origine germanique**, signifie « homme fort ».

• Caractère : **indépendance, goût de l'aventure, adaptabilité, charisme.**

Casimir

Ce prénom rare en France est encore très marqué par la marionnette des émissions télévisées pour enfants des années 1980.

• **Origine slave**, signifie « assemblée » et « paix ».

• Caractère : **esprit d'entreprise, énergie, ambition, sensibilité.**

• Anglo-saxon : *Casper, Jasper.* Espagnol et italien : *Casimiro.* Germanique : *Kasimir, Kasper.*

Casper

Ce prénom est une forme anglo-saxonne de Gaspard.

• **Origine sanscrite**, signifie « celui qui vient voir ».

• Caractère : **ambition, harmonie, sens de la justice, réflexion**.

• Variantes : *Caspar, Jasper*.

Cassien

• **Origine latine**, signifie « de la famille Cassius », patriciens romains du ier s.

• Caractère : **réflexion, étude, discrétion, persévérance**.

• Italien : *Cassio*. Portugais : *Cassiano*. Russe : *Kassian*.

Cédric

Un favori des années 1980.

• **Origine celte**, signifie « chaise du roi ».

• Caractère : **exigence, charme, raffinement, indépendance**.

Céleste

Ce prénom mixte commence à apparaître à l'état civil.

• **Origine latine**, signifie « céleste ».

• Caractère : **douceur, sens des responsabilités, harmonie, discrétion**.

• Variante : *Célestin*.

Célestin

• **Origine latine**, signifie « céleste ».

• Caractère : **sens des responsabilités, fidélité, écoute, goût du pouvoir**.

• Espagnol et italien : *Celestino*.

Célian

Variante de Célin, forme masculine de Céline méconnue jusqu'en 2000. Il apparaît discrètement à l'état civil et prend son essor depuis 2010.

• **Origine latine**, signifie « qui se tait ».

• Caractère : **sociabilité, charisme, ambition, curiosité**.

• Variante : *Célin*.

Césaire

Cette forme provençale de César apparaît timidement à l'état civil. On la rencontre souvent comme patronyme.

• **Origine latine**, signifie « couper ».

• Caractère : **ambition, sérieux, détermination, travail**.

• Variante : *Césari*.

César

Ce prénom a tout le charme du Midi. Son origine est… médicale ; ainsi fut nommé, dans l'Antiquité, un enfant né par cette intervention appelée aujourd'hui « césarienne ».

- **Origine latine**, signifie « couper ».
- Caractère : **calme, autorité, travail, ambition.**
- Autre orthographe : *Caesar.*
- Variante : *Césarin.*
- Anglo-saxon : *Caesar.* Italien : *Cesare.* Portugais : *Cesario.*

Chamgar

Ce prénom biblique évoque l'un des « petits juges » d'Israël. La légende lui prête un fait d'armes peu commun : il aurait éliminé six cents Philistins avec un aiguillon à bœuf. Cet exploit lui vaut d'être cité dans le cantique de Déborah comme un sauveur d'Israël.

- **Origine hébraïque**, signifie « épée ».
- Caractère : **affectivité, harmonie, sens des responsabilités, justice.**

Charles

Ce prénom connaît bien des heures de gloire, depuis le Moyen Âge. De grands hommes l'ont illustré dans des domaines très divers : Charlemagne, Charles de Gaulle, Charlie Chaplin… Il connaît sa dernière vague de succès entre 1990 et 2010.

- **Origine germanique**, signifie « viril ».
- Caractère : **indépendance, sens des responsabilités, passion, autorité.**
- Diminutifs : *Charlie, Charlot, Charly.*
- Breton : *Charlez.* Espagnol : *Carlos.* Germanique : *Carl, Karl.* Italien : *Carlo, Lino.* Provençal : *Charloun.*

Charlie

Ce diminutif de Charles est devenu un prénom mixte, plutôt masculin, qui figure dans le top 200 et qui continue son ascension.

- **Origine germanique**, signifie « viril ».
- Caractère : **volonté, intuition, diplomatie, sagesse.**
- Variante : Charly.

Childebert

Au Moyen Âge, Childebert est le prénom de plusieurs rois francs.
• **Origine germanique**, signifie « illustre combat ».
• Caractère : **sociabilité, sens artistique, harmonie, charisme**.

Childeric

Ce prénom a été porté par plusieurs rois francs, aux Ve et VIIe s.
• **Origine germanique**, signifie « combat » et « roi ».
• Caractère : **dynamisme, opportunisme, charme, sens pratique**.

Christian

Ce prénom est l'un des grands classiques du milieu du XXe s.
• **Origine grecque**, signifie « messie ».
• Caractère : **activité, indépendance, confiance en soi, prudence**.
• Variante : *Chrétien*.
• Anglo-saxon : *Chris, Kirsten*.
• Espagnol : *Cristian, Cristiano*.
• Germanique : *Christian, Karsten, Kirsten*. Italien : *Cristiano*.

Christophe

Il prend le relais de Christian au hit-parade, dans les années 1970.
• **Origine grecque**, signifie « qui porte le Christ ».
• Caractère : **calme, intuition, émotivité, humour**.
• Anglo-saxon : *Christopher*.
• Espagnol : *Cristobal*.
• Germanique : *Christof, Stoffel, Toffel*. Grec : *Kristoforo*. Italien : *Cristoforo*. Russe : *Khristophor*.

Cian

Prénom très en vogue en Irlande.
• **Origine celte**, signifie « ancien ».
• Caractère : **idéalisme, altruisme, persévérance, passion**.
• Variantes : *Kane, Kean*.

Ciaran

Ce prénom est l'un des favoris des familles irlandaises.
• **Origine irlandaise**, signifie aux cheveux noirs ».
• Caractère : **indépendance, ambition, énergie, volonté**.

Cillian

• **Origine celte**, signifie « église ».
• Caractère : **discrétion, réserve, sens des responsabilités, sens de la famille.**
• Variante : *Killian.*

Clarence

Forme anglo-saxonne de Clair, ce prénom mixte s'affirme en France.
• **Origine latine**, signifie « clair ».
• Caractère : **sociabilité, réserve, goût de l'aventure, vivacité**.

Claude

Les Claudius formaient une illustre famille romaine qui donna un empereur au Ier s., époux de Messaline et d'Agrippine, et un autre au IIIe s.
• **Origine latine**, signifie « issu de la famille Claudius ».
• Caractère : **générosité, sociabilité, élégance, vivacité**.
• Breton : *Claudic, Klaoda.* Espagnol et italien : *Claudio.* Germanique : *Claudius.* Russe : *Klavdii.*

Cléante

Ce prénom est porté par plusieurs personnages du théâtre de Molière, représentant l'homme sage, sincère, ardent, l'amoureux type dans Tartuffe, L'Avare, Le Malade imaginaire.
• **Origine française**, issu du théâtre de Molière.
• Caractère : **sensibilité, générosité, sens des responsabilités, exigence.**

Clément

Ce prénom a été porté par quatorze papes. Après avoir été méconnu pendant plusieurs siècles, il est en vogue depuis 1980.
• **Origine latine**, signifie « indulgent ».
• Caractère : **tendresse, émotivité, autorité, stabilité**.
• Anglo-saxon : *Clemens.* Espagnol et italien *Clemente.* Germanique : *Klemens.* Russe : *Kliment.*

Cléry

Ce prénom à la consonance anglo-saxonne apparaît timidement.
• **Origine grecque**, signifie « clerc ».
• Caractère : **sociabilité, écoute, générosité, émotivité**.

Clodomir

Ce prénom est celui du fils aîné de Clovis et Clothilde.

• **Origine germanique**, signifie « grande gloire ».

• Caractère : **activité, courage, volonté, sens des responsabilités.**

• Espagnol : *Clodomiro.*

Clotaire

Prénom royal, Clotaire est rarissime aujourd'hui.

• **Origine germanique**, signifie « grande gloire ».

• Caractère : **affectivité, fidélité, intuition, réflexion.**

• Autre orthographe : *Clothaire.*

Clovis

Ce prénom évoque le célèbre roi des Francs au Ve s., grand conquérant païen qui épouse Clothilde la chrétienne, accepte le baptême et réunit le concile d'Orléans pour établir l'organisation administrative de l'Église franque. Sur le plan étymologique, il est une forme franque de Louis.

• **Origine germanique**, signifie « glorieux vainqueur ».

• Caractère : **énergie, autorité, détermination, réserve.**

Luipram, Fulrad, Lantfried et Cie…

Si Clovis et Clotaire sont récemment réapparus à l'état civil, ce n'est pas le cas de la grande majorité des prénoms mérovingiens. Hincmar, Théodulf, Gozlin, Alcuin, Dregon, Childebrand et Ragnefred ne sont jamais sortis de l'anonymat. Quant à Childéric, Odilon et Pépin, ils font figure d'originaux, alors qu'au VIe s. ils étaient des plus courants.

Clyde

La vogue de ce prénom est récente, mais il n'est pas nouveau : le malfaiteur Clyde Barrow en a fait un véritable mythe dans les années 1930 aux États-Unis.

• **Origine écossaise**, du nom de la rivière Clyde qui arrose Glasgow.

• Caractère : **travail, énergie, créativité, autorité.**

Coemgen

Forme primitive de Kévin.

- **Origine celte**, signifie « enraciné ».
- Caractère : **réserve, curiosité, étude, travail**.
- Variantes : *Gauvain, Kévin.*

Colin

Il est l'un des dérivés de Nicolas.

- **Origine grecque**, signifie « victoire du peuple ».
- Caractère : **persévérance, énergie, sociabilité, autorité**.

Colman

Ce prénom est la forme primitive de Colomban et de Colombe.

- **Origine celte**, signifie « colombe ».
- Caractère : **courtoisie, exigence, imagination, justice**.
- Variante : *Coloman.*
- Breton : *Koulman.*

Colomban

Ce prénom progresse doucement.

- **Origine celte**, signifie « colombe ».
- Caractère : **sociabilité, rigueur, dynamisme, sens pratique**.
- Espagnol : *Colomo.* Italien : *Colomban.* Portugais : *Columbano.*
- Variantes : *Couleth, Koulizh.*

Côme

On ne le sépare guère de son jumeau Damien, médecin comme lui.

- **Origine grecque**, signifie « ordre ».
- Caractère : **émotivité, altruisme, diplomatie, sérieux**.
- Espagnol : *Cosme.* Germanique : *Kosmas.* Italien : *Cosimo.* Russe : *Kosma.*

Connor

Ce prénom mixte est très en vogue en Irlande.

- **Origine irlandaise**, signifie « grand désir ».
- Caractère : **diplomatie, adaptabilité, émotivité, charisme**.

Conrad

Plusieurs rois d'Italie et de Germanie (XIe-XIIe s.) ont porté ce prénom.

- **Origine germanique**, signifie « brave » et « conseil ».
- Caractère : **dynamisme, originalité, travail, réflexion**.
- Variante : *Conradin.*
- Alsacien : *Kurt.* Espagnol : *Conrado.* Germanique : *Konrad.* Italien : *Corrado.* Néerlandais : *Koen.*

Constant

Assez fréquent à Rome et à Byzance dans les premiers siècles, ce prénom disparaît jusqu'au XIXe s. Constantin est plus fréquent aujourd'hui.

- **Origine latine**, signifie « persévérance ».
- Caractère : **émotivité, sensibilité, sérieux, réflexion**.
- Variante : *Constantin*.

Constantin

- **Origine latine**, signifie « persévérance ».
- Caractère : **opportunisme, adaptabilité, sociabilité, prudence**.
- Espagnol : *Constancio*.
- Germanique : *Konstanze, Konstantin*. Grec : *Konstantin, Kosta*. Italien : *Costanzo*. Russe : *Konstantin*.

Les saints fondateurs de la Bretagne

Ils sont venus s'établir en Armorique au VIe s., quittant l'Irlande ou le pays de Galles, et y ont bâti des églises et des monastères : Brieuc, Corentin, Halo, Patern, Pol, Samson et Tugdual. De nombreuses paroisses portent encore leurs noms aujourd'hui.

Corentin

La fin du XXe s. voit le succès de Corentin, dans le sillage de Malo et d'Arthur.

- **Origine celte**, signifie « ami ».
- Caractère : **énergie, activité, tendresse, exigence**.
- Breton : *Kaourentin*.

Corneille

- **Origine latine**, signifie « corneille ».
- Caractère : **dynamisme, charme, vivacité, volonté**.
- Anglo-saxon : *Cornelius*. Espagnol et italien : *Cornelio*. Russe : *Kornilii*.

Couleth

- **Origine celte**, signifie « colombe ».
- Caractère : **communication, créativité, énergie, éloquence**.
- Variantes : *Conleth, Coulith, Konlez*.

Craig

Surnom à l'origine, Craig est devenu un prénom à part entière voici une cinquantaine d'années dans les pays de langue anglaise.

- **Origine gaélique**, signifie « rocher ».
- Caractère : **diplomatie, émotivité, sociabilité, éloquence.**

Crépin

- **Origine latine**, signifie « crépu ».
- Caractère : **sociabilité, charme, rêverie, charisme.**
- Variantes : *Crépinien, Crespin.*
- Espagnol : *Crispin.*

Cyprien

Longtemps méconnu, Cyprien connaît un succès discret mais constant depuis 1990.

- **Origine latine**, signifie « originaire de Chypre ».
- Caractère : **sensibilité, créativité, communication, fantaisie.**
- Anglo-saxon : *Cyprian.* Espagnol : *Cipriano.* Occitan : *Cyprian.*

Cyr

Ce prénom a plusieurs dérivés : Cyrus, évocateur du roi de Perse au VIe s. au. J.-C., et Cyril, très courant dans les années 1980.

- **Origine grecque**, signifie « maître ».
- Caractère : **activité, franchise, indépendance, réserve.**
- Variantes : *Cyran, Cyril, Cyriaque, Cyrus, Siran.*
- Anglo-saxon : *Cyrus.* Espagnol et italien : *Ciro.* Grec : *Kyriak, Kyres, Kyros.*

Cyran

- **Origine grecque**, signifie « maître ».
- Caractère : **activité, travail, ambition, franchise.**
- Variante : *Cyrano.*

Cyril

Ce prénom évoque l'alphabet glacolithique, dit alphabet cyrillique.

- **Origine grecque**, signifie « maître ».
- Caractère : **curiosité, patience, étude, fidélité.**
- Autre orthographe : *Cyrille.*
- Variante : *Cyriel.*
- Espagnol : *Cirilo.* Germanique : *Cyrillus.* Grec : *Kyrillos. Italien* : *Cirillo.* Russe : *Kyrill.*

Daegan

Ce prénom commence à s'imposer. Jusqu'où ira-t-il ?

• **Origine scandinave**, signifie « journée lumineuse ».
• Caractère : **ambition, volonté, curiosité, aventure.**

Dalmace

• **Origine latine**, signifie « originaire de Dalmatie ».
• Caractère : **sensibilité, réserve, prudence, fidélité.**
• Variante : *Damase.*
• Espagnol : *Dalmacio.*

Damase

Cette forme simplifiée de Dalmace est peu répandue.

• **Origine latine**, signifie « originaire de Dalmatie ».
• Caractère : **réflexion, sérieux, intuition, affectivité.**
• Variante : *Damas.*
• Espagnol : *Damaso.*

Damien

• **Origine grecque**, du nom de Damia, déesse romaine de la Fertilité et des Moissons.
• Caractère : **sérieux, stabilité, travail, réflexion.**
• Anglo-saxon, espagnol, germanique : *Damian.* Italien : *Damiano.*

Dan

Ce n'est pas un diminutif de Daniel, mais le prénom, dans la Bible, du cinquième des douze fils de Jacob et ancêtre de l'une des tribus d'Israël.

• **Origine hébraïque**, signifie « il fait justice ».
• Caractère : **générosité, fierté, traditionalisme, ambition.**

Danaël

Ce prénom est composé de Daniel et de Maël.

• Double origine, **hébraïque** (signifie « il fait justice ») et **celte** (signifie « prince »).
• Caractère : **sensibilité, affectivité, fiabilité, sens des responsabilités.**

Daniel

Ce prénom connaît son apogée au milieu du XXe s.

• **Origine hébraïque**, signifie « Dieu est juge ».
• Caractère : **communication, intelligence, séduction, exigence.**
• Diminutif : *Dany*.
• Anglo-saxon : *Danny*. Breton : *Deniel, Deniol*. Hongrois : *Danos*. Italien : *Daniele, Danilo*. Provençal : *Danié, Daniset*. Slave : *Danilo*.

Dante

Diminutif du latin Durante, ce prénom est lancé à la Renaissance par l'écrivain italien Dante Alighieri, auteur de La Divine Comédie, *poème qui fait de lui un des personnages les plus illustres de l'histoire de l'Italie.*

Les tribus d'Israël

Jacob eut quatre compagnes qui lui donnèrent douze fils, fondateurs des douze tribus d'Israël : Ruben, Siméon, Lévi, Juda, Issacar, Zabulon, Dan, Nephtali, Gad, Aser, Joseph et Benjamin.

• **Origine latine**, signifie « qui dure ».
• Caractère : **autorité, réalisme, énergie, franchise.**

Darius

Roi de Perse au Ve s. av. J-C., Darius Ier reconstitue l'empire de Cyrus et fonde la ville de Persépolis.

• **Origine grecque**, signifie « riche ».
• Caractère : **sensibilité, stabilité, imagination, altruisme.**
• Espagnol et italien : *Dario*. Grec *Darios*.

Darren

Ce prénom est dans la mouvance des prénoms celtes qui apparaissent depuis les années 2000.

• **Origine celte**, signifie « grand ».
• Caractère : **sociabilité, fiabilité, écoute, générosité.**

David

Ce prénom majestueux évoque les exploits du roi David. Tout jeune, il vainc le géant Goliath en l'assommant t avec sa fronde. Sacré roi de Juda et d'Israël en 1010 av. J.-C., il succède à Saül le mélancolique dont, d'après la légende, il apaisait la dépression en jouant de la harpe... Grand adorateur

de Yahvé, il compose les plus belles prières de la Bible. Il fait de Jérusalem sa capitale, et remporte de nombreuses victoires sur les envahisseurs.
• **Origine hébraïque**, signifie « bien-aimé de Dieu ».
• Caractère : **détermination, indépendance, charisme, sociabilité**.
• Anglo-saxon : *Dave*, *David*, *Davy*. Arabe : *Daoud*. Breton : *Devi*, *Divi*. Espagnol : *David*. Italien : *Davide*. Provençal : *Davi*, *Davioun*.

Dean

Ce prénom issu du vieil anglais est en forte progression.
• **Origine anglaise**, signifie « vallée ».
• Caractère : **perfectionnisme, méthode, fiabilité, sens des responsabilités**.

Delphin

C'est surtout par sa forme féminine, Delphin, que ce prénom s'est fait connaître.
• **Origine latine**, signifie « dauphin ».
• Caractère : **travail, méthode, curiosité, adaptabilité**.
• Variante : *Dauphin*.
• Espagnol : *Delfin*. Italien : *Delfino*.

Denis

Ce prénom est un grand classique intemporel.
• **Origine grecque**, du nom Dionysos, dieu de la Vigne et du Vin.
• Caractère : **autorité, réserve, activité, indépendance**.
• Autre orthographe : *Denys*.
• Anglo-saxon : *Dennis*, *Sidney*. Breton : *De nez*. Espagnol : *Denis*, *Dioniso*. Hongrois : *Denes*. Italien : *Denis*, *Dionisio*.

Denoual

• **Origine celte**, signifie « monde de valeur ».
• Caractère : **altruisme, rêverie, réserve, persévérance**.
• Variante : *Denoal*.

Déodat

Ce prénom est la forme primitive de Dieudonné.
• **Origine latine**, signifie « Dieu donne ».
• Caractère : **autorité, travail, détermination, sociabilité**.
• Variantes : *Adéodat*, *Déodate*, *Dié*, *Dieudonné*.
• Italien : *Deodato*.

Derek

Ce prénom est une forme slave de Théodoric.

• **Origine germanique**, signifie « peuple roi ».

• Caractère : **charme, harmonie, sens pratique, activité**.

Derrien

• **Origine celte**, signifie « chêne ».

• Caractère : **sociabilité, diplomatie, émotivité, curiosité**.

Désiré

Ce prénom peu courant fut rendu célèbre par la pièce de Sacha Guitry, Désiré.

• **Origine latine**, signifie « désiré ».

• Caractère : **charme, sens des responsabilités, curiosité, adaptabilité**.

• Espagnol et italien : *Desiderio*. Germanique : *Desider*. Provençal : *Désirat*.

Devon

• **Origine celte**, référence à la fois à une race bovine, à un comté de l'Angleterre et à une ville des États-Unis.

• Caractère : **écoute, générosité, diplomatie, sensibilité**.

Dewi

Ce prénom est considéré comme une forme galloise de David.

• **Origine hébraïque**, signifie « aimé ».

• Caractère : **adaptabilité, indépendance, goût de l'aventure, sensibilité**.

• Variante : *Dewey*.

Didier

• **Origine latine**, signifie « qui désire ».

• Caractère : **prudence, réserve, stabilité, réflexion**.

• Alsacien : *Dieter*. Breton : *Dider*.

Diego

Forme espagnole de Jacques, ce prénom suit la vogue des prénoms des pays latins.

• **Origine hébraïque**, signifie « Dieu a soutenu ».

• Caractère : **émotivité, intuition, indépendance, humour**.

Diérick

Forme dérivée de Théodoric.

• **Origine germanique**, signifie « peuple » et « roi ».

• Caractère : **énergie, efficacité, sens de l'organisation, autorité**.

• Anglo-saxon : *Dirk*. Germanique : *Diderick*, *Diederik*, *Derek*, *Derk*.

Dieudonné

Ce prénom est surtout connu pour avoir été celui du Roi-Soleil, prénommé Louis Dieudonné par ses parents qui avaient espéré cette naissance pendant de très nombreuses années.

• **Origine latine**, signifie « Dieu donne ».
• Caractère : **autorité, générosité, volonté, ambition.**
• Variante : *Déodat.*
• Italien : *Donatello, Donato.*

Dimitri

Il est la forme slave d'un prénom latin, Démétrie, totalement tombé en désuétude.

• **Origine latine**, du nom Demeter, déesse romaine de la Terre et des Moissons.
• Caractère : **sensibilité, raffinement, générosité, exigence.**

Dinan

• **Origine celte**, signifie « homme ».
• Caractère : **sensibilité, sens des responsabilités, harmonie, prudence.**

Dirk

Ce prénom est une forme anglo-saxonne de Théodoric.

• **Origine germanique**, signifie « peuple roi ».
• Caractère : **sensibilité, travail, sérieux, prudence.**

Djamel

Ce prénom est l'un des plus populaires de l'islam.

• **Origine arabe**, signifie « le beau ».
• Caractère : **générosité, charisme, rêverie, sociabilité.**
• Égyptien : *Gamal.*

Doetval

• **Origine celte**, signifie « sage valeur ».
• Caractère : **étude, réflexion, réserve, rêverie.**

Dogmaël

• **Origine celte**, signifie « bon prince ».
• Caractère : **curiosité, souplesse, réflexion, indépendance.**

Dolan

• **Origine celte**, signifie « qui a des cheveux sombres ».
• Caractère : **rigueur, énergie, activité, ambition.**

Dominique

Il est rare qu'un prénom soit mixte à parité ; c'est le cas de Dominique qui, dans les années 1950, nommait aussi bien les garçons que les filles.

• **Origine latine**, signifie « maître ».
• Caractère : **charme, efficacité, détermination, indépendance**.
• Breton : *Domineuc*. Espagnol : *Domingo*. Germanique : *Dominikus*. Hongrois : *Demko*. Italien : *Domenico*. Provençal : *Doumenique*.

Domitien

Domitien, frère de Titus, est empereur de Borne au Ier s. Il instaure un régime de terreur, persécute les chrétiens et même le sénat.

• **Origine latine**, signifie « maison ».
• Caractère : **droiture, travail, charme, fiabilité**.
• Espagnol : *Domiciano*.

Donald

Prénom écossais, Donald est courant jusqu'en 1950, mais son succès décline à l'apparition du héros des dessins animés de Walt Disney.

• **Origine gaélique**, signifie « peuple puissant ».
• Caractère : **intuition, prudence, curiosité, opportunisme**.
• Diminutifs : *Donny, Donell*.
• Italien : *Donaldo*.

Donan

• **Origine celte**, signifie « élevé ».
• Caractère : **sens artistique, charisme, harmonie, réserve**.

Donatien

Comme Côme et Damien, Donatien est inséparable de son frère Rogatien.

• **Origine latine**, signifie « donation ».
• Caractère : **calme, énergie, étude, curiosité**.
• Breton : *Donasian*. Occitan : *Donatian*.

Donovan

Ce prénom est lancé par un chanteur anglais dans les années 1960.

• **Origine gaélique**, signifie « sombre ».
• Caractère : **rigueur, travail, méthode, stabilité**.

Dorian

Forme moderne de Théodore, illustrée par Le Portrait de Dorian Gray, *d'Oscar Wilde, en 1891.*

• **Origine grecque**, signifie « don de Dieu ».
• Caractère : **sensibilité, étude, réflexion, prudence**.
• Italien : *Doriano*.

Dosithée

Prénom masculin malgré une sonorité féminine, Dosithée est rare.

• **Origine grecque**, signifie « don à Dieu ».

• Caractère : **réflexion, rigueur, loyauté, franchise.**

Douglas

Écossais comme Donald, Douglas était à l'origine un prénom féminin qui s'est masculinisé au XIXe s. Très courant dans les années 1950, il s'est raréfié.

• **Origine gaélique**, signifie « eau noire ».

• Caractère : **réserve, harmonie, raffinement, exigence.**

Drake

Ce prénom fait référence aux drakkars, navires vikings dont la proue était ornée d'une tête de dragon sculptée.

• **Origine germanique**, signifie « dragon »

• Caractère : **volonté, ambition, sens pratique, audace.**

Duane

Ce prénom s'est révélé aux États-Unis dans les années 1940.

• **Origine celte**, signifie « à la peau brune ».

• Caractère : **communication, générosité, sens artistique, harmonie.**

Dunstan

• **Origine celte**, signifie « bon et ardent ».

• Caractère : **communication, charme, sens pratique, éloquence.**

• Variante : *Duncan.*

Dylan

Bob Dylan n'est sans doute pas étranger au succès de ce prénom. Mais avant lui Dylan Marlais Thomas, poète anglais des années 1950, est un héros et un modèle d'anticonformisme pour la jeunesse anglo-saxonne. Dans la mythologie galloise, Dylan est un demi-dieu, fils de la Mer.

• **Origine galloise**, signifie « mer ».

• Caractère : **travail, discipline, persévérance, fiabilité.**

Éberhard

- **Origine germanique**, signifie « dur sanglier ».
- Caractère : **volonté, sérieux, ambition, sens des responsabilités.**
- Variante : *Evrard.*
- Espagnol et italien : *Eberardo.*

Eddine

- **Origine arabe**, signifie « religion».
- Caractère : **énergie, activité, curiosité, aventure.**

Éden

Apparu à la fin du XXᵉ s. aux États-Unis, Éden fait une percée en France dans les années 2000, plus féminin que masculin.
- **Origine hébraïque**, signifie « paradis ».
- Caractère : **énergie, activité, fierté, persévérance.**

Edern

Dans la mythologie galloise, Edern est le prénom d'un soupirant de la reine Guenièvre. Il a été popularisé par l'écrivain Jean-Edern Hallier.
- **Origine galloise**, signifie « très grand ».
- Caractère : **autorité, tendresse, orgueil, exigence.**
- Diminutif : *Edernig.*

Edgard

- **Origine germanique**, signifie « richesse » et « lance ».
- Caractère : **combativité, prudence, détermination, énergie.**

Edme

Cette forme simplifiée d'Edmond a été illustrée par le maréchal de Mac-Mahon.
- **Origine germanique**, signifie « richesse » et « protection ».
- Caractère : **énergie, tendresse, autorité, sensibilité.**
- Italien : *Edmo.*

Edemond

- **Origine germanique**, signifie « richesse » et « protection ».
- Caractère : **combativité, activité, indépendance, sociabilité.**
- Anglo-saxon et germanique : *Edmund.* Espagnol : *Edmundo.*

Irlandais : *Eamon*. Italien : *Edmondo*.

Édouard

Parmi les huit monarques prénommés Édouard qui ont régné sur l'Angleterre, Édouard III, petit-fils de Philippe le Bel, revendiqua le trône de France et déclencha la guerre de Cent Ans.

- **Origine germanique**, signifie « gardien de richesse ».
- Caractère : **curiosité, ambition, sens des responsabilités, autorité**.
- Anglo-saxon : *Eddie, Eddy, Edward, Ted, Teddy*. Espagnol : *Eduardo*. Germanique : *Eduard*. Italien : *Edoardo*. Normand : *Édouard*. Portugais : *Duarte*. Provençal : *Audouard*.

Edwin

- **Origine germanique**, signifie « ami de la richesse ».
- Caractère : **activité, rapidité, goût de l'aventure, indépendance**.
- Variante : *Erwin*.

Efflam

- **Origine celte**, signifie « rayonnant ».
- Caractère : **sérieux, discrétion, activité, sens des responsabilités**.

Égide

Forme médiévale de Gilles.

- **Origine grecque**, signifie « protection ».
- Caractère : **communication, diplomatie, exigence, discrétion**.

Chic, chic, les prénoms classe

Voici, par ordre alphabétique, un top 25 des prénoms BCBG pour petit prince charmant.

Alexis	Baudouin	Étienne	Pacôme
Amaury	Blaise	Foucault	Tanguy
Ambroise	Côme	Gaultier	Thibault
Ancelin	Cyprien	Henri	Vianney
Armand	Edgar	Jean	
Arthur	Éloi	Josselin	
Augustin	Enguerrand	Louis	

- Autre orthographe : *Aegide.*
- Espagnol : *Egidio.*

Ehoarn

Moine du XIe s. réputé pour sa bonté, saint Ehoarn est assassiné par des voleurs dans l'abbaye où il vit, près de Vannes.

- **Origine celte**, signifie « en fer ».
- Caractère : **réflexion, étude, intuition, curiosité**.
- Variante : *Ehouarn.*

Éléazar

Il est, dans la Bible, le chef de la tribu des Lévites.

- **Origine hébraïque**, signifie « Dieu a secouru ».
- Caractère : **charme, passion, dynamisme, imagination**.
- Variantes : *Eliécer, Elzéar, Lazare.*
- Anglo-saxon : *Eleazer.* Portugais : *Elzeario.*

Éleuthère

- **Origine grecque**, signifie « liberté ».
- Caractère : **énergie, courage, ambition, passion**.

Élian

Il est le masculin d'Éliane et l'une des variantes d'Élie, en vogue depuis 2000.

- **Origine hébraïque**, signifie « mon maître est Dieu ».
- Caractère : **autonomie, curiosité, vivacité, optimisme**.
- Variante : *Élien.*

Éliaz

Il est la forme bretonne d'Élie, rencontrée souvent comme patronyme.

- **Origine hébraïque**, signifie « mon maître est Dieu ».
- Caractère : **sérieux, sens des responsabilités, efficacité, ambition**.

Élie

Grand classique de la tradition juive, ce prénom est à l'origine de formes dérivées modernes qui sont aujourd'hui en vogue.

- **Origine hébraïque**, signifie « mon maître est Dieu ».
- Caractère : **sociabilité, ambition, éloquence, épicurisme**.
- Variantes : *Éliane, Élias, Éliel, Élien, Élier, Élijah,*
- Anglo-saxon : *Eliott.* Arabe : *Eliès, Elyès, Iliès, Ilyas, Ilyès.* Breton :

Éliaz, *Éliez*. Espagnol : *Elias*. Italien : *Elio*. Provençal : *Elioun*. Russe : *Ilya*.

Éliel

Ce prénom est un nouveau venu dans le cortège des variantes d'Élie.

• **Origine hébraïque**, signifie « mon maître est Dieu ».

• Caractère : **sagesse, sérieux, étude, réflexion.**

Élier

Forme moderne d'Élie.

• **Origine hébraïque**, signifie « mon maître est Dieu ».

• Caractère : **réflexion, passion, persévérance, indépendance.**

Élijah

Cette forme originelle du prénom Élie est favorite dans les pays de langue anglaise et son succès en France depuis 2000 est croissant.

• **Origine hébraïque**, signifie « mon maître est Dieu ».

• Caractère : **calme, idéalisme, charme, charisme.**

• Variantes : *Élia*, *Élie*.

Elio

Forme italienne d'Élie, ce prénom est en pleine évolution.

• **Origine hébraïque**, signifie « mon maître est Dieu ».

• Caractère : **sociabilité, charme, sens des responsabilités, fiabilité.**

Elior

Forme italienne d'Élie, ce prénom est, comme Elio, en pleine évolution.

• **Origine hébraïque**, signifie « mon maître est Dieu ».

• Caractère : **réflexion, curiosité, charisme, activité.**

Eliott

Cette forme anglo-saxonne d'Élie s'implante en France depuis la fin du XXe s.

• **Origine hébraïque**, signifie « mon maître est Dieu ».

• Caractère : **communication, éloquence, élégance, sensibilité.**

Élisandre

Rare encore, ce prénom est composé d'Élie et d'Alexandre.

• Double origine, **hébraïque** (signifie « mon maître est Dieu ») et **grecque** (qui signifie « qui repousse l'ennemi »).

• Caractère : **équilibre, diplomatie, méthode, réserve.**

• Variantes : *Élissandre*.

Élisée

• **Origine hébraïque**, signifie « Dieu est le sauveur ».

• Caractère : **calme, sens des responsabilités, détermination, ambition.**
• Espagnol : *Eliseo*. Portugais : *Elyseu*. Russe : *Eliseï*.

Eloan

Cette variante d'Elouan commence à se manifester.
• **Origine celte**, signifie « lumière ».
• Caractère : **ambition, sens de l'observation, vivacité, détermination.**
• Diminutif : *Loan*.

Éloi

Ce prénom médiéval, inséparable du « bon roi Dagobert », réapparaît depuis la fin du XXe s.
• **Origine latine**, signifie « élu ».
• Caractère : **vivacité, ambition, sens de l'observation, détermination.**
• Espagnol : *Eloy*.

Éloïc

Ce prénom est une forme composée de deux formes dérivées de Louis, Éloïse et Loïc.
• **Origine germanique**, signifie « glorieux vainqueur ».
• Caractère : **sens de la justice, harmonie, ambition, charisme.**

Eloïs

Variante d'Aloïs, ce prénom dérivé de Louis est en pleine croissance.
• **Origine germanique**, signifie « glorieux vainqueur ».
• Caractère : **altruisme, fiabilité, sérieux, sagesse.**
• Autre orthographe : *Eloÿs*.
• Diminutifs : *Loïs*, *Loÿs*.

Elouan

Prénom qui progresse vite.
• **Origine celte**, signifie « belle lumière ».
• Caractère : **curiosité, optimisme, adaptabilité, indépendance.**
• Diminutifs : *Loan*, *Louan*.
• Variantes : *Eloan*, *Elvan*, *Elven*, *Iloan*, *Ilouan*, *Louan*, *Lohan*.

Elzéar

Ce prénom est une forme dérivée d'Éléazar.
• **Origine hébraïque**, signifie « Dieu a secouru ».
• Caractère : **charme, énergie, harmonie, réflexion.**
• Provençal : *Auzias*.

Émile

• **Origine latine**, signifie « émule ».
• Caractère : **sensibilité, passion, enthousiasme, exigence.**
• Variantes : *Émilien*, *Milan*.

• Espagnol : *Emilio*. Germanique : *Emil*. Provençal : *Amiel*.

Émilien

Dérivé d'Émile, Émilien était rare au XIXe s., quand Émile était un favori. Aujourd'hui, il est en bonne place parmi les prénoms « rétro »

• **Origine latine**, signifie « émule ».
• Caractère : **charme, discrétion, volonté, énergie**.
• Variantes : *Émile, Émilian, Émilion*.

Emmanuel

Ce prénom biblique est le surnom donné au Messie.

• **Origine hébraïque**, signifie « Dieu est avec nous ».
• Caractère : **dynamisme, curiosité, indépendance, aisance**.
• Variante : *Manuel*.
• Espagnol : *Emanuel, Manolo*. Italien : *Emanuele*.

Emmeran

• **Origine germanique**, signifie « maison » et « corbeau ».
• Caractère : **sérieux, sens des responsabilités, générosité, affectivité**.

Emmet

Ce prénom en pleine évolution dans les pays de langue anglaise.

• **Origine anglaise**, dérivé masculin d'Emma, qui signifie « puissant ».
• Caractère : **sociabilité, charisme, curiosité, vivacité**.

Emrys

Venu des brumes d'Outre-Manche, ce prénom commence à avoir des adeptes.

• **Origine galloise**, signifie « immortel ».
• Caractère : **droiture, persévérance, diplomatie, charisme**.

Énée

Énée est le héros de l'Enéide, poème de Virgile écrit en 29-19 av. J.-C., qui raconte l'établissement des Troyens en Italie et annonce la fondation de Rome. Fils de Vénus, il combat les Grecs pendant la guerre de Troie, s'enfuit en Italie et épouse Lavinia, fille du roi Latinus. Son fils Ascagne est l'ancêtre de Romulus, fondateur de Rome.

• **Origine grecque**, du nom Aeneas.
• Caractère : **réserve, indépendance, réflexion, affectivité**.

Eneko

• **Origine basque**, signifie « feu ».
• Caractère : **énergie, activité, curiosité, communication.**

Enéour

• **Origine celte**, signifie « homme ».
• Caractère : **fidélité, affectivité, sens des responsabilités, harmonie.**

Enguerrand

Ce prénom médiéval est une forme dérivée d'Angilran, que l'on peut traduire littéralement par « ange » et « corbeau ».
• **Origine germanique.**
• Caractère : **réserve, sensibilité, maîtrise, rigueur.**
• Variantes : *Angilran*, *Engerand*.

Enis

Prénom en pleine évolution.
• **Origine turque**, signifie « ami ».
• Caractère : **sociabilité, tolérance, écoute, générosité.**

Énogat

• **Origine celte**, signifie « honneur au combat ».
• Caractère : **volonté, sens de la justice, équilibre, travail.**

Enzo

Deux étymologies possibles pour Enzo : diminutif de Lorenzo, forme italienne de Laurent, ou forme italienne de Heinz, Henri en allemand.
• **Origine germanique**, signifie « maison du roi ».
• Caractère : **indépendance, activité, communication, rigueur.**

Eozen

Ce prénom est une variante d'Yves.
• **Origine celte**, signifie « if ».
• Caractère : **sensibilité, charisme, diplomatie, adaptabilité.**

Éphraïm

Il est, dans la Bible, le deuxième fils de Joseph et le fondateur d'une tribu israélite établie en Palestine centrale.
• **Origine hébraïque**, signifie « fertile ».
• Caractère : **affectivité, réserve, exigence, indépendance.**
• Espagnol : *Efrain*. Russe : *Ephremii*.

Épiphane

Ce prénom fait référence à la fête de l'Épiphanie, qui célèbre la visite des Rois mages à l'Enfant Jésus.
• **Origine grecque**, signifie « apparition ».

• Caractère : **diplomatie, tact, adaptabilité, sociabilité**.
• Espagnol : *Epifanio*.

Eren

• **Origine turque**, signifie « saint ».
• Caractère : **étude, réflexion, sagesse, rigueur**.

Éric

Un grand classique des années 1960 en Europe.
• **Origine germanique**, signifie « honneur » et « roi ».
• Caractère : **détermination, vivacité, dynamisme, esprit d'entreprise**.
• Autre orthographe : *Erik*.
• Espagnol : *Erico*.

Erispoé

Erispoé, roi de Bretagne au IXe s., fait reconnaître son titre par le roi de France Charles le Chauve.
• **Origine celte**, signification inconnue.
• Caractère : **affectivité, sens des responsabilités, fidélité, autorité**.

Ernest

• **Origine germanique**, signifie « sérieux ».
• Caractère : **énergie, autorité, passion, exigence**.
• Espagnol : *Ernesto*. Germanique : *Ernst*.

Erwann

Ce prénom en vogue est la forme bretonne d'Yves.
• **Origine celte**, signifie « if ».
• Caractère : **indépendance, affectivité, exigence, communication**.

Esben

• **Origine scandinave**, variante d'Asbjorn, qui fait référence à un dieu de la mythologie représenté en ours.
• Caractère : **dynamisme, rigueur, travail, volonté**.
• Variante : *Espen*.

Esteban

Forme espagnole d'Étienne et de Stéphane, qui ont la même étymologie.
• **Origine grecque**, signifie « couronné ».
• Caractère : **communication, opportunisme, charisme, générosité**.

Ethan

Ce prénom a commencé sa progression aux États-Unis dans les années 1990 avant de devenir courant dans l'Hexagone à partir de 2000. Il est aujourd'hui en tête du top 200.

• **Origine hébraïque**, signifie « constant ».

• Caractère : **vivacité, esprit pratique, adaptabilité, charisme.**

• Espagnol : *Izan.*

Étienne

En vogue dès le Moyen Âge, ce prénom est porté par un pape et des monarques de pays bien différents : Angleterre, Pologne, Serbie. Étienne Marcel, prévôt des marchands, opposant du Dauphin, futur Charles V, illustre plus violemment ce prénom.

• **Origine grecque**, signifie « couronné ».

• Caractère : **sociabilité, tolérance, vivacité, harmonie.**

• Variantes : *Estèphe, Stéphane.*

• Anglo-saxon : *Stephen, Steve, Steven.* Breton : *Estin.* Espagnol : *Esteban, Estefan.* Italien : *Stefano.* Portugais : *Estévao.*

Eudes

Ce prénom médiéval est porté par un roi de France au IXe s. Il est de ces prénoms emblématiques des familles aristocratiques.

• **Origine germanique**, signifie « richesse ».

• Caractère : **altruisme, affectivité, harmonie, fantaisie.**

Eudoxe

Ce prénom rare est illustré par un astronome et mathématicien grec au Ve s. av. J.-C.

• **Origine grecque**, signifie « bonne doctrine ».

• Caractère : **indépendance, affectivité, volonté, autorité.**

• Espagnol : *Eudoxe.* Italien : *Eudossio.*

Eugène

Ce prénom connaît son apogée au XIXe s.

• **Origine grecque**, signifie « bien né ».

• Caractère : **intelligence, vivacité, éloquence, fantaisie.**

• Anglo-saxon : *Gene.* Espagnol et italien : *Eugenio.* Grec : *Eugenios.* Russe : *Evghenii.*

Eusèbe

• **Origine grecque**, signifie « pieux ».
• Anglo-saxon et germanique : *Eusebius*. Espagnol et italien : *Eusebio*. Russe : *Evsebii*.

Eustache

• **Origine grecque**, signifie « bon épi ».
• Caractère : **dynamisme, vivacité, indépendance, passion**.
• Anglo-saxon : *Eustace*, *Stacey*. Espagnol : *Eustacio*. Grec : *Eustacios*. Italien : *Eustazio*. Russe : *Evstaphii*.

Evain

Variante moderne d'Yves.
• **Origine celte**, signifie « if ».
• Caractère : **sérieux, méthode, étude, réflexion**.

Evan

Ce prénom, forme galloise de Jean, est l'un des favoris de ce début de XXIe s.
• **Origine hébraïque**, signifie « Dieu a fait grâce ».
• Caractère : **sociabilité, fidélité, harmonie, sens des responsabilités**.

Évariste

Le mathématicien du XIXe s. Évariste Gallois fait connaître ce prénom.
• **Origine latine**, signifie « qui se propage ».
• Caractère : **sensibilité, diplomatie, intuition, habileté**.
• Espagnol : *Evaristo*.

Even

Ce prénom est courant en Armorique du IXe au XIe s.
• **Origine celte**, signifie « bien né ».
• Caractère : **étude, curiosité, réflexion, rigueur**.
• Variantes : *Ewan*, *Ewen*.

Évrard

Cette forme diminutive d'Eberhard est courante au Moyen Âge.
• **Origine germanique**, signifie « dur sanglier ».
• Caractère : **ambition, activité, opiniâtreté, autorité**.
• Anglo-saxon : *Everard*. Espagnol : *Everardo*.

Ewan

Forme bretonne d'Yves.
• **Origine celte**, signifie « if ».
• Caractère : **réflexion, étude, réserve, spiritualité**.

Erwen

Autre variante d'Yves et l'un des 200 prénoms favoris dans l'Hexagone.

• **Origine celte**, signifie « if ».
• Caractère : **sociabilité, diplomatie, fiabilité, rigueur**.

Ézéchiel

Troisième des grands prophètes hébreux, avec Isaïe et Jérémie, il rédige le Livre d'Ézéchiel, relatant ses visions de Dieu.

• **Origine hébraïque**, signifie « Dieu rendra fort ».
• Caractère : **exigence, autorité, volonté**.
• Anglo-saxon : *Ezehiel*. Espagnol : *Ezequiel*.

Ezio

Ce prénom italien évolue favorablement dans l'Hexagone depuis 2000, dans le sillage d'Enzo.

• **Origine latine,** signifie « aigle ».
• Caractère : **énergie, passion, travail, volonté**.

Ezra

Dans la Bible, ce descendant d'Éléazar joue un grand rôle dans la communauté juive en imposant la lecture publique de la Torah.

• **Origine hébraïque**, signifie « Dieu est secours ».
• Caractère : **détermination, travail, patience, persévérance.**

Fabien

• **Origine latine**, signifie « issu des Fabius », illustre famille romaine du Ier s.
• Caractère : **réserve, stabilité, opiniâtreté, exigence**.
• Espagnol : *Fabio*, *Fabiolo*. Germanique : *Fabianus*. Hongrois : *Fabo*. Italien : *Fabiano*, *Fabio*. Occitan : *Fabian*.

Fabrice

• **Origine latine**, signifie « savant ».
• Caractère : **courage, ambition, diplomatie, énergie**.
• Espagnol : *Fabricio*. Germanique : *Fabricius*. Italien : *Fabrizio*. Occitan : *Fabrician*.

Fantin

Il est bien moins répandu que son féminin Fantine.

- **Origine latine**, signifie « enfant ».
- Caractère : **sensibilité, autorité, générosité, volonté**.

Fargeau

Il est une forme dérivée de Ferjeux.

- **Origine latine**, signifie « blé » et « à jeun ».
- Caractère : **réserve, prudence, étude, rigueur**.

Faust

Ce prénom est celui du héros d'un drame de Goethe.

- **Origine latine**, signifie « fortuné ».
- Caractère : **réflexion, sens des responsabilités, perfectionnisme, altruisme**.
- Variante : *Faustin*.
- Espagnol et italien : *Fausto, Faustin*. Germanique : *Faustus*.

Faycal

Ce prénom a été porté par plusieurs rois d'Irak et d'Arabie saoudite.

- **Origine arabe**, signifie « l'arbitre ».
- Caractère : **travail, rigueur, stabilité, sens de l'organisation**.

Félicien

Cette forme dérivée de Félix revient au goût du jour.

- **Origine latine**, signifie « heureux ».
- Caractère : **énergie, exigence, autorité, affectivité**.
- Occitan : *Félician*.

Félix

Ce prénom figurait au top 200 des prénoms dans l'Hexagone en 2015.

- **Origine latine**, signifie « heureux ».

La légende de Faust

Faust, médecin et astrologue allemand du XVIe s., a bel et bien existé ; il aurait étudié les sciences magiques à Cracovie et on lui prête de nombreux miracles ; ses prétendues qualités de thaumaturge attiraient une foule sur son passage lorsqu'il voyageait et la légende s'empara de lui, dans un pays et à une époque où la magie avait beaucoup d'adeptes : il aurait vendu son âme au démon Méphistophélès en échange du savoir et des biens terrestres.

• Caractère : **intuition, charme, sens artistique, épicurisme.**
• Breton : *Féliz*. Espagnol : *Felicidad*. Italien : *Felice, Feliciano.*

Féodor

Il est la forme slave de Théodore.
• **Origine grecque**, signifie « don de Dieu ».
• Caractère : **autorité, activité, indépendance, altruisme.**
• Variantes : *Fédor, Fjodor.*

Ferdinand

• **Origine germanique**, signifie « qui ose la paix ».
• Caractère : **intelligence, éloquence, vivacité, sensibilité.**
• Espagnol et italien : *Ferdinando.*
• Germanique : *Ferdl.*

Fergal

• **Origine celte**, signifie « sage et brave ».
• Caractère : **discrétion, émotivité, équilibre, harmonie.**

Ferjeux

• **Origine latine**, signifie « blé » et « à jeun ».
• Caractère : **discrétion, prudence, travail, rigueur.**

Fernand

Forme dérivée de Ferdinand, c'est l'un des prénoms phares du début du XXe s.
• **Origine germanique**, signifie « qui ose la paix ».
• Caractère : **sensibilité, énergie, détermination, sens des responsabilités.**
• Espagnol : *Fernan, Fernando, Hernandes, Hernandez.* Italien : *Fernando.*

Ferréol

• **Origine latine**, signifie « de la vigne ».
• Caractère : **émotivité, prudence, réflexion, étude.**

Fiacre

• **Origine celte**, signifie « corbeau ».
• Caractère : **équilibre, calme, sagesse, tact.**
• Breton : *Fiakr, Fieg.*

Fidèle

• **Origine latine**, signifié « fidèle ».
• Caractère : **réserve, fidélité, activité, adaptabilité.**
• Espagnol : *Fidel.* Italien : *Fidele, Fidelio.*

Finn

• **Origine celte**, signifie « blanc ».
• Caractère : **charme, sensibilité, générosité, intuition.**
• Variantes : *Finlay*, *Fionn*.

Finnian

• **Origine celte**, signifie « élévation ».
• Caractère : **travail, rigueur, sens de l'organisation, stabilité**.

Firmin

• **Origine latine**, signifie « solide ».
• Caractère : **sensibilité, perfectionnisme, exigence, détermination.**
• Espagnol : *Fermin*. Germanique : *Firminus*. Italien : *Firmino*.

Flavien

Les Flaviens sont une illustre famille romaine dont sont issus plusieurs empereurs : Vespasien, Titus et Domitien, qui ont régné sur Rome entre 69 et 96.

• **Origine latine**, signifie « blond ».
• Caractère : **calme, diplomatie, générosité, courage**.
• Espagnol et italien : *Flavio*. Germanique : *Flavius*. Occitan : *Flavian*.

Florent

• **Origine latine**, signifie « florissant ».
• Caractère : **réserve, prudence, sensibilité, intuition.**
• Variantes : *Florès*, *Florestan*, *Florien*.
• Espagnol : *Florencio*, *Florente*. Germanique : *Florentius*. Italien *Fiorenzo*, *Fiorello*, *Fiorenzo*.

Florentin

• **Origine latine**, signifie « jardin de fleurs ».
• Caractère : **séduction, éloquence, dynamisme, passion**.

Florian

En tête du top 200 depuis 2000.

• **Origine latine**, signifie « fleuri ».
• Caractère : **vivacité, adaptabilité, sociabilité, indépendance**.

Florimond

• **Origine latine**, signifie « fleur du monde ».
• Caractère : **calme, curiosité, intelligence, exigence**.

Floris

• **Origine latine**, signifie « fleur ».
• Caractère : **perfectionnisme, sens artistique, exigence, rigueur**.

De Floris à Yanis…

La terminaison « is » est apparue dans les années 1990, ajoutée aux prénoms masculins ; Floris pour Florent, Loris pour Laurent, Joris pour Georges, Mathis pour Mathieu, Yanis pour Yann.

Forannan

• **Origine celte**, signifie « fort »
• Caractère : **intuition, sensibilité, diplomatie, sens du devoir**.
• Variante : *Foreannan*.

Fortunat

• **Origine latine**, signifie « chance ».
• Caractère : **élégance, diplomatie, activité, perfectionnisme**.
• Variante : *Fortuné*.
• Espagnol : *Fortunato*.

Fouad

Ce prénom très fréquent est cité dans le Coran.
• **Origine arabe**, signifie « l'homme de cœur ».
• Caractère : **adaptabilité, diplomatie, émotivité, sociabilité**.

Foucault

Forme médiévale de Foulques.
• **Origine germanique**, signifie « peuple ».
• Caractère : **sérieux, sens des responsabilités, intuition, diplomatie**.

Foulques

• **Origine germanique**, signifie « peuple ».
• Caractère : **énergie, courage, franchise, loyauté**.
• Variante : *Foucault*.

Fragan

• **Origine celte**, signification inconnue.
• Caractère : **émotivité, adaptabilité, réserve, dualité**.

Francis

• **Origine latine**, signifie « Franc ».
• Caractère : **charme, élégance, sensibilité, exigence**.
• Germanique : *Franciscus*.

Franck

Forme germanique de François.
• **Origine latine**, signifie « Franc ».
• Caractère : **courage, activité, réserve, enthousiasme**.
• Espagnol et italien : *Franco*.

François

De François Villon à François Mitterrand, ce prénom a traversé les siècles sans jamais perdre sa force ni son charme.

• **Origine latine**, signifie « Franc »
• Caractère : **prudence, exigence, réserve, volonté.**
• Variantes : *Francis, Franck.*
• Alsacien : *Frantz.* Breton : *Fanch, Fransez.* Espagnol : *Cisco, Francisco, Paco, Pancho.* Germanique : *Franz.* Italien : *Francesco, Cesco.* Occitan : *Francès.* Provençal : *Francet, Fransoun.*

François-Xavier

• **Origine latine** et basque, signifie « franc » et « maison neuve ».
• Caractère : **exigence, sociabilité, prudence.**

Frédéric

• **Origine germanique**, signifie « paix » et « roi ».
• Caractère : **détermination, courage, esprit d'entreprise, ambition.**
• Alsacien : *Fredrich, Fritz.* Anglo-saxon : *Frederick, Fred, Freddie, Freddy.* Espagnol et italien : *Federico.* Germanique : *Frido, Friedrich, Frederik, Fritz.* Provençal : *Frédéri.*

Fulbert

• **Origine germanique**, signifie « abondance » et « illustre ».
• Caractère : **discrétion, charme, adaptabilité, vivacité.**

Fulgence

• **Origine latine**, signifie « étincelant ».
• Caractère : **franchise, autorité, volonté, travail.**
• Espagnol : *Fulgencio.*

Gabin

Ce prénom est en pleine ascension.

• **Origine latine**, signifie « de Gabies », ville du Latium, en Italie centrale.
• Caractère : **séduction, sens des responsabilités, exigence, affectivité.**

• Espagnol : *Gabino.*

Gabriel

L'archange Gabriel, messager du Ciel, annonça à Zacharie et Élisabeth la naissance de leur fils Jean le Baptiste, et à Marie qu'elle avait été choisie par Dieu pour être la mère de son Fils. Ce prénom est un grand favori depuis les années 1990.

• **Origine hébraïque**, signifie « force de Dieu ».

• Caractère : **sociabilité, tolérance, adaptabilité, diplomatie**.

• Anglo-saxon : *Gabry*, *Gaby*. Arabe : *Djibrill*. Breton : *Gabig*. Espagnol : *Gabrielo*. Hongrois : *Gabor*. Italien : *Gabriele*. Russe : *Gavril*.

Ils ont eu la côte en 2016

Adam	Lucas
Arthur	Maël
Enzo	Nathan
Ethan	Noah
Gabriel	Nolan
Hugo	Raphaël
Jules	Sacha
Léo	Théo
Liam	Timéo
Louis	Tom

Gad

Dans la Bible, Gad est le 7e fils de Jacob, né de Zilpa, servante de son épouse Léa. Il a fondé l'une des tribus d'Israël.

• **Origine hébraïque**, signifie « bonheur ».

• Caractère : **activité, détermination, sociabilité, réserve.**

Gaël

Ce prénom figure au top 200 des prénoms.

• **Origine celte**, du nom du peuple gaélique, Celtes qui s'établissent en Irlande au Ve s.

• Caractère : **indépendance, ambition, exigence, affectivité**.

Gaétan

Ce prénom figure au top 200 des prénoms.

• **Origine latine**, signifie « habitant de Gaète », ville du Latium, en Italie centrale.

• Caractère : **réserve, prudence, indépendance, calme.**

• Espagnol : *Caetano*. Germanique : *Kajetan*. Italien : *Gaelano.*

Galeran

Ce prénom est la forme française de Walram.

• **Origine germanique**, signifie « corbeau étranger ».

• Caractère : **prudence, réserve, travail, étude.**

Gall

• **Origine celte**, signifie « bravoure ».

• Caractère : **émotivité, discrétion, enthousiasme, adaptabilité.**

• Variantes : *Galig, Gallien.*

Garnier

Ce prénom est une des formes françaises de Werner.

• **Origine germanique**, signifie « armée qui protège ».

• Caractère : **étude, altruisme, dépassement, réflexion.**

• Variantes : *Varnier, Vernier.*

• Espagnol : *Guarnerio.* Germanique : *Werner.* Italien : *Guarniero.*

Gary

Diminutif de Garret, forme médiévale de Gérard, ce prénom connaît son apogée aux États-Unis dans les années 1960.

• **Origine germanique**, signifie « forte lance ».

• Caractère : **charme, sociabilité, exigence, sensibilité.**

Gaspard

Son succès accompagne celui de Balthazar et de Melchior.

• **Origine sanscrite**, signifie « celui qui vient voir ».

• Caractère : **curiosité, vivacité, éloquence, tact.**

• Anglo-saxon : *Caspar, Casper, Jasper.* Espagnol : *Gaspar.* Germanique : *Kaspar.* Italien : *Gaspare.*

Gaston

Prénom médiéval, Gaston connaît son apogée au début du XXe s.

• **Origine germanique**, signifie « hôte ».

• Caractère : **calme, réflexion, patience, exigence.**

• Flamand : *Vaast, Waast.* Italien : *Gastone.* Provençal : *Gastoun.*

Gaucher

Ce prénom, forme dérivée de Walter, est courant au Moyen Âge.

• **Origine germanique**, signifie « qui gouverne l'armée ».

• Caractère : **réflexion, réserve, prudence, rigueur.**

Gaudence

• **Origine latine**, signifie « qui se réjouit ».
• Caractère : **ambition, sens de la justice, équilibre, stabilité**.

Gaudéric

• **Origine germanique**, signifie « puissance qui gouverne ».
• Caractère : **indépendance, adaptabilité, goût de l'aventure, curiosité**.
• Diminutif : *Gaudry*.

Gautier

Ce prénom médiéval connaît une période faste dans les années 1990.
• **Origine germanique**, signifie « qui gouverne l'armée ».
• Caractère : **énergie, fidélité, indépendance, tradition**.
• Autres orthographes : *Gaultier, Gaulthier, Gauthier*.
• Variantes : *Galdric, Galthier*.
• Anglo-saxon : *Walt, Walter*. Espagnol : *Gualterio*. Italien : *Guatiero*.

Gauvain

Il est une forme dérivée de Coemgen.
• **Origine celte**, signifie « enraciné ».
• Caractère : **dynamisme, indépendance, élégance, vivacité**.
• Autre orthographe : *G*
• Anglo-saxon : *Galwin, Ga Gawain, Gawen, Gawin*.

Gédéon

Fils de paysan dans la Bible, Gédéon est désigné par Dieu pour libérer Israël d'une tribu de nomades pilleurs. Il aurait eu 70 enfants.
• **Origine hébraïque**, signifie « saison de chance ».
• Caractère : **étude, sociabilité, activité, réserve**.
• Anglo-saxon : *Gideon*. Forme hébraïque : *Guidon*. Italien : *Gideone*.

Genaro

Sans équivalent français, ce prénom est fréquent en Italie où il nomme surtout les enfants nés en janvier.
• **Origine latine**, signifie « janvier ».
• Caractère : **fidélité, harmonie, stabilité, sens des responsabilités**.

Geoffrey

Il est une forme dérivée de Godefroy.
• **Origine germanique**, signifie « paix de Dieu »,
• Caractère : **élégance, indépendance, fierté, charisme**.
• Autres orthographes : *Jauffrey, Joffret*.
• Anglo-saxon : *Jeffrey*.

autre

e

…ilité, harmonie, …t, diplomatie.
…tre orthographe : *Geoffroi*.
• Germanique : *Gottfried*.

Georges

Classique des années 1930, Georges a presque disparu aujourd'hui. Sa forme néerlandaise Joris, apparaît dans les années 2000.
• **Origine grecque**, signifie « celui qui travaille la terre ».
• Caractère : **vivacité, humour, optimisme, curiosité**.
• Anglo-saxon : *George, Jordan*. Espagnol : *Jorge*. Germanique : *Jörg, Jorgel, Jörn, Jûrg, Jurgen, Jurke*. Hongrois : *György*. Italien : *Giorgio*. Néerlandais : *Joris*. Russes : *Iouri, Youri*. Slave : *Jiri*.

Gérald

• **Origine germanique**, signifie « lance qui gouverne ».
• Caractère : **volonté, courage, perfectionnisme, autorité**.
• Variantes : *Géraud, Guiraud*.
• Anglo-saxon : *Gerold, Gerry*. Italien : *Geraldo, Giraldo*. Néerlandais : *Gerrelt, Gerwald*.

Gérard

Prénom très en vogue dans les années 1950, il est supplanté par Géraud, puis devient rarissime.
• **Origine germanique**, signifie « dure lance ».
• Caractère : **réalisme, sens des responsabilités, rigueur, autorité**.
• Variantes : *Girard, Guérard*.
• Anglo-saxon : *Gerald*. Espagnol : *Gerardo, Girardo*. Germanique : *Gerhard, Gerhart*. Italien : *Gherardo*.

Géraud

Il est une forme dérivée de Gérald.
• **Origine germanique**, signifie « lance qui gouverne ».
• Caractère : **intuition, altruisme, sensibilité, tradition**.
• Variante : *Guérand*.

Géric

• **Origine germanique**, signifie « lance illustre ».
• Caractère : **autorité, énergie, indépendance, vivacité**.
• Variante : *Géry*.

Germain

• **Origine germanique**, signifie « de même sang ».
• Caractère : **prudence, travail, stabilité, rigueur.**
• *Anglo-saxon : Germaine, German.* Breton : *Germen*. Espagnol : *German*. Germanique : *Germanus*. Italien : *Germano*.

Gervais

• **Origine germanique**, signifie « lance audacieuse ».
• Caractère : **charme, harmonie, perfectionnisme, exigence.**
• Anglo-saxon : *Gervase, Jarvis*. Espagnol : *Gervasio*. Néerlandais : *Gervaas*.

Ghislain

Ce prénom a toujours été plus rare que son féminin.
• **Origine germanique**, signifie « doux otage ».
• Caractère : **élégance, esthétisme, volonté, activité.**
• Autres orthographes : *Ghilain, Guilain, Guillai, Guislain.*

Gilbert

Il a précédé Gérard dans les favoris de l'état civil.
• **Origine germanique**, signifie « illustre otage ».
• Caractère : **dynamisme, goût de l'aventure, adaptabilité, indépendance.**
• Anglo-saxon : *Bert, Bertie, Burt.* Germanique : *Gilbrecht, Gisbert.* Espagnol et italien : *Gilberto, Gisberto.* Néerlandais : *Gijsbert, Gilsbrecht.*

Gildas

• **Origine celte**, signifie « celui qui voit ».
• Caractère : **charme, élégance, émotivité, perfectionnisme.**
• Breton : *Gweltaz, Gweltazenn, Gweltazig.*

Gilles

Classique sans être courant, devenu très rare, Gilles n'a jamais connu d'apogée, et n'a jamais été démodé.
• **Origine grecque**, signifie « protection ».
• Caractère : **habileté, opportunisme, adaptabilité, indépendance.**
• Variantes : *Égide, Gillian.*
• Anglo-saxon : *Giles*. Espagnol : *Gil*. Flamand : *Gillis*. Germanique : *Egid*. Italien : *Gilio*. Provençal : *Gilet, Giloun.*

Gino

Ce prénom est un diminutif de Luigino, lui-même diminutif de Luigi, forme italienne de Louis.

• **Origine germanique**, signifie « glorieux combattant ».
• Caractère : **communication, tact, sensibilité, adaptabilité**.

Girec

• **Origine celte**, signifie « générosité ».
• Caractère : **sensibilité, sens des responsabilités, harmonie, charisme**.
• Variantes : *Guirec, Kirec, Kireg.*

Glenn

• **Origine celte**, signifie « vallée ».
• Caractère : **réserve, réflexion, harmonie, sens des responsabilités**.
• Variante : *Glénan.*

Godefroy

• **Origine germanique**, signifie « paix de Dieu ».
• Caractère : **passion, ambition, sens des responsabilités, activité**.
• Autres orthographes : *Godefroi, Godefroid, Godfroi.*
• Variantes : *Geoffrey, Geoffroy.*
• Anglo-saxon : *Godfrey*. Espagnol : *Godofredo*. Germanique : *Gottfried*. Italien : *Goffredo*. Néerlandais : *Godfried*.

Goéric

• **Origine germanique**, signifie « Dieu puissant ».
• Caractère : **activité, optimisme, sociabilité, rêverie**.

Gontran

• **Origine germanique**, signifie « guerre » et « corbeau ».
• Caractère : **courage, ambition, opportunisme, exigence**.

Gonval

• **Origine celte**.
• Caractère : **réserve, stabilité, harmonie, sens de la justice**.
• Variantes : *Gonvel, Gunval.*

Gonzague

Il fait partie des prénoms traditionnels qui baptisent plusieurs générations d'une même famille.

• Origine patronymique italienne.
• Caractère : **affectivité, calme, travail, conscience professionnelle**.

Goran

Sa sonorité a fait connaître ce prénom tout récemment.

• **Origine croate**, signifie « homme de la montagne ».

• Caractère : **courage, volonté, ambition, travail.**

Gordon

Ce vieux prénom écossais a été en vogue au début du XXe s.

• **Origine écossaise**, signifie « colline près de la prairie ».

• Caractère : **autorité, énergie, travail, activité.**

Gouesnou

• **Origine celte**, signifie « combat ».

• Caractère : **altruisme, réserve, rêverie, étude.**

Goulven

• **Origine celte**, signifie « lumière sacrée ».

• Caractère : **sociabilité, étude, réserve, sens des responsabilités.**

• Autre orthographe : *Goulwen.*

Grallon

Prénom du roi d'Is, ville de luxure qu'il précipita dans la mer. D'autres rois de Cornouailles sont moins légendaires.

• **Origine celte**, signifie « plein de grâce ».

• Caractère : **étude, réflexion, sagesse, réserve.**

Gratien

• **Origine latine**, signifie « grâce ».

• Caractère : **énergie, volonté, intuition, diplomatie.**

Grégoire

Sa consonance médiévale en a fait un favori, contemporain de Gautier et prédécesseur d'Arthur.

• Caractère : **rapidité, curiosité, indépendance, sociabilité.**

• Anglo-saxon : *Greg, Gregory.*

• Espagnol et italien : *Gregorio.*

• Russe : *Gregor, Gregorii, Grichka, Grigor, Grigorii.*

Griffith

Ce prénom est populaire en Angleterre entre le XVIe et le XVIIIe s.

• **Origine galloise**, signifie « chef fort ».

• Caractère : **diplomatie, sociabilité, adaptabilité, rigueur.**

Guénaut

Forme francisée de Gwenaël.

• **Origine celte**, signifie « sacré » et « généreux ».

• Caractère : **sensibilité, diplomatie, adaptabilité, discrétion**.

Guénolé

Il fait partie de la culture celte et connaît un franc succès dans les familles bretonnes.

• **Origine celte**, signifie « valeureux » et « sacré ».

• Caractère : **charme, émotivité, vivacité, communication**.

• Autre orthographe : *Gwenolé*.

• Variantes : *Guignolet, Guingalois, Gwaloe, Winwaloé*.

Guérin

• **Origine germanique**, signifie « qui protège ».

• Caractère : **dynamisme, autorité, sociabilité, franchise**.

Guilhem

Ce prénom est une forme dérivée de Guillaume.

• **Origine germanique**, signifie « volonté » et « protection ».

• Caractère : **sociabilité, vivacité, énergie, humour**.

• Autre orthographe : *Guillem*.

Guillaume

Classique, sobre, Guillaume fait partie des indémodables.

• **Origine germanique**, signifie « volonté » et « protection ».

• Caractère : **altruisme, sensibilité, ambition, intuition**.

• Anglo-saxon : *Bill, Billy, William, Willie, Willy, Wilson*. Breton : *Gwilherm, Gwilhou*. Espagnol : *Guillermo*. Germanique : *Wilhelm*. Italien : *Guglielmo*. Normand : *Guillot, Guilmot*. Provençal : *Guihaume, Guiheume, Guiheumet*.

Guivéone

Ce prénom moderne est très en vogue en Israël.

• **Origine hébraïque**, signifie « petite colline ».

• Caractère : **réserve, stabilité, harmonie, sens de la justice**.

Gunther

Ce prénom, courant outre-Rhin, est aussi apprécié en Scandinavie.

• **Origine germanique**, signifie « guerrier ».

• Caractère : **charme, sociabilité, opportunisme, persuasion**.

• Espagnol : *Guntero*. Scandinave : *Gundar, Gunder, Gunnar*.

Gurvan

- **Origine celte**, signifie « sagesse ».
- Caractère : **sensibilité, communication, diplomatie, fiabilité.**
- Variante : *Gurval.*

Gustave

Assez courant au XIXe s., Gustave a vite été abandonné. Auguste, qui a la même étymologie, revient à la mode aujourd'hui.

- **Origine latine**, signifie « vénérable ».
- Caractère : **curiosité, dynamisme, indépendance, épicurisme.**
- Anglo-saxon : *Gustavus.* Espagnol et italien : *Gustavo.* Germanique : *Gustav.* Néerlandais : *Gustaaf.* Scandinave : *Goesta, Gustaf.*

Sacrée famille…

D'après la légende bretonne, saint Fragan et sainte Gwenn, couple modèle ayant vécu en Armorique au Ve s., eurent vingt-deux enfants parmi lesquels Doetval, Urielle, Gwenolé, Jagu, Klervi, Onnen, Gwezhenneg, appelé aussi Guéthenoc…

Guthlac

- **Origine celte**, signifie « bois vaillant ».
- Caractère : **sens des responsabilités, exigence, sensibilité, rigueur.**
- Variante : *Guthval.*

Guy

- **Origine germanique**, signifie « bois ».
- Caractère : **intuition, passion, volonté, ambition.**
- Anglo-saxon : *Wido.* Breton : *Guyon, Gwion.* Espagnol et italien : *Guido, Vito.* Germanique : *Wido.* Normand : *Guyot.*

Gwenaël

Il est l'un des prénoms traditionnels de la Bretagne.

- **Origine celte**, signifie « ange blanc ».
- Caractère : **sensibilité, travail, rigueur, persévérance.**
- Variantes : *Guénaut, Gwellaouen, Gwenal, Gwinal.*

Gwendal

Ce prénom breton n'a pas atteint le succès de Malo et Maël.

• **Origine celte**, signifie « au front pur ».

• Caractère : **communication, vivacité, épicurisme, adaptabilité**.

Gwénégan

• **Origine celte**, signifie « bravoure sacrée ».

• Caractère : **réflexion, énergie, activité, impatience**.

• Variantes : *Conogan, Konogan*.

Gwennin

• **Origine celte**, signifie « blanc ».

• Caractère : **sociabilité, sens artistique, harmonie, charisme**.

• Variantes : *Gwenneg, Gwennog*.

Gwezhenneg

• **Origine celte**, signifie « combat ».

• Caractère : **sensibilité, sens des responsabilités, harmonie, charisme**.

• Variante : *Guéthenoc*.

Haakon

Ce prénom royal en Norvège a peu d'adeptes dans les pays francophones.

• **Origine scandinave**, signifie « de haute naissance ».

• Caractère : **adaptabilité, sensibilité charme, indépendance**.

• Autre orthographe : *Hakon*.

Habib

• **Origine arabe**, signifie « l'amoureux ».

• Caractère : **travail, rigueur, stabilité, sens de l'organisation**.

Hadad

Ce prénom est porté par un petit-fils d'Abraham.

• **Origine hébraïque**, signifie « aigu ».

• Caractère : **efficacité, réalisme, ambition, sens de l'organisation**.

Hakim

• **Origine arabe**, signifie « le sage ».
• Caractère : **adaptabilité, diplomatie, émotivité, sociabilité.**

Halvard

• **Origine germanique**, signifie « mystérieux » et « protecteur ».
• Caractère : **sens des affaires, efficacité, ambition, autorité.**

Hamish

Il est la variante écossaise de James, forme anglaise de Jacques.
• **Origine hébraïque**, signifie « Dieu a soutenu ».
• Caractère : **franchise, volonté, ambition, travail.**

Hamza

Ce prénom est en pleine expansion.
• **Origine arabe**, signifie « puissant »
• Caractère : **droiture, ambition, persévérance, rigueur.**

Hans

Il est la forme scandinave de Jean.
• **Origine hébraïque**, signifie « Dieu a fait grâce ».
• Caractère : **séduction, sens des responsabilités, indépendance, perfectionnisme.**

Harold

• **Origine germanique**, signifie « grande gloire ».
• Caractère : **calme, sens de l'observation, prudence, patience.**
• Espagnol : *Haroldo*. Italien : *Aroldo*. Scandinave : *Harald*.

Haroun

Ce prénom est en pleine évolution.
• **Origine arabe**, signifie « exalté ».
• Caractère : **sérieux, sens de l'observation, prudence, opiniâtreté.**

Harrisson

L'une des formes anglo-saxonnes d'Henri, très prisée aux États-Unis. Ce prénom progresse vite en France.
• **Origine germanique**, signifie « fils d'Harry ».
• Caractère : **sérieux, sens de l'observation, prudence, opiniâtreté.**

Harry

Ce prénom est la forme anglo-saxonne d'Henri.
• **Origine germanique**, signifie « roi de la maison »
• Caractère : **énergie, étude, volonté, autonomie.**

Harvey

Il est la forme anglo-saxonne d'Hervé.

- **Origine celte**, signifie « fort et ardent ».
- Caractère : **réflexion, stabilité, sérieux, calme**.

Hassan

Ce prénom est porté par l'un des petits-fils du Prophète.

- **Origine arabe**, signifie « vertueux ».
- Caractère : **équilibre, ambition, harmonie, sens de la justice**.
- Variantes : *Hacène, Hocine, Hussein.*

Hayden

Ce prénom plaît beaucoup depuis les années 2010.

- **Origine celte**, variante d'Aidan, qui signifie « petit feu ».
- Caractère : **activité, méthode, charisme, éloquence**.

Hector

Ce prénom est celui d'un héros de L'Iliade, d'Homère ; Hector, chef de guerre et fils aîné de Priam, roi de Troie, frère de Cassandre et de Pâris, époux d'Andromaque, est tué par Achille.

- **Origine grecque**, signifie « celui qui détient ».
- Caractère : **volonté, travail, fidélité, sens des responsabilités**.
- Italien : *Ettore.*

Hélier

- **Origine celte**, forme probablement dérivée d'Élie.
- Caractère : **altruisme, rêverie, discrétion, étude**.

Hélios

Dans la mythologie grecque, Hélios, fils du Titan Hypérion et frère de Séléné, la déesse Lune, est le dieu Soleil. Il traverse le ciel sur un char de feu tiré par quatre chevaux.

- **Origine grecque**, signifie « soleil ».
- Caractère : **indépendance, curiosité, épicurisme, adaptabilité**.

Hélori

Ce prénom se rencontre surtout en Bretagne où il est donné en l'honneur de saint Yves. L'avenir nous dira s'il suivra la renommée de Vianney ou de Chantal.

- **Origine celte**, du patronyme de saint Yves Hilory.
- Caractère : **étude, méditation, charisme, altruisme**.
- Variantes : *Halory, Hélouri.*

Henri

Grand classique par excellence, Henri connaît plusieurs périodes de succès à travers les âges : à la Renaissance et au début du XXe s. notamment. Il réapparaît depuis 1990.

• **Origine germanique**, signifie « roi de la maison ».
• Caractère : **esprit d'entreprise, réalisme, efficacité, conformisme.**
• Alsacien : *Heinz, Hendrick.* Anglo-saxon : *Harrisson, Harry, Henry.* Espagnol : *Enrique.* Germanique : *Heinke, Heinz, Hendrik.* Italien : *Enrico, Enzo.* Scandinave : *Henrik.*

Herbert

Il est une forme contractée d'Hériberť, prénom mérovingien.

• **Origine germanique**, signifie « armée illustre ».
• Caractère : **sociabilité, franchise, réflexion, travail.**
• Variantes : *Aribert, Hébert, Héribert.*
• Espagnol : *Herberto.* Germanique : *Herbrecht.* Italien : *Erberto.*

Herblain

Ce prénom est une forme dérivée d'Hermeland.

• **Origine germanique**, signifie « terre » et « armée ».
• Caractère : **perfectionnisme, ambition, franchise, sens des responsabilités.**
• Autre orthographe : *Erblain.*
• Variante : *Herblay.*

Hercule

Ce prénom est celui d'un héros de la mythologie latine identifié à l'Héraclès de la mythologie grecque.

• **Origine grecque**, signifie « à la gloire de Héra, épouse de Zeus ».
• Caractère : **rigueur, ambition, persévérance, autorité.**
• Anglo-saxon et espagnol : *Hercules.* Italien : *Ercole.*

Hériblad

• **Origine germanique**, signifie « armée audacieuse ».
• Caractère : **étude, réflexion, ambition, intellectualité.**

Hermann

• **Origine germanique**, signifie « homme d'armée ».
• Caractère : **calme, sérieux, réalisme, persévérance.**
• Espagnol : *Hermano.* Germanique : *Herrmann.* Italien : *Ermanno.*

Les travaux d'Hercule

D'après la mythologie, Hercule, pour expier le meurtre de sa femme et de ses enfants, doit exécuter douze travaux imposés par le roi de Tirynthe : étouffer le lion de Némée, tuer l'hydre de Lerne, capturer le sanglier d'Érimanthe, gagner à la course la biche aux pieds d'airain, abattre les oiseaux du lac Stymphale, dompter le taureau de l'île de Crète, tuer Diomède, roi de Thrace, s'emparer de la ceinture d'une Amazone, nettoyer les écuries d'Augias, tuer Géryon, cueillir les pommes d'or du jardin des Hespérides et, enfin, enchaîner Cerbère.

Hermeland

• **Origine germanique**, signifie terre » et « armée ».
• Caractère : **perfectionnisme, ambition, franchise, sens des responsabilités**.

Hern

• **Origine celte**, signifie « haut sommet ».
• Caractère : **spiritualité, réserve, étude, générosité**.
• Variantes : *Hernin*, *Thernen*.

Hervé

Il fait partie des classiques bretons.
• **Origine celte**, signifie « fort et ardent ».
• Caractère : **réserve, loyauté, volonté, ambition**.
• Anglo-saxon : *Harvey*. Breton : *Herveig*, *Houarn*, *Houarné*, *Houarneau*, *Houarneig*, *Houarnig*, *Houarniaule*. Normand : *Hervieu*.

Hilaire

• **Origine latine**, signifie « gai ».
• Caractère : **ambition, efficacité, persévérance, sensibilité**.
• Breton : *Hiler*.

Hippolyte

Ce prénom est en vogue au XIXe s.
• **Origine grecque**, signifie « qui délie les chevaux ».
• Caractère : **sensibilité, étude, réflexion, réserve**.
• Espagnol : *Hipolito*. Italien : *Ippolito*.

Hochéa

Il est l'un des douze petits prophètes du royaume d'Israël.

• **Origine hébraïque**, signifie « salut ».
• Caractère : **ambition, travail, persévérance, sens de l'organisation.**

Hoël

Ce prénom typiquement breton a été porté par plusieurs générations de rois de Domnonée, au VI*e s.*

• **Origine celte**, signifie « bonne vue ».
• Caractère : **travail, sens des responsabilités, rigueur, organisation.**

Homère

Ce prénom évoque le poète grec, auteur de L'Iliade *et* L'Odyssée*, qui vécut au* IX*e s. av. J.-C.*

• Caractère : **autorité, ambition, sens des responsabilités, charisme.**
• Espagnol : *Homero*. Italien : *Omero.*

Honoré

Il est un des prénoms classiques des XVIII*e et* XIX*e s.*

• **Origine latine**, signifie « honneur ».
• Caractère : **vivacité, éloquence, enthousiasme, passion.**
• Variantes : *Honorat, Honorin.*
• Espagnol : *Honorato*. Italien : *Onorato*. Provençal : *Ounourat.*

Horace

Ce prénom est porté par un grand poète latin, fils d'esclaves affranchis, né en 65 av. J.-C., dont la devise était « Carpe diem » (« Profite du jour présent »). Il est, avec Virgile, le plus grand nom de la poésie latine.

• **Origine latine**, du patronyme d'une célèbre famille romaine, les Horatius.
• Caractère : **émotivité, sens artistique, dynamisme, humour.**
• Anglo-saxon : *Horatius*. Espagnol *Horacio*. Italien : *Orazio.*

Hubert

Ce classique des années 1930 a presque disparu.

• **Origine germanique**, signifie « grande intelligence ».
• Caractère : **calme, générosité, franchise, autorité.**

Hugo

Cette forme d'Hugues est l'un des favoris des années 1990-2000. Il est toujours dans le top 200.

• **Origine germanique**, signifie intelligence ».
• Caractère : **sensibilité, perfectionnisme, exigence, réserve.**

Hugues

Ce prénom médiéval reste apprécié par les familles traditionalistes, tandis que sa forme dérivée Hugo s'est largement démocratisée.
• **Origine germanique**, signifie « intelligence ».
• Caractère : **sensibilité, intuition, diplomatie, exigence.**
• Autre orthographe : *Hughes.*
• Variante : *Hugo.*
• Anglo-saxon : *Hugh.* Italien : *Ugo.* Provençal : *Hugolin.*

Humbert

• **Origine germanique**, signifie « illustre géant ».
• Caractère : **ambition, courage, travail, exigence.**
• Espagnol : *Humberto.* Italien : *Umberto.*

Humphrey

• **Origine germanique**, signifie « paix » et « géant ».
• Caractère : **épicurisme, générosité, charme, affectivité.**

Hyacinthe

En vogue au Moyen Âge, ce prénom est aujourd'hui désuet.
• **Origine grecque**, du nom de la fleur.
• Caractère : **charme, réalisme, communication, négociation.**
• Anglo-saxon et germanique : *Hyacinthus.*

Iban

Cette forme basque de Jean est à la mode.
• **Origine hébraïque**, signifie « Dieu fait grâce ».
• Caractère : **énergie, étude, travail, ambition.**

Ibrahim

Forme arabe d'Abraham.
• **Origine hébraïque**, signifie « père des nations ».
• Caractère : **charme, harmonie, exigence, indépendance.**

Ichaï

Forme originelle de Jessé.

• **Origine hébraïque**, signifie « cadeau ».

• Caractère : **générosité, idéalisme, créativité, sensibilité**.

Ignace

Saint Ignace de Loyola, né au Pays basque espagnol au XVe s., touché par la lecture de la vie du Christ, se destine à une vie de pénitence. Il étudie la physique, la théologie et la grammaire latine, prêche et convertit, enseigne le catéchisme aux enfants. Il est aussi le fondateur de la compagnie de Jésus.

• **Origine latine**, signifie « feu ».

• Caractère : **sens des responsabilités, équilibre, charisme, éloquence**.

• Anglo-saxon : *Ignatius, Inigo*. Espagnol : *Ignacio*. Germanique : *Ignaz*. Italien : *Ignazio*.

Igor

Un grand classique russe.

• **Origine slave**, signifie « gardien de la jeunesse ».

• Caractère : **prudence, étude, réserve, réflexion**.

Iker

• **Origine basque**, signifie « enquête ».

• Caractère : **calme, travail, réflexion, étude**.

Ilan

Ce prénom moderne est très répandu en Israël. Il figure au top 200 des prénoms en France.

• **Origine hébraïque**, signifie « arbre ».

• Caractère : **sensibilité, altruisme, attention, charisme**.

Iltud

Il est un prénom traditionnel en Bretagne.

• **Origine celte**, signifie « peuple ».

• Caractère : **communication, créativité, harmonie, sociabilité**.

Ilian

Forte progression pour ce prénom depuis 2010.

• Double origine dérivée de Élie, **hébraïque** (signifie « le Seigneur est mon Dieu ») et **arabe** (signifie « qui vient de Dieu »).

• Caractère : **écoute, sociabilité, dynamisme, sens pratique**.

• Autre orthographe : *Ilyan*.

Ilyès

Forme arabe d'Élie. Il est au top 200 des prénoms aujourd'hui.

• **Origine hébraïque**, signifie « mon maître est Dieu ».

• Caractère : **ambition, persévérance, idéalisme, charisme.**

• Variantes : *Éliès, Iliès.*

Imanol

Forme basque d'Emmanuel.

• **Origine hébraïque**, signifie « Dieu est avec nous ».

• Caractère : **énergie, courage, ambition, autonomie.**

Imran

Ce prénom est en pleine expansion.

• **Origine arabe**, signifie « florissant »

• Caractère : **énergie, travail, persévérance, ambition.**

Ingmar

• **Origine scandinave**, signifie « fils de Ing » (dieu de la Fertilité et de la Paix).

• Caractère : **équilibre, sens des affaires, réalisme, sens de la justice.**

Innocent

Ce prénom a été porté par treize papes, mais il n'a jamais été courant.

• **Origine latine**, signifie « inoffensif ».

• Caractère : **intuition, émotivité, humour, sociabilité.**

• Espagnol : *Inocencio.* Germanique : *Inozenz.* Italien : *Innocenzo.*

Irénée

• **Origine grecque**, signifie « paix ».

• Caractère : **activité, diplomatie, adaptabilité, perfectionnisme.**

Irving

• **Origine écossaise**, signifie « ami de la mer ».

• Caractère : **équilibre, autorité, sens de la justice, étude.**

• Autres orthographes : *Earvin, Irvin.*

Isaac

Ce prénom est en forte progression.

• **Origine hébraïque**, signifie « Dieu a ri ».

• Caractère : **sérieux, sens des responsabilités, fidélité, perfectionnisme.**

• Autres orthographes : *Isach, Isaak, Izaak, Ishaq, Itshaq, Itzaq, Yitzhak.*

• Anglo-saxon : *Ike*, *Ikey*. Arabe : *Ishak*. Italien : *Isacco*.

Isaïe

Isaïe est avec Jérémie et Ézéchiel l'un des grands prophètes de la Bible. Il exerce son ministère au royaume de Juda au VIIIe s. av. J-C.

• **Origine hébraïque**, signifie « Dieu est délivrance ».

• Caractère : **indépendance, ambition, opiniâtreté, affectivité**.

• Anglo-saxon : *Isaiah*.

La légende d'Isaac

Le patriarche Abraham a quatre-vingt-dix-neuf ans lorsque Dieu lui annonce que son épouse Sarah, âgée de quatre-vingt-dix ans, va mettre au monde un fils. Le couple ne met pas en doute la parole divine, mais accueille avec surprise le bébé qui est prénommé « Dieu a ri ». Dès sa naissance, Isaac est destiné à assurer la descendance d'Abraham. Dieu connaît l'attachement d'Abraham pour ce fils inespéré. Pour éprouver sa foi, il lui demande de sacrifier l'enfant. Arrivé sur le lieu du sacrifice, alors que le patriarche brandit le couteau, un ange retient son bras et offre un bélier pour le sacrifice.

Isidore

Ce prénom progresse vite depuis 2010.

• **Origine grecque**, signifie « don d'Isis ».

• Caractère : **activité, esprit d'entreprise, ambition, charisme**.

• Espagnol, germanique, italien : *Isidoro*.

Ismaël

Ce prénom biblique est porteur d'une lourde symbolique. Ismaël, fils d'Abraham et d'Agar, servante de Sarah, est l'ancêtre des Ismaélites, c'est-à-dire des Arabes.

• **Origine hébraïque**, signifie « Dieu entendra ».

• Caractère : **passion, ambition, courage, vitalité**.

• Arabe : *Ismaïl*.

Itsvan

Ce prénom est la forme hongroise de Stéphane.

• **Origine grecque**, signifie couronné ».

• Caractère : **travail, sens de l'organisation, rigueur, autorité**.

Ivan

Ce prénom est la forme slave de Jean.

- **Origine hébraïque**, signifie « Dieu a fait grâce ».
- Caractère : **émotivité, générosité, autorité, exigence.**

Ivi

Il a la même étymologie que le prénom Yves.

- **Origine celte**, signifie « if ».
- Caractère : **volonté, travail, exigence, sens des responsabilités.**
- Variante : *Ivin.*

Iwan

Une autre variante d'Yves.

- **Origine celte**, signifie « if ».
- Caractère : **travail, rigueur, sens de l'organisation, stabilité.**
- Variante : *Iwen.*

Jacob

Ce prénom est la forme originelle de Jacques. Jacob est, dans la Bible, le fils d'Isaac et de Rebecca, le frère d'Esaü à qui il rachète son droit d'aînesse. Époux de Léa et de Rachel, il aura douze fils, qui deviendront les patriarches des douze tribus d'Israël.

- **Origine hébraïque**, signifie « Dieu a soutenu ».
- Caractère : **prudence, sens de l'observation, persévérance, fidélité.**
- Diminutifs : *Cob, Cobb, Cobbie, Kob, Kobbie.*
- Variantes : *Jakob, Yacob, Yakob, Yakoub.*
- Espagnol : *Iacobo, Jacobo.* Germanique : *Jakob.* Italien : *Jacopo.* Néerlandais : *Jacobus.* Russe : *Iakov.*

Jacques

Classique universel, Jacques a presque disparu de l'état civil.

• **Origine hébraïque**, signifie « Dieu a soutenu ».
• Caractère : **activité, travail, méthode, sociabilité**.
• Variante : *Jacquemin*.
• Anglo-saxon : *James, Jaimy, Jim, Jimmy*. Breton : *Jagu, Jakez, Jalm*. Écossais : *Hamish*. Espagnol : *Diego, Jaime, Santiago*. Italien : *Giacomo*.

Jaden

Ce prénom qui a de nombreux adeptes aux États-Unis s'implante en France depuis quelques années. Forme masculine de Jade, du nom de la pierre.

• Caractère : **sagesse, étude, réflexion, discrétion**.

Jafar

Prénom du frère d'Ali, cousin de Mahomet et martyr de l'islam.

• **Origine arabe**, signifie « fleuve ».
• Caractère : **rigueur, volonté, autorité, loyauté**.

Jagu

Ce prénom, forme celte de Jacques, est celui d'un des grands saints de la Bretagne.

• **Origine hébraïque**, signifie « Dieu a soutenu ».
• Caractère : **harmonie, communication, créativité, charisme**.

Jamal

• **Origine arabe**, signifie « beau ».
• Caractère : **autorité, ambition, travail, opiniâtreté**.
• Variantes : *Jamel, Jamil*.

Jamie

Dérivé de James, forme anglaise de Jacques, ce prénom mixte connaît une vague de popularité aux États-Unis dans les années 2000. Il continue sa progression en France.

• **Origine hébraïque**, signifie « Dieu a soutenu ».
• Caractère : **curiosité, opportunisme, sociabilité, besoin de protection**.
• Variante : *Jaimie*.

Jason

Ce prénom mythologique est courant aux États-Unis.

• **Origine hébraïque**, signifie « Dieu sauve ».

• Caractère : **intuition, réflexion, goût de l'aventure, intelligence**.

• Italien : *Giasone*.

La légende de Jason

Dans la mythologie grecque, Jason doit conquérir la Toison d'or d'un bélier fabuleux, avec ses compagnons, les Argonautes, pour obtenir le trône de Ialcos. De retour avec son trophée, il épouse Médée, mais les amoureux sont chassés et se réfugient à Corinthe, chez le roi Créon. Après dix années de bonheur, Jason répudie Médée pour épouser la fille de son hôte. Folle de jalousie, Médée tue Jason, sa jeune épouse et le roi !

Jasper

Ce prénom est une forme anglo-saxonne de Gaspard. Gaspard est, selon la tradition chrétienne, l'un des trois Rois mages venus d'Orient pour adorer l'Enfant Jésus quelques jours après sa naissance.

• **Origine sanscrite**, signifie « celui qui vient voir ».

• Caractère : **sensibilité, harmonie, sens des responsabilités, fidélité**.

Jaufret

Ce prénom est une forme moderne de Godefroy.

• **Origine germanique**, signifie « paix de Dieu ».

• Caractère : **individualité, ambition, imagination, charisme**.

• Autre orthographe : *Geoffrey*.

Jayden

Ce prénom presque inconnu surgit aux États-Unis dans les années 2000 puis arrive en France. Il continue à progresser.

• **Origine hébraïque**, signifie « Dieu sauve ».

• Caractère : **indépendance, sociabilité, épicurisme, activité**.

Jean

Il est le prénom intemporel par excellence.

• **Origine hébraïque**, signifie « Dieu a fait grâce ».

• Caractère : **curiosité, communication, exigence, charisme.**

• Anglo-saxon : *Jack, John, Johnny.* Breton : *Yann, Yannick.* Espagnol : *Juan, Juanito.* Germanique : *Johannes, Hannes, Hanke.* Irlandais : *Sean, Shane.* Italien : *Gianni, Giovanni, Ivano.* Provençal : *Janet.* Russe : *Ivan, Vania.* Scandinave : *Hans, Jens.*

Jeffrey

Il est une forme anglo-saxonne de Geoffrey, dérivé de Godefroy.

• **Origine germanique**, signifie « paix de Dieu ».

• Caractère : **sensibilité, vivacité, éloquence, adaptabilité.**

Jephté

Ce prénom est celui d'un grand juge et d'un sauveur d'Israël.

• **Origine hébraïque**, signifie « libéré ».

• Caractère : **ambition, volonté, imagination, altruisme.**

Jérémie

• **Origine hébraïque**, signifie « Dieu élève ».

• Caractère : **activité, adaptabilité, sociabilité, diplomatie.**

• Anglo-saxon : *Jérémiah, Jérémy, Jerry.* Espagnol : *Jeremias.* Italien : *Geremia.*

Jérôme

• **Origine grecque**, signifie « nom sacré ».

• Caractère : **sociabilité, adaptabilité, fantaisie, curiosité.**

• Anglo-saxon : *Gerrie, Gerry.* Espagnol : *Jeronimo, Xeromo.* Germanique : *Hieronimus.* Italien : *Gerolamo, Geronimo.*

Jessie

Forme américaine de Jessé, prénom biblique. Il apparaît discrètement à l'état civil, aussi bien pour les filles, comme diminutif de Jessica, que pour les garçons. Dans la Bible, Jessé est le père du roi David.

• **Origine hébraïque**, signifie « Dieu existe ».

• Caractère : **méthode, ordre, persévérance, travail.**

• Variante : *Jessy.*

Les prénoms composés

Jean-Baptiste, Jean-Charles, Jean-Claude, Jean-François, Jean-Jacques, Jean-Louis, Jean-Luc, Jean-Marc, Jean-Marie, Jean-Michel, Jean-Paul, Jean-Pierre, Jean-Yves... ces prénoms composés sont au hit-parade de l'état civil dans les années 1950. Ils ont presque complètement disparu. Jean n'est plus guère associé à un autre prénom, ou parfois, rarement, en seconde place comme Pierre-Jean. On rencontre Marc-Antoine, Marc-Alexandre, Charles-Henri ou Charles-Édouard dans les familles traditionnelles.
La variété est de mise. Voici quelques exemples : Calliste-Jules, Charles-Antoine, Charles-Guérin, Charles-Henri, Charles-Louis, Damien-Côme, Élie-Noé, Homère-Éric, Jean-Vianney, Léo-Charles, Léo-Paul, Louis-Félix, Louis-Gabriel, Luc-Olivier, Marc-Alexandre, Marc-Antoine, Mare-Aurèle, Noé-Tim, Paul-Antoine, Paul-Axel, Paul-Édouard, Paul-Éloi, Paul-Émile, Paul-Octave, Pierre-Alexandre, Pierre-Alexis, Pierre-Antoine, Pierre-Marie, Simon-Pierre, Théo-Dorien, Théo-Tim.
Du côté des filles, les Marie-quelque chose ont rivalisé avec les Jean composés à la même époque. Puis Anne-Sophie et Anne-Charlotte sont venues. Aujourd'hui, toutes les originalités sont permises : Ève-Magali, Reine-Mathilde, Claire-Léone, Sophie-Fleur, Anna-Rose, Anne-Emma, Anne-Gaëlle, Anne-Thaïs, Emma-Lise, Emma-Lou, Eva-Marie, Eva-Rose, Laura-Lou, Léni-Rose, Léni-Marie, Lily-Jade, Lily-Jeanne, Lily-Rose, Lola-Marie, Lou-Anne, Marie-Lou, Marie-Lys, Rose-Anne... se conjuguent pour donner à celles qui les portent une originalité de bon aloi.

Joachim

- **Origine hébraïque**, signifie « Yahvé s'est levé ».
- Caractère : **indépendance, curiosité, goût de l'aventure**.
- Espagnol : *Joaquin*. Germanique : *Jochem*. Italien : *Gioacchino*. Scandinave : *Jokum*. Slave : *Joakim*.

Joël

Joël est prophète en Israël, au VIe s. av. J.-C. Il est l'auteur du livre qui porte son nom.

• **Origine hébraïque**, signifie « Yahvé est Dieu ».
• Caractère : **fidélité, loyauté, perfectionnisme, sens des responsabilités.**
• Variantes : *Yaël, Yoël.*
• Italien : *Gioele.*

Joévin

• **Origine latine**, de Jovis, nom donné à Jupiter.
• Caractère : **créativité, harmonie, communication, sens des affaires.**

Johan

Forme originelle de Jean qui figure au top 200 des prénoms depuis plusieurs années.

• **Origine hébraïque**, signifie « Dieu a fait grâce ».
• Caractère : **sens pratique, méthode, dynamisme, sociabilité.**

Jolan

• **Double origine** pour ce prénom, qui peut être considéré comme le masculin de Yolande (« violette » en latin) et qui signifie par ailleurs « vallée aux chênes morts » dans les tribus amérindiennes.
• Caractère : **intuition, réflexion, réserve, sagesse.**

Jonas

Ce prénom est celui d'un des petits prophètes du royaume d'Israël.

• **Origine hébraïque**, signifie « colombe ».

Jonas et la baleine

D'après la Bible, Jonas reçoit de Dieu la mission d'aller rétablir l'ordre religieux en Assyrie. L'aventure ne le tente pas. Aussi décide-t-il de s'embarquer sur un bateau pour échapper à la mission divine. Un violent. orage éclate, et l'équipage, surpris, accuse Jonas d'avoir attiré la malédiction de Dieu. Il avoue être juif et fuir les ordres de Dieu. Les hommes du bord, furieux, le jettent à l'eau. Et la tempête s'apaise. Jonas se débat dans les vagues et il est avalé par une baleine. Il reste trois jours dans l'estomac du mammifère qui le recrache sur le rivage... Jonas compose un psaume en action de grâces et accomplit la mission qui lui a été confiée.

• Caractère : **opportunisme, adaptabilité, vivacité, activité**.
• Anglo-saxon : *Jonah*. Italien : *Giona*.

Jonathan

Jonathan est le fils de Saül, premier roi des Israélites au XIe s. av. J.-C., et un grand ami de David.
• **Origine hébraïque**, signifie « Yahvé a donné ».
• Caractère : **courage, volonté, curiosité, fidélité**.
• Forme originelle : *Yonathan*.
• Espagnol : *Jonatan*. Italien : *Gionata*.

Jordan

Ce prénom a une longue histoire. Ce sont les croisés qui, au Moyen Âge, de retour de Terre sainte, l'emploient en souvenir du fleuve Jourdain.
• **Origine araméenne**, signifie « qui répand la vie ».
• Caractère : **activité, rapidité, ambition, exigence**.
• Variantes : *Jordon, Jory, Jourdain*.
• Italien : *Giordano*.

Joris

Forme néerlandaise de Georges.
• **Origine grecque**, signifie « qui travaille la terre ».
• Caractère : **ambition, travail, imagination, courage**.

José

Il est la forme hispanique de Joseph.
• **Origine hébraïque**, signifie « Dieu ajoute ».
• Caractère : **sensibilité, prudence, travail, tradition**.

Joseph

Au faîte de son succès au XIXe s., il commence à réapparaître.
• Caractère : **courage, détermination, autorité, ambition**.
• Forme originelle : *Yossef*.
• Anglo-saxon : *Joe, Jody*. Arabe : *Youssef, Youssouf*. Breton : *Job, Jobig, Jos*. Espagnol : *Jose, Joselito, Pepito*. Italien : *Giuseppe, Peppo, Peppone*. Néerlandais : *Joep, Joop, Joos*. Provençal : *Jousé, Jouséto*.

Joshua

Forme anglaise du prénom biblique Josué. Il est en forte progression.
• **Origine hébraïque**, signifie « Dieu sauvera ».
• Caractère : **calme, prudence, réflexion, réserve**.

Josias

Prénom du 16e roi d'Israël.

• **Origine hébraïque**, signifie « Dieu guérit ».

• Caractère : **énergie, dynamisme, autorité, ambition**.

Josselin

Forme moderne de Josse.

• **Origine germanique**, du nom de Gauz, divinité.

• Caractère : **calme, intuition, émotivité, sociabilité**.

• Variante : *Josserand*.

Josué

Josué est, dans la Bible, le successeur de Moïse. Il établit les tribus d'Israël au pays de Canaan.

• **Origine hébraïque**, signifie « Dieu est le salut ».

• Caractère : **sensibilité, originalité, réserve, humour**.

• Anglo-saxon et espagnol : *Joshua*. Italien : *Giosue*.

Judicaël

• **Origine celte**, signifie « seigneur généreux ».

• Caractère : **générosité, sensibilité, intuition, imagination**.

• Variantes : *Gicquel*, *Jikaël*.

Jude

• **Origine hébraïque**, signifie « qui rend grâce à Dieu »

• Caractère : **courage, audace, volonté, optimisme**.

• Variante : *Judas*.

Jules

En vogue dans l'Antiquité et au XIXe s., ce prénom réapparaît timidement. Sa forme féminine est appréciée depuis longtemps.

• **Origine latine**, de Iulius, nom d'une illustre famille romaine de l'Antiquité.

• Caractère : **ambition, opiniâtreté, travail, autorité**.

• Anglo-saxon et germanique : *Julius*. Espagnol : *Julio*. Italien : *Giuliano*, *Giulio*.

Julian

Forme anglaise et occitane de Julien.

• **Origine latine**, signifie « de la famille Iulius ».

• Caractère : **calme, réserve, fierté, travail**.

Julien

Cette variante de Jules connaît un grand succès dans les années 1980.

• **Origine latine**, de Iulius, nom d'une illustre famille romaine de l'Antiquité.

• Caractère : **énergie, courage, franchise, générosité.**
• Anglo-saxon et occitan : *Julian.*

Justin

Ce prénom est une variante de Juste qui n'est plus employé.
• **Origine latine**, signifie « juste »
• Caractère : **sociabilité, optimisme, curiosité, vivacité.**
• Variante : *Justinien.*
• Espagnol : *Justino.* Italien : *Giustino.*

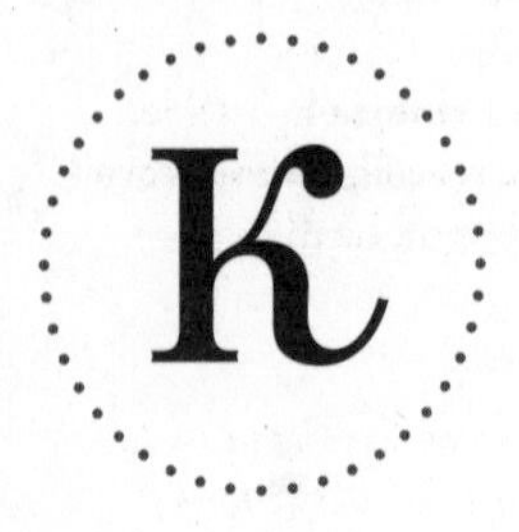

Kado

Prénom traditionnel breton à la sonorité surprenante.
• **Origine celte**, signifie « combat ».
• Caractère : **travail, rigueur, stabilité, persévérance.**

Kaëlig

Ce prénom est le diminutif de Mikaël, forme bretonne de Michel.
• **Origine hébraïque**, signifie « comme Dieu ».
• Variante : *Kelig.*

Kaïs

En grande progression, ce prénom figure au top 200.
• **Origine arabe**, signifie « fierté ».
• Caractère : **fiabilité, rigueur, sens des responsabilités, générosité.**

Karel

Forme scandinave de Charles.
• **Origine germanique**, signifie « viril ».
• Caractère : **intuition, harmonie, calme, travail.**
• Autre orthographe : *Carel.*
• Variante : *Karol.*

Kasper

Forme germanique de Gaspard, l'un des trois Rois mages venus d'Orient pour adorer l'Enfant Jésus quelques jours après sa naissance.
• **Origine sanscrite**, signifie « celui qui vient voir ».
• Caractère : **intuition, sensibilité, réserve, générosité.**

Kean

- **Origine anglaise**, signifie « aigu ».
- Caractère : **stabilité, travail, rigueur, sens de l'organisation.**
- Autre orthographe : *Kéene.*

Kenan

- **Origine celte**, signifie « beau ».
- Caractère : **dynamisme, activité, curiosité, indépendance.**
- Variantes : *Ken, Kened, Kenny.*

Kenji

Au Japon, ce prénom est donné traditionnellement au second enfant.

- **Origine japonaise**, signifie « bien portant ».
- Caractère : **rigueur, méthode, énergie, travail.**

Kenneth

Ce prénom connaît ses années fastes en Écosse au XIXe s. et aux États-Unis dans les années 1960.

- **Origine gaélique**, signifie « beau ».
- Caractère : **étude, réflexion, exigence, sens de l'organisation.**

Kenzo

Ce prénom a une double origine, arabe et japonaise. Il est connu en Europe grâce au couturier Kenzo Takada.

- **Origine arabe**, signifie « petit trésor », ou **origine japonaise**, signifie « qui avance ».
- Caractère : **charisme, sociabilité, imagination, épicurisme.**
- Variante : *Kenzi.*

Kerrien

- **Origine celte**, signifie « morceau de bois ».
- Caractère : **sens de la justice, goût du pouvoir, équilibre, travail.**
- Autre orthographe : *Querrien.*

Kévin

Forme dérivée de Coemgen. Ce prénom est l'un des favoris des années 1990.

- **Origine celte**, signifie « de race noble ».
- Caractère : **intuition, discrétion, sensibilité, rêverie.**
- Variantes : *Gavin, Kelvin, Kévan, Kéven.*

Khaled

Ce prénom est l'un des plus fréquents chez les musulmans. Il a été illustré dans l'histoire de l'islam par un général qui a été le bras droit de Mahomet.

• **Origine arabe**, signifie « impérissable ».
• Caractère : **indépendance, adaptabilité, goût de l'aventure, charisme.**
• Variante : *Khalid.*

Killian

Ce prénom a suivi la vogue des prénoms celtiques des années 1990.

• **Origine celte**, signifie « assaut du guerrier ».
• Caractère : **énergie, passion, autorité, charisme.**

Kim

Ce prénom mixte est apprécié aux États-Unis depuis plusieurs décennies. Il est aussi très prisé par les familles asiatiques.

• **Origine anglaise**, signifie « celui qui commande », et **origine vietnamienne**, qui signifie « en or ».
• Caractère : **affectivité, communication, perfectionnisme, charme.**

Kiran

Forme dérivée de Ciaran, classique de la culture celte. Ce prénom est en grande progression.

• **Origine celte**, signifie « brun ».
• Caractère : **persévérance, volonté, charisme, autorité.**
• Variantes : *Ciaran, Kiaran, Kieran.*

Kireg

Il est la forme bretonne de Guirec.

• **Origine celte**, signifie « générosité ».
• Caractère : **adaptabilité, activité, goût de l'aventure, indépendance.**
• Variantes : *Guévroc, Guirec, Gwevrog.*

Knut

Forme danoise de Canut, ce prénom a été porté par plusieurs rois du Danemark.

• **Origine scandinave**, signifie « blanc ».
• Variante : *Knud.*

Kyle

• **Origine celte**, signifie « étroit ».
• Caractère : **méthode, équilibre, loyauté, rigueur.**

Laban

Ce prénom biblique est en vogue dans les familles américaines puritaines. Laban, dans la Bible, est le père de Léa et de Rachel.

• **Origine hébraïque**, signifie « blanc ».

• Caractère : **optimisme, réflexion, sociabilité, créativité.**

Ladisals

Forme contractée de Vladislas.

• **Origine slave**, signifie « qui possède la gloire ».

• Caractère : **ambition, diplomatie, opportunisme, communication.**

• Espagnol : *Ladislao*. Hongrois : *Laszlo*. Slave : *Ladislaus*.

Laël

• **Origine hébraïque**, signifie « qui est à Dieu ».

• Caractère : **vitalité, originalité, fiabilité, communication.**

• Variantes : *Laélian, Laélien.*

Lambert

Oublié pendant plusieurs siècles après une petite vague de succès au Moyen Âge, Lambert réapparaît timidement dans les années 1980.

• **Origine germanique**, signifie « terre illustre ».

• Caractère : **combativité, ambition, passion, sens des responsabilités.**

• Espagnol et italien : *Lamberto.* Germanique : *Lambrecht.*

Lancelot

Lancelot est le héros de plusieurs romans en prose écrits par Chrétien de Troyes, au XIIe *s. Il représente le modèle idéal du chevalier breton, vaillant guerrier et amant parfait. Élevé par la fée Viviane, il arrive à la cour du roi Arthur et tombe éperdument amoureux de la reine Guenièvre ; son amour, coupable et inavouable, sert sa vaillance : en servant fidèlement le roi, il conquiert sa belle par ses exploits. Il termine sa vie en ermite repentant, détaché des biens matériels et des tourments sensuels.*

• **Origine celte**, signifie « celui qui sert ».

• Caractère : **énergie, travail, autorité, curiosité.**

• Variante : *Lancelin.*

• Espagnol : *Lanzarote.*

Les prénoms de la littérature

Certains prénoms sont issus de l'imagination d'auteurs inspirés et sont passés à la postérité.
Parmi les héros des légendes bretonnes : Arthur, devenu classique dans les années 1980, accompagné de Lancelot, Perceval et Guenièvre.
Les héroïnes des tragédies grecques, reprises par les classiques du XVIIe s. : Phèdre, Électre... Également au XVIIe s., Valère, Cléante, Célimène, Dorine, initiés par Molière.
Le XIXe apporte Esméralda, Fantine et Cosette.
En Allemagne, Lorelei ; en Angleterre, Alice du pays des merveilles, et plus près de nous Wendy.
Aux États-Unis, Cinderella, la forme anglo-saxonne de Cendrillon, est en vogue, et aujourd'hui, l'héroïne d'une saga préhistorique, nommé Ayla par l'auteur, connaît une expansion très remarquée.

Landry

Il est, comme Lambert, un prénom médiéval.

• **Origine germanique**, signifie « terre puissante ».
• Caractère : **sensibilité, franchise, ambition, générosité**.

Laouenan

• **Origine celte**, signifie « gai ».
• Caractère : **réflexion, étude, calme, réserve**.
• Variantes : *Léan, Loénan.*

Larry

Diminutif de Lawrence, forme anglo-saxonne de Laurent.

• **Origine latine**, signifie laurier ».
• Caractère : **adaptabilité, diplomatie, sociabilité, communication**.

Laszlo

Forme hongroise de Vladislas.

• **Origine slave**, signifie « qui possède la gloire ».
• Caractère : **réserve, réflexion, émotivité, persévérance**.

Laurent

Grand classique, Laurent connaît la gloire à la Renaissance et pendant toute la seconde moitié du XXe s.

• **Origine latine**, signifie « laurier ».
• Caractère : **ambition, sens des responsabilités, générosité, raffinement.**
• Alsacien : *Lorenz*. Anglo-saxon : *Larry, Lawrence*. Breton : *Laorans*. Espagnol : *Laurencio*. Germanique : *Lorentz*. Hongrois : *Lorinc*. Italien : *Lorenzo*. Néerlandais : *Loris*. Provençal : *Laurens*. Scandinave : *Lars, Laurens, Laurids, Lavrans*.

Lazare

• **Origine hébraïque**, signifie « Dieu a secouru ».
• Caractère : **réserve, réflexion, exigence, travail.**
• Variantes : *Éléazar, Éliezer*.
• Anglo-saxon et germanique : *Lazarus*. Espagnol : *Lazaro*. Italien : *Lazzaro*.

Léandre

Ce prénom a la même étymologie qu'André. Il fait partie du top 200 des prénoms masculins.

• **Origine grecque**, signifie « homme ».
• Caractère : **charme, curiosité, vivacité, épicurisme.**
• Anglo-saxon et germanique : *Leander*. Espagnol et italien : *Leandro*.

Lenny

Diminutif anglo-américain de Léonard, il commence à concurrencer Léon et Léo, figurant au top 200 des prénoms masculins.

• **Origine latine et germanique**, signifie « lion fort ».
• Caractère : **étude, réflexion, travail, sagesse.**

Lenzo

Variante d'Enzo, ce prénom est en pleine expansion. Diminutif de Lorenzo, forme italienne de Laurent.

• **Origine latine**, signifie « laurier ».
• Caractère : **droiture, discrétion, charisme, diplomatie.**

Léo

Diminutif de Léon devenu un prénom à part entière. Il est, avec Théo, l'un des favoris des années 1990.

• **Origine latine**, signifie « lion ».
• Caractère : **charme, passion, communication, diplomatie.**

Léon

Il est un des classiques du XIXe s.

- **Origine latine**, signifie « lion ».
- Caractère : **émotivité, intuition, courage, ténacité**.
- Variantes : *Léo, Léonce, Léontin, Léonard, Lionel*.
- Russe : *Léonid*.

Léonard

- **Origine latine et germanique**, signifie « lion fort ».
- Caractère : **hyperactivité, goût du pouvoir, ambition, travail**.
- Diminutif : *Lenny*.
- Espagnol et italien : *Leonardo*.

Scandinave : *Lennart*.

Léonce

- **Origine latine**, signifie « lion ».
- Caractère : **intuition, réflexion, sensibilité, sens critique**.
- Italien : *Leoncio, Leonzio*.

Léonidas

Roi de Sparte au Ve s. av. J.-C., Léonidas défend les Thermopyles contre les Perses et y perd la vie avec trois cents Spartiates.

- **Origine grecque**, signifie « vaillant ».
- Caractère : **activité, rigueur, sens de l'organisation, persévérance**.

Léopold

Il a été l'un des favoris en Belgique.

- **Origine germanique**, signifie « peuple courageux ».
- Caractère : **vitalité, ambition, travail, autorité**.
- Espagnol et italien : *Leopoldo*.

Léovigild

- **Origine latine**, signifie « lion vigilant ».
- Caractère : **optimisme, créativité, générosité, communication**.
- Espagnol : *Leovigildo*.

Léri

- **Origine celte**, signifie « grand chef ».
- Caractère : **sens de la justice, rigueur, goût du pouvoir, sérieux**.
- Autre orthographe : *Lery*.

Lévi

Dans la Bible, Lévi est un fils de Jacob et de Léa, et le fondateur de la tribu des Lévites.

- **Origine hébraïque**, signifie « attaché ».
- Caractère : **sociabilité, imagination, épicurisme, communication**.

Liam

Ce prénom est une forme irlandaise de Guillaume, très en vogue dans les pays de culture anglaise. Il fait partie du top 200 des prénoms masculins.

• **Origine germanique**, signifie « volonté » et « protection ».

• Caractère : **altruisme, sensibilité, ambition, intuition.**

Liébaut

Il est une forme dérivée de Léopold.

• **Origine germanique**, signifie « peuple courageux ».

• Caractère : **réflexion, sagesse, éloquence, communication.**

• Variante : *Léobald.*

Lief

Prénom nordique prisé des Vikings et en vogue dans les pays scandinaves.

• **Origine scandinave**, signifie « descendant ».

• Caractère : **courage, ambition, ténacité, activité.**

Lilian

Ce prénom est le masculin méconnu de Liliane, révélé dès les années 2000. Il est dans le top 200.

• **Origine latine**, signifie « lys ».

• Caractère : **séduction, fierté, vivacité, adresse.**

• Variantes : *Lélio, Lilio.*

Lilio

Cette forme italienne de Lilian le suit dans son évolution.

• **Origine latine**, signifie « lys ».

• Caractère : **dynamisme, sens artistique, curiosité, sociabilité.**

Lindsay

Ce prénom mixte en vogue aux États-Unis se féminise rapidement.

• **Origine anglaise**, signifie « île aux tilleuls ».

• Caractère : **sensibilité, charme, vivacité, communication.**

Lino

Diminutif d'Angelino, lui-même diminutif d'Angelo. La vogue des prénoms italiens le fait apparaître dès 2005. Il continue sa progression.

• **Origine grecque**, signifie « messager ».

• Caractère : **volonté, ambition, activité, impatience.**

Lionel

Il succède à Léon et connaît une période de succès dans les années 1970.

• **Origine latine**, signifie « lion ».

• Caractère : **sensibilité, réserve, altruisme, exigence.**

• Variante : *Léonel.*

Lilouan

Composé de Lilian et d'Elouan.

• **Origine latine**, qui désigne le « lys », et **origine celte**, qui signifie « lumière ».

• Caractère : **sensibilité, sens des responsabilités, exigence, fiabilité**.

Livio

Ce prénom typiquement italien s'étend en Europe.

• **Origine latine**, diminutif d'Olivio, qui signifie « olive ».

• Caractère : **droiture, sens des responsabilités, sagesse, réflexion**.

Lloyd

• **Origine galloise**, signifie « qui a les cheveux gris »

• Caractère : **sérieux, réflexion, écoute, fiabilité**.

Loan

Très en vogue depuis 2005, ce prénom a une origine incertaine. Il pourrait être le masculin de Loanne, dérivé de Louise et d'Anne, ou un diminutif d'Elouan.

• **Origine germanique**, signifie « glorieux vainqueur », ou **origine celte**, signifie « lumière ».

• Caractère : **curiosité, vivacité, autonomie**.

• Variantes : *Loen, Luan, Luen.*

Loevan

Ce prénom est la forme masculine de Loeva, en vogue en Bretagne. Son succès s'étend peu à peu.

• **Origine celte**, signifie « poli ».

• Caractère : **charisme, épicurisme, idéalisme, sensibilité**.

Logan

Prénom rare dans les pays celtes, Logan a talonné Killian sans jamais atteindre son succès.

• **Origine celte**, signifie « petite caverne ».

• Caractère : **ordre, persévérance, travail, courage**.

Lohan

Cette orthographe de Loan, dérivé d'Elouan, est au top 200 et en pleine progression.

• **Origine celte**, signifie « lumière ».

• Caractère : **charme, curiosité, autonomie, vivacité**.

Loïc

Ce prénom est l'une des formes bretonnes de Louis.

• **Origine germanique**, signifie « glorieux vainqueur ».

• Caractère : **communication, calme, harmonie, sérieux**.

• Variantes : *Loïg, Loïs, Loïez.*

Lorenzo

Il est la forme italienne de Laurent, qui suit la popularité de Matteo et d'Enzo.

• **Origine latine**, signifie « laurier ».

• Caractère : **perfectionnisme, séduction, charisme, sens artistique.**

Loric

• **Origine latine**, signifie « laurier ».

• Caractère : **dynamisme, écoute, communication, sens artistique.**

Loris

Forme néerlandaise de Laurent, il est en vogue depuis les années 1990 et figure au top 200.

• **Origine latine**, signifie « laurier ».

• Caractère : **sociabilité, fantaisie, éloquence, imagination.**

Lothaire

Frme contractée de Clotaire.

• **Origine germanique**, signifie « grande gloire ».

• Caractère : **calme, curiosité, travail, ambition.**

• Anglo-saxon : *Luther*. Espagnol et italien : *Lotario*. Germanique : *Lothar*.

Louan

Ce diminutif d'Élouan est un favori depuis 2010.

• **Origine celte**, signifie « lumière ».

• Caractère : **travail, persévérance, affectivité, réserve.**

• Variantes : *Élouan*, *Loan*.

Louis

Dès le Moyen Âge, il est prénom de roi. Les XVIIe et XIXe s. affirment sa puissance. Après une courte disparition, il connaît un nouveau succès depuis les années 1990.

• **Origine germanique**, signifie « glorieux combattant ».

• Caractère : **détermination, méthode, opiniâtreté, travail.**

• Forme médiévale : *Clovis*.

• Diminutif : *Louison*.

• Variantes : *Aloïs*, *Ludovic*.

• Alsacien : *Ludwig*. Anglo-saxon : *Lewis*. Breton : *Loïc*, *Loïez*, *Loïg*. Espagnol : *Luis*. Germanique : *Ludwig*. Italien : *Luigi*, *Luigino*, *Gino*. Néerlandais : *Lodewijk*, *Loek*. Occitan : *Louiset*.

Louison

Prénom mixte, Louison est un diminutif de Louis et connaît un regain de faveur depuis 2005. Surtout masculin dans les années 1950, il est aujourd'hui féminisé à parité.

• Caractère : **charme, sens des responsabilités, sociabilité, raffinement**.

Loup

Souvent accompagné de Jean dans les années 1950.

• **Origine latine**, signifie « loup ».
• Caractère : **ambition, éloquence, opportunisme, idéalisme**.
• Espagnol : *Lope*.

Lubin

• **Origine germanique**, signifie « amour ».
• Caractère : **sens de l'organisation, stabilité, travail, rigueur**.

Luc

Ce classique a toujours été discret à l'état civil. Ses formes dérivées ont plus de succès : Lucien au XIXe s. et Lucas depuis les années 1990.

• **Origine latine**, signifie « lumière ».
• Caractère : **sociabilité, sensibilité, charme, générosité**.
• Variantes : *Lucas, Lucien, Lucinien*.
• Anglo-saxon : *Lucke*. Espagnol et italien : *Lucio*. Germanique : *Lukas*. Slave : *Lukja*.

Lucas

Cette forme dérivée de Luc bat les records de popularité depuis les années 2000.

• **Origine latine**, signifie « lumière ».
• Caractère : **affectivité, rigueur, sens de l'organisation, réserve**.
• Germanique : *Lukas*. Italien : *Luca*.

Lucien

Variante de Luc, en vogue dans les années 1920, Lucien revient depuis 2010.

• **Origine latine**, signifie « lumière ».
• Caractère : **sensibilité, volonté, intelligence, ténacité**.
• Espagnol et italien : *Luciano*. Occitan : *Lucian*.

Ludovic

Cette variante de Louis est en vogue dans les années 1980.

• **Origine germanique**, signifie « glorieux vainqueur ».

• Caractère : **indépendance, curiosité, goût de l'aventure, épicurisme.**
• Italien : *Lodovico, Ludovico.* Germanique : *Ludovicus.*

Luner

• **Origine celte**, signifie « image ».
• Caractère : **étude, réflexion, réserve, rigueur.**
• Autre orthographe : *Lunaire.*

Lysandre

Ce prénom de l'Antiquité évoque le général spartiate qui a pris Athènes au IVe s. av. J.-C. Il progresse très vite vers le top 200.
• **Origine grecque**, signifie « libérateur ».
• Caractère : **travail, rigueur, sens de l'organisation, stabilité.**
• Autre orthographe : Lisandre
• Anglo-saxon : *Lysander.* Espagnol et italien : *Lisandro.*

Lydéric

• **Origine germanique**, signifie « glorieux ».
• Caractère : **rigueur, méthode, travail, droiture.**

Madalvé

• **Origine germanique**, signifie « ancienne force ».
• Caractère : **rigueur, sens des responsabilités, travail, stabilité.**

Madeg

• **Origine celte**, signifie « bon ».
• Caractère : **sens artistique, harmonie, éclectisme, communication.**
• Variantes : *Madec, Madoc, Madog.*

Maden

Ce prénom breton est mixte.
• **Origine celte**, signifie « bon ».
• Caractère : **travail, sens pratique, efficacité, indépendance.**
• Diminutif : *Madenig.*

Maé

Diminutif de Maël.
• **Origine celte**, signifie « prince ».

Les nouveaux prénoms mixtes à tendance masculine

Après les traditionnels Claude et Dominique passés de mode, voici les nouveaux venus.

Charlie : 50% masculin.
Clarence : 80% masculin.
Eden : 75% masculin.
Loïs : 90% masculin.
Louison : 50% masculin.
Mahé, Maé : 80% masculin.
Marley : 75% masculin.
Maxence : 90% masculin.
Morgan : 75% masculin.
Noa : 92% masculin.
Sacha : 97% masculin.
Swann : 80% masculin.
Yaël : 50% masculin.

• Caractère : **énergie, travail, ambition, autorité**.

Maël

Ce prénom breton a conquis la France depuis les années 2000.
• **Origine celte**, signifie « prince ».
• Caractère : **indépendance, affectivité, ambition, travail**.
• Variantes : *Maelan, Maelien*.
• Diminutif : *Maé*.

Maëlan

Ce prénom dérivé de Maël est en pleine ascension.
• **Origine celte**, signifie « prince ».
• Caractère : **autorité, charisme, travail, ambition**.

Magloire

Ce prénom est la forme francisée d'un vieux prénom breton, Maglo.
• **Origine celte**, signifie « prince ».
• Caractère : **spiritualité, étude, réflexion, altruisme**.

Magnus

Un prénom très ancien, assez courant dans les pays nordiques.
• **Origine latine**, signifie « grand ».
• Caractère : **activité, réalisme, méthode, dynamisme**.

Mahé

Mahé est un diminutif de Mazhé, forme bretonne de Mathieu. Il figure au top 200 des prénoms masculins.

• **Origine hébraïque**, signifie « don de Dieu ».

• Caractère : **générosité, charisme, passion, enthousiasme.**

Maixent

Il est une variante de Maxime.

• **Origine latine**, signifie « le plus grand ».

• Caractère : **courage, passion, adaptabilité, perfectionnisme.**

Malcolm

Forme anglo-saxonne de Malo.

• **Origine celte**, signifie « gage lumineux ».

• Caractère : **fidélité, affectivité, sens des responsabilités, harmonie.**

Mallaury

Ce prénom mixte dérivé de Malo apparaît discrètement à l'état civil. Son orthographe peut varier selon qu'il nomme un garçon (Mallory) ou une fille (Malaurie, Malorie).

• **Origine celte**, signifie « gage lumineux ».

• Caractère : **sociabilité, exigence, discrétion, détermination.**

Malo

Ce prénom breton connaît un discret succès depuis les années 1980.

• **Origine celte**, signifie « gage lumineux ».

• Caractère : **sensibilité, étude, réflexion, rigueur.**

Malone

Ce patronyme répandu dans les pays de culture celte est devenu un prénom. Il s'implante en France depuis 2010.

• **Origine celte**, signifie « faucon ».

• Caractère : **sensibilité, réflexion, réserve, intuition.**

Manfred

Ce prénom est plus courant outre-Manche qu'en France.

• **Origine germanique**, signifie « l'homme de la paix ».

• Caractère : **émotivité, combativité, impulsivité, intuition.**

• Espagnol et italien : *Manfredo.*

Manoah

Composé d'Emmanuel et de Noah, ce prénom est en très forte croissance depuis 2010.

• **Origine hébraïque**, signifie « Dieu est avec nous » et « apaisé ».

• Caractère : **étude, réflexion, sagesse, sérieux.**

Manoe

Composé d'Emmanuel et de Noé, sa sonorité plaît beaucoup.

• **Origine hébraïque**, signifie « Dieu est avec nous » et « apaisé ».

• Caractère : **communication, sensibilité, sens artistique, écoute.**

Mansour

Ce prénom est illustré par un sultan d'Istanbul, fondateur de la dynastie ottomane, au XIVe s.

• **Origine arabe**, signifie « le désiré ».

• Caractère : **adaptabilité, diplomatie, émotivité, sociabilité.**

Manuel

Forme diminutive d'Emmanuel, très prisée en Espagne et au Portugal.

• **Origine hébraïque**, signifie « Dieu est avec nous ».

• Caractère : **vivacité, optimisme, négociation, curiosité.**

• Espagnol : *Manolito, Manolo.*

Manua

• **Origine tahitienne**, signifie « oiseau porteur de bonheur »

• Caractère : **efficacité, travail, responsabilité, persévérance.**

Maodan

• **Origine celte**, signifie « jeune feu ».

• Caractère : **créativité, activité, harmonie, charisme.**

• Variante : *Maudan.*

Marc

Grand classique des années 1950, Marc est plus fréquent aujourd'hui sous sa forme italienne Marco.

• **Origine latine**, signifie « marteau ».

• Caractère : **travail, rigueur, indépendance, détermination.**

• Anglo-saxon : *Mark.* Espagnol et italien : *Marco.* Germanique : *Marcus.*

Marceau

Il est une forme dérivée de Marc.

• **Origine latine**, signifie « marteau ».

• Caractère : **indépendance, travail, franchise, volonté.**

Marcel

Très courant au début du XXe s., Marcel disparaît dans les années 1950 au profit de Marc. Il revient discrètement depuis 2010.

• **Origine latine**, signifie « marteau ».

• Caractère : **diplomatie, communication, sensibilité, charisme.**
• Espagnol : *Marcelo.* Germanique : *Marcellus.* Italien : *Marcello.*

Marcellin

• **Origine latine**, signifie « petit marteau ».
• Caractère : **calme, sensibilité, harmonie, travail.**
• Espagnol : *Marcelino.* Italien : *Marcellino.*

Marco

Forme italienne de Marc, il connaît un grand succès dans les années 1950. Marco suit de loin Matteo et Enzo depuis 2000.
• **Origine latine**, signifie « marteau ».
• Caractère : **réflexion, passion, curiosité, activité.**

Marin

En ce début de XXIe s., il suit le succès de Gabin et Robin.
• **Origine latine**, signifie « mer ».
• Caractère : **tendresse, émotivité, générosité, autorité.**
• Espagnol et italien : *Marino.* Germanique : *Marinus.*

Marius

Particulièrement populaire en Provence au XIXe et au début du XXe s., il doit son succès à la victoire du général romain Marius, oncle de Jules César, sur les Wisigoths dans la montagne Sainte-Victoire, près d'Aix-en-Provence. Il connaît à nouveau le succès depuis 2010.
• **Origine latine**, du nom du général Marius.
• Caractère : **sociabilité, activité, fantaisie, goût de l'aventure.**
• Espagnol et italien : *Mario.*

Marley

Ce prénom issu du vieil anglais est en plein essor en France.
• **Origine anglaise**, signifie « terre des lacs ».
• Caractère : **sociabilité, ambition, intuition, persévérance.**

Marlon

• **Origine anglaise**, signifie « faucon ».
• Caractère : **énergie, rigueur, activité, autorité.**

Marsile

Forme dérivée de Mars, dieu de la Guerre dans la mythologie romaine.

• Caractère : **intelligence, sociabilité, travail, rigueur.**

• Variante : *Marsilie.*

Martial

Ce dérivé de Martin est peu courant.

• **Origine latine**, signifie « guerrier ».

• Caractère : **sensibilité, intuition, altruisme, idéalisme.**

• Espagnol : *Martial*, Italien : *Marziale.*

Martin

L'un des favoris des années 1980 à 2000, il est devenu un classique en France et en Europe.

• **Origine latine**, signifie « guerrier ».

• Caractère : **communication, diplomatie, enthousiasme, exigence.**

• Breton : *Marzhin.* Espagnol et italien : *Martino.* Hongrois : *Martoni.* Néerlandais : *Maarten.* Scandinave : *Marten.*

Marvin

• **Origine galloise**, signifie « celui qui aime la mer »

• Caractère : **adaptabilité, indépendance, sensibilité, goût de l'aventure.**

Mathieu

Un des favoris des années 1980, au top 200 des prénoms masculins.

• **Origine hébraïque**, signifie « don ».

Mathieu, le saint patron des contribuables ?

Saint Mathieu était ce que l'on appellerait maintenant « agent du fisc » avant de devenir apôtre et de suivre Jésus. Saint Yves était avocat et défendait la veuve et l'orphelin en Bretagne, sainte Zita a consacré sa vie à veiller au confort de ses employeurs ; saint Côme et saint Damien étaient médecins ; sainte Blandine était une toute jeune fille lorsqu'elle fut offerte en pâture aux lions de l'arène... Ils sont donc tout naturellement devenus les protecteurs des agents de change et des inspecteurs des impôts, des avocats et des notaires, des employées de maison, des médecins, des jeunes filles...

• Caractère : **altruisme, réserve, discrétion, réflexion.**
• Autre orthographe : *Matthieu.*
• Variante : *Mathias.*
• Anglo-saxon : *Matt, Matthew.* Breton : *Mathée, Mazhev.* Espagnol : *Mateo.* Germanique : *Matthaeus, Mattes.* Italien : *Mattéo.* Provençal : *Mathivet, Matteo.* Scandinave : *Mats.*

Mathéis

Ce composé de Mathéo et de Mathis est en très rapide progression. Va t-il dépasser ses deux concurrents ?
• **Origine hébraïque**, signifie « don ».
• Caractère : **sensibilité, écoute, communication, générosité.**

Mathis

Forme néerlandaise de Mathieu, un concurrent très sérieux de l'italien Matteo, au top 200 des prénoms.
• **Origine hébraïque**, signifie « don ».
• Caractère : **réserve, réflexion, étude, travail.**
• Autres orthographes : *Mathys, Matis, Matisse.*

Mathurin

• **Origine latine**, signifie « mûr ».
• Caractère : **réflexion, intuition, réserve, volonté.**
• Breton : *Mathelin.*

Mattéo

Il est italien – ou espagnol quand il est orthographié avec un seul « t ». Tous deux sont issus de Mathieu et dominent le hit-parade des prénoms masculins depuis le début des années 2000.
• **Origine hébraïque**, signifie « don ».
• Caractère : **vivacité, activité, rapidité, ambition.**
• Autres orthographes : *Matéo, Mathéo.*

Matthias

Ce dérivé de Mathieu figure au top 200 des prénoms masculins.
• **Origine hébraïque**, signifie « don ».
• Caractère : **sensibilité, courage, volonté, adresse.**
• Espagnol : *Matias.* Italien : *Mattia.*

Maudez

• **Origine celte**, signifie « bon ».
• Caractère : **activité, passion, énergie, adresse.**
• Variantes : *Mandé, Maugan, Maulde, Vaodez.*

Maur

Resté rare à travers les siècles, il est à l'origine de prénoms plus répandus : Amaury, Maurice…

• **Origine latine**, signifie « d'origine maure ».
• Caractère : **curiosité, impatience, affectivité, réserve**.
• Anglo-saxon : *Maurus*. Espagnol et italien : *Mauro*.

Maurice

Il est l'un des grands classiques du début du XXe s. Amaury, sa variante, lui a succédé à l'état civil.

• **Origine latine**, signifie « maure ».
• Caractère : **réserve, étude, prudence, écoute**.
• Anglo-saxon : *Morris*. Breton : *Moravan*. Espagnol : *Mauricio*, *Murillo*. Germanique : *Mauritius*, *Moritz*. Italien : *Maurizio*.

Maxence

Ce prénom est déjà fréquent dans la Rome antique. Devenu mixte, il est en vogue depuis les années 1990.

• **Origine latine**, signifie « le plus grand ».
• Caractère : **idéalisme, générosité, altruisme, écoute**.

Maxime

Il est l'un des favoris des années 1980 et demeure aujourd'hui dans le top 200 des prénoms masculins.

• **Origine latine**, signifie « le plus grand ».
• Caractère : **activité, travail, adaptabilité, diplomatie**.
• Anglo-saxon : *Maxim*. Espagnol : *Maximo*. Italien : *Massimo*.

Maximilien

Il est une forme dérivée de Maxime.

• **Origine latine**, signifie « le plus grand ».
• Caractère : **exigence, persévérance, rigueur, travail**.
• Anglo-saxon : *Maximilian*. Espagnol : *Maximiliano*. Italien : *Massimiliano*. Occitan : *Maximilian*.

Mayeul

Original et chic, ce prénom reste discret mais présent dans les familles traditionnelles.

• **Origine latine**, signifie « mai ».
• Caractère : **réserve, réflexion, curiosité, opportunisme**.
• Autre orthographe : *Maïeul*.
• Variante : *Mayol*.

Médard

• **Origine germanique**, signifie « gouverneur fort ».

• Caractère : **affectivité, curiosité, communication, adaptabilité.**
• Espagnol : *Medardo.*

Médéric

Il est une forme dérivée de Merri.
• **Origine germanique**, signifie « courage de roi ».
• Caractère : **communication, diplomatie, exigence, rigueur.**

Méen

• **Origine celte**, signifie « jeune homme ».
• Caractère : **indépendance, autorité, travail, ambition.**
• Variantes : *Méven, Méwen.*

Mehdi

Ce prénom nomme le fondateur de la dynastie des Almohades, au XIIe s.
• **Origine arabe**, signifie « celui qui est conduit ».
• Caractère : **sociabilité, harmonie, communication, sens artistique.**
• Variante : *Mahdi.*

Mélaine

• **Origine celte**, signifie « blond ».
• Caractère : **activité, énergie, adaptabilité, charisme.**
• Variantes : *Melan, Melin.*

Melchior

Selon la tradition chrétienne, Melchior est l'un des Rois mages venus d'Orient guidés par une étoile. C'est lui qui offre l'or à l'Enfant Jésus.
• **Origine hébraïque**, signifie « Dieu protège le roi ».
• Caractère : **sensibilité, générosité, rêverie, disponibilité.**
• Espagnol : *Melchor.* Italien : *Melchiorre.* Portugais : *Melquior.*

Méloar

• **Origine celte**, signifie « chef ».
• Caractère : **ambition, autorité, discipline, travail.**

Melwyn

• **Origine celte**, signifie « prince ».
• Caractère : **énergie, travail, rigueur, stabilité.**
• Autre orthographe : *Melvin.*
• Dimunitif : *Mel.*

Menahem

Il est le fondateur de la cinquième dynastie en Israël.
• **Origine hébraïque**, signifie « le consolateur ».
• Caractère : **sociabilité, adaptabilité, travail, rigueur.**

Mériade

• **Origine celte**, signifie « le front de Marie ».
• Caractère : **persévérance, sens des responsabilités, perfectionnisme, efficacité**.
• Variante : *Mériadeg*.

Merlin

Merlin l'enchanteur est l'un des grands personnages de légende du cycle du roi Arthur.
• **Origine celte**, du nom du héros de la littérature.
• Caractère : **sens pratique, équilibre, rigueur, justice**.

Merri

• **Origine germanique**, signifie « courage de roi ».
• Caractère : **réalisme, sociabilité, dynamisme, curiosité**.
• Autre orthographe : *Merry*.

Michaël

Forme originelle de Michel, il connaît un succès non démenti depuis des décennies.
• **Origine hébraïque**, signifie « comme Dieu ».
• Caractère : **calme, harmonie, générosité, habileté**.

Michel

Ce prénom est l'un des plus portés de la planète.
• **Origine hébraïque**, signifie « comme Dieu ».
• Caractère : **intelligence, rapidité, travail, exigence**.
• Anglo-saxon : *Mike, Mickey*. Breton : *Kaëlig, Mikaël*. Espagnol : *Miguel*. Grec : *Mikelos*. Italiens : *Michele, Michelangelo*. Provençal : *Micheu, Miqueu*. Russe : *Micha, Mikhaïl*.

Milan

Variante du prénom slave Miloslav. Discret à ses débuts, il est dans le top 200 des prénoms masculins.
• **Origine slave**, signifie « brillante victoire ».
• Caractère : **charisme, détermination, sociabilité, épicurisme**.
• Autre orthographe : *Mylan*.

Milo

Diminutif de Miloslav, comme Milan, qu'il concurrence depuis 2005. Il figure lui aussi au top 200.
• **Origine slave**, signifie « brillante victoire ».
• Caractère : **action, ambition, passion, autorité**.
• Variante : *Milos*

Nos saints protecteurs

- Agents de change : Mathieu
- Agonisants : Jacques
- Agriculteurs : Isidore
- Amoureux : Valentin
- Animaux domestiques : Antoine
- Apiculteurs : Ambroise
- Archéologues : Damase
- Archers : Sébastien
- Architectes : Benoît, Thomas
- Armuriers : Barbe, Guillaume
- Artificiers : Barbe
- Artilleurs : Barbe
- Artisans : Luc
- Artistes : Luc
- Automobilistes : Christophe
- Aveugles : Hervé
- Aviateurs : Michel
- Avocats : Nicolas, Yves
- Banquiers : Mathieu
- Bateliers : Honorine, Martin, Nicolas
- Bâtiment : Étienne
- Bergères : Jeanne
- Bergers : Gilles, Pascal
- Bibliothécaires : Catherine, Laurent
- Bijoutiers : Éloi
- Blanchisseurs : Maurice
- Bouchers : Adrien, Barbe, Barthélemy, Luc, Nicolas
- Boulangers : Honoré
- Bourreaux : Adrien
- Brasseurs : Amand
- Buralistes : Claude
- Cafetiers : Vincent
- Cardeurs : Blaise
- Carrossiers : Éloi
- Causes désespérées : Rita
- Cavaliers : Georges, Martin
- Chapeliers : Clément, Philippe
- Charcutiers : Antoine
- Charpentiers : Colette, Joseph
- Charrons : Catherine
- Chasseurs : Eustache, Hubert
- Chauffeurs de taxi : Fiacre
- Chirurgiens : Côme, Damien, Roch
- Comédiens : Guy
- Commerçants : François
- Comptables : Mathieu, Nicolas
- Confesseurs : Alphonse
- Confiseurs : Côme, Damien
- Cordiers : Paul
- Cordonniers : Crépin
- Couteliers : Lucie
- Couturières : Anne
- Couvreurs : Barbe, Vincent
- Cuisinières : Marthe
- Cuisiniers : Laurent

- Curés de paroisse : Vianney
- Danseurs : Guy
- Dentellières : Anne, Luc
- Dentistes : Apolline
- Diacres : Étienne
- Douaniers : Mathieu
- Droguistes : Côme, Damien
- Ébénistes : Anne, Joseph
- Écoliers : Symphorien, Vincent
- Écologistes : François
- Économes : Laurent
- Éditeurs : Anastasie
- Employés de maison : Zita
- Enfants : Nicolas
- Escrimeurs : Michel
- Étudiantes : Catherine
- Étudiants : Jérôme
- fabricants de boutons : Louis
- Femmes en couches : Marguerite
- Fleuristes : Fiacre, Rose
- Forestiers : Hubert
- Forgerons : Adrien, Éloi, Gilles
- Fossoyeurs : Barbe, Joseph
- Fromagers : Michel
- Gantiers : Barthélemy
- Garagistes : Éloi
- Gardiens de prison : Adrien
- Gendarmes : Geneviève
- Gens d'Église : Joseph
- Gourmands : Micheline
- Horticulteurs : Adam, Rose
- Hôteliers : Marthe, Martin
- Huissiers : Yves
- Infirmes : Gilles
- Infirmiers : Camille
- Ingénieurs : Benoît, Guillaume, Thomas
- Inspecteurs des impôts : Mathieu
- Instituteurs : Jérôme, Nicolas
- Institutrices : Anne, Ursule
- Jardiniers : Adam, Fiacre
- Jeunes : Louis de Gonzague
- Jeunes filles : Blandine
- Jeunes filles à marier : Catherine
- Joueurs de cartes : Balthazar
- Juges : Thomas
- Libraires : Laurent
- Lingères : Anne, Marthe, Véronique
- Lunetiers : Catherine
- Maçons : Barbe, Étienne, Louis, Pierre, Thomas
- Magistrats : Yves
- Malades : Michel
- Maraîchers : Fiacre
- Marbriers : Clément
- Marchands de vins : Amand
- Marcheurs : Yves
- Marins : Anne, Clément, Nicolas
- Mécaniciens : Éloi
- Médecins : Côme, Damien, Luc, Sébastien
- Ménagères : Anne, Marthe

- Mendiants : Gilles, Martin
- Menuisiers : Joseph
- Mères allaitant : Gilles
- Mères de famille : Anne, Monique
- Meuniers : Anne, Honoré, Martin, Victor
- Militaires : Georges, Martin, Maurice
- Mineurs : Barbe
- Moissonneurs : Antoine
- Musiciens : Cécile, Grégoire
- Notaires : Luc, Marc, Yves
- Nourrices : Agathe, Anne
- Novices : Gabriel
- Numismates : Éloi
- Ophtalmologistes : Odile
- Opticiens : Odile
- Orfèvres : Éloi
- Orphelins : Yves
- Palefreniers : Marcel
- Parachutistes : Michel
- Parfumeurs : Nicolas
- Pâtissiers : Honoré, Philippe
- Pauvres : Antoine, Laurent
- Pêcheurs : André, Pierre
- Personnes stériles : Rita
- Pharmaciens : Côme, Damien
- Philosophes : Catherine, Justin
- Photographes : Véronique
- Piétons : Martin
- Plombiers : Catherine, Éloi
- Poissonniers : André, Pierre
- Pompiers : Anne, Barbe, Laurent
- Prisonniers : Roch
- Procureurs : Yves
- Relieurs : Barthélemy
- Reporters : Marc
- Rôtisseurs : Laurent
- Sages-femmes : Camille
- Scientifiques : Albert
- Scouts : Georges
- Sculpteurs : Louis, Marthe
- Secrétaires : Marc
- Serruriers : Éloi, Pierre
- Servantes : Colette
- Soldats : Louis, Martin, Sébastien
- Tailleurs de pierre : Ambroise, Blaise, Louis
- Tanneurs : Barthélemy
- Tapissiers : Paul
- Teinturiers : Maurice
- Théologiens : Alphonse
- Tisseurs de laine : Blaise
- Tonneliers : Nicolas
- Traducteurs : Jérôme
- Travailleurs sociaux : Louis
- Vanniers : Antoine, Paul
- Veuves : Françoise
- Vignerons : Vincent
- Viticulteurs : Martin
- Vitriers : Lucie
- Voyageurs : Christophe, Joseph, Julien, Nicolas, Raphaël

Mohammed

Orthographe française de Muhammad, l'envoyé de Dieu. Il figure au top 200 des prénoms masculins en France.

• **Origine arabe**, signifie « digne de louanges ».

• Caractère : **générosité, charisme, rêverie, sociabilité**.

Moïse

Moïse, prophète né en Égypte, est recueilli par la fille de Pharaon dans un panier d'osier alors qu'il était nouveau-né. Il mène la résistance des Hébreux à l'oppression qu'ils subissent, les fait sortir d'Égypte, fonde les éléments de base de la Torah ; il est le fondateur de la nation d'Israël au XIIIe s. av. J.-C.

• **Origine égyptienne**, signifie « tiré de l'eau ».

• Caractère : **réserve, indépendance, sociabilité, curiosité**.

• Anglo-saxon et germanique : *Moses*. Arabe : *Moussa*. Forme hébraïque : *Moshé*. Italien : *Mose*.

Morgan

Ce prénom mixte est plus souvent féminin. Il évoque une héroïne de la littérature médiévale, fée bienveillante, sœur d'Arthur, le roi des chevaliers de la Table ronde.

• **Origine celte**, signifie « enfant de la mer ».

• Caractère : **volonté, vivacité, goût de l'aventure, originalité**.

Morvan

• **Origine celte**, signifie « homme de la mer ».

• Caractère : **adaptabilité, émotivité, diplomatie, charisme**.

Mounir

• **Origine arabe**, signifie « lumineux »

• Caractère : **sérieux, intuition, activité, méthode**.

Mustapha

Ce prénom est l'un des plus courants, en référence au Prophète, qui est l'élu de Dieu.

• **Origine arabe**, signifie « l'élu ».

• Caractère : **générosité, charisme, rêverie, sociabilité**.

Nanil

Origine arabe, signifie « de bonne naissance ».
• Caractère : **diplomatie, émotivité, adaptabilité, charisme.**

Naël

Diminutif d'Anaël, il figure au top 200 des prénoms masculins et s'achemine vers les premières places.
• **Origine hébraïque**, signifie « gracieux », ou **origine arabe**, signifie « qui a étanché sa soif ».
• Caractère : **rigueur, travail, sens des responsabilités, réflexion.**
• Variante : *Anaël.*

Naïm

Ce prénom figure au top 200 des prénoms masculins.
• Double origine, **hébraïque** et **arabe**, signifie « doux »,
• Caractère : **volonté, autorité, travail, rigueur.**
• Autre orthographe : *Nahim.*

Narcisse

Personnage de la mythologie grecque, Narcisse est un jeune homme d'une grande beauté. Séduit par sa propre image, qu'il contemple dans l'eau d'une fontaine, il est pris d'une passion telle pour sa propre personne qu'il en meurt.
• **Origine grecque**, signifie « torpeur ».
• Caractère : **idéalisme, affectivité, sensibilité, indépendance.**
• Anglo-saxon : *Narcissus.* Espagnol et italien : *Narciso.*

Nassim

Un des prénoms au top dans les familles de culture musulmane.
• **Origine arabe**, signifie « air frais »
• Caractère : **dynamisme, sens pratique, énergie, communication.**

Nathaël

Ce prénom est composé de Nathan et de Nathanaël. Il est en bonne place dans le top 200 et continue à progresser.
• **Origine hébraïque**, signifie « Dieu a donné »
• Caractère : **sérieux, réserve, rigueur, réflexion.**

Nathan

Grand personnage biblique, Nathan est le conseiller très écouté de David au Xe s. av. J.-C., qui ne craint pas de réprimander le roi à propos de sa liaison avec Bethsabée. Ce prénom est l'un des favoris depuis 2010.

• **Origine hébraïque**, signifie « Dieu a donné ».

• Caractère : **sensibilité, réserve, prudence, affectivité.**

Nathanaël

Ce prénom biblique est désormais souvent orthographié Nathaniel.

• **Origine hébraïque**, signifie « Dieu a donné ».

• Caractère : **énergie, autorité, détermination, ambition.**

• Espagnol : *Nataniel*. Italien : *Nataniele*.

Nathéo

Ce prénom est un composé de Nathan et de Théo. Il est en pleine croissance.

• **Origine hébraïque**, signifie « Dieu a donné ».

• Caractère : **sensibilité, émotivité, écoute, altruisme.**

Néo

Saint Néon, son patron, est un martyr romain du IIIe s.

• **Origine grecque**, signifie « nouveau ».

• Caractère : **étude, réflexion, calme, curiosité.**

Nérée

Ce prénom est celui d'un dieu marin dans la mythologie grecque, père de 50 filles, nommées les néréides.

• **Origine grecque**, signifie «nageur».

• Caractère : **énergie, optimisme, sociabilité, dynamisme.**

• Variante : *Néréo*.

Nério

• **Origine latine,** signifie « vigoureux ».

• Caractère : **sérieux, sens des responsabilités, rigueur, exigence.**

Nestor

Ce prénom est porté par un héros de la mythologie grecque qui participe à la guerre de Troie.

• Caractère : **courage, volonté, sensibilité, indépendance.**

• Espagnol : *Nestorio*. Italien : *Netore*.

Neven

- **Origine celte**, signifie « céleste ».
- Caractère : **sensibilité, sens des responsabilités, émotivité, générosité.**

Névénoé

- **Origine celte**, signifie « nouveau ».
- Caractère : **sens de la justice, esprit pratique, équilibre, rigueur.**
- Variante : *Nominoé.*

Nicéphore

- **Origine grecque**, signifie « porteur de victoire ».
- Caractère : **optimisme, vitalité, éloquence, communication.**

Nicolas

Grand classique, Nicolas s'impose d'abord dans les pays slaves ; il apparaît au XVIIe s. en Europe. C'est l'un des favoris du XXe s.

- **Origine grecque**, signifie « victoire du peuple ».
- Caractère : **charme, communication, élitisme, travail.**
- Variante : Colas.
- Anglo-saxon : *Nicholas, Nick, Nicky.* Breton : *Nicolaz.* Germanique : *Nikolaus, Klaus.* Hongrois : *Niklos.* Italien : *Niccolo.* Portuguais : *Nicolao.* Provençal : *Nicoulo, Nicoulau.* Russe : *Nikita, Nikolaï.*

Niels

Ce prénom en vogue actuellement est la forme danoise de Niel.

- **Origine irlandaise**, signifie « champion ».
- Caractère : **rapidité, intelligence, travail, exigence.**
- Autres orthographes : *Niel, Nils.*
- Variante : *Nelson.*

Nikita

Ce prénom est une forme russe de Nicétas, prénom rarissime en France. Il est aujourd'hui attribué aussi bien aux garçons qu'aux filles.

- **Origine grecque**, signifie « vainqueur ».
- Caractère : **ordre, travail, exigence, autorité.**

Ninian

- **Origine celte**, signifie « sommet ».
- Caractère : **étude, réflexion, spiritualité, réserve.**

Nino

Italien, Nino a des origines controversées. Il peut être le masculin de Nina, dérivé d'Anne ou encore le diminutif de Giannino (littéralement, petit Jean). Il figure en bonne place dans le top 200 des prénoms masculins.

• **Origine hébraïque**, signifie « Dieu a fait grâce ».
• Caractère : **indépendance, réserve, idéalisme, exigence.**

Noah

Ce prénom est en bonne place dans le top 200 des prénoms masculins.

• **Origine hébraïque**, signifie « qui erre ».
• Caractère : **diplomatie, adaptabilité, sociabilité, goût de l'aventure.**

Noam

Forme masculine de Naomi ou Noémie, ce prénom figure dans le top 200 et continue de progresser.

• **Origine hébraïque**, signifie « agréable ».
• Caractère : **sensibilité, réserve, réflexion, travail.**
• Autre orthographe : *Noham*.

Noan

• **Origine celte**, signifie « agneau ».
• Caractère : **persévérance, ambition, méthode, autorité.**

Noé

Personnage de la Bible, Noé est le héros du déluge. Sur ordre divin, il construit une arche, y plaçe un couple de chaque espèce animale et navigue sur les mers déchaînées pendant des mois. Ce prénom réapparu après des siècles d'absence est aujourd'hui dans le top 200.

• **Origine hébraïque**, signifie « qui console ».
• Caractère : **activité, curiosité, imagination, réserve.**

Noël

• **Origine hébraïque**, signifie « Dieu avec nous ».
• Caractère : **indépendance, autorité, sociabilité, persévérance.**
• Breton : *Nedelec*. Provençal : *Nadalet, Nadau*.

Nolan

Un tout nouveau prénom irlandais qui complète la série des Logan, Loan, Killian et autres. Il figure dans le top 200 des prénoms masculins.

• **Origine celte**, signifie « jeune champion ».

• Caractère : **sociabilité, diplomatie, éloquence, charisme.**

Norbert

• **Origine germanique**, signifie « Nord illustre ».

• Caractère : **communication, altruisme, idéalisme, rêverie.**

• Espagnol et italien : *Norberto.*

Norman

Ce prénom est fréquent dans les pays anglo-saxons.

• **Origine germanique**, signifie « homme du Nord ».

• Caractère : **charme, curiosité, indépendance, fantaisie.**

• Italien : *Normanno.*

Numa

• **Origine latine**, signifie « originaire de Numidie ».

• Caractère : **intelligence, vivacité d'esprit, gentillesse, souplesse.**

Obéron

Ce prénom est une variante d'Aubert, forme ancienne d'Albert.

• **Origine germanique**, signifie « très illustre ».

• Caractère : **volonté, activité, indépendance, ambition.**

Océan

Dans la mythologie grecque, Océan est l'aîné des Titans et le père des Océanides, nymphes de la mer et des eaux.

• **Origine grecque**, signifie « océan ».

• Caractère : **adaptabilité, diplomatie, émotivité, souplesse.**

Octave

Ce prénom est illustre dans l'Antiquité et au XIXe s.

• **Origine latine**, signifie « huitième ».

• Caractère : **communication, intuition, psychologie, rapidité.**

• Anglo-saxon et germanique : *Octavius*. Espagnol : *Octavio*. Italien : *Ottavio*. Occitan : *Octavian*. Provençal : *Outavian*.

Odéric

• **Origine germanique**, signifie « roi des richesses »
• Caractère : **calme, réflexion, travail, activité**.
• Variante : *Odric*.

Odilon

Forme masculine d'Odette.
• **Origine germanique**, signifie « richesse ».
• Caractère : **générosité, force de caractère, efficacité, séduction**.

Ogier

Ce prénom rare est une variante d'Edgar. Il fut illustré par Ogier de Danemark, héros de chansons de geste du Moyen Âge. La Chanson de Roland, *écrite au XIIe s., mentionne à plusieurs reprises ce chevalier d'une extraordinaire bravoure dont l'honneur est bafoué, et qui n'aura de cesse de le venger.*
• **Origine germanique**, signifie « riche lance ».
• Caractère : **sensibilité, harmonie, dévouement, équilibre**.

Olaf

Ce prénom royal est courant dans les pays nordiques.
• **Origine scandinave**, signifie « ancêtre ».
• Caractère : **étude, réflexion, spiritualité, réserve**.

Oleg

Ce prénom russe n'a pas atteint la popularité de son compatriote Dimitri.
• **Origine russe**, signifie « heureux ».
• Caractère : **créativité, communication, harmonie, éclectisme**.

Olivier

Un grand classique du XXe s.
• **Origine latine**, signifie « olive ».
• Caractère : **diplomatie, sensibilité, harmonie, altruisme**.
• Anglo-saxon et germanique : *Oliver*. Breton : *Olier*, *Ollier*. Espagnol : *Oliverio*. Italien : *Olivio*, *Livio*. Provençal : *Oulevié*, *Oulivié*.

Olson

• **Origine scandinave**, signifie « fils d'Olaf ».
• Caractère : **sérieux, méthode, travail, persévérance**.
• Variante : *Olsen*.

Omar

Ce prénom, l'un des plus courants dans les familles musulmanes, est celui du deuxième des quatre premiers califes de l'islam, le beau-père de Mahomet.

• **Origine arabe**, signifie « prospérité ».
• Caractère : **émotivité, charisme, adaptabilité, diplomatie**.

Onen

• **Origine celte**, signifie « fort ».
• Caractère : **communication, créativité, harmonie, équilibre**.

Onésime

• **Origine grecque**, signifie « utile ».
• Caractère : **ambition, travail, autorité, exigence**.
• Espagnol : *Onesimo*.

Orian

• **Origine latine**, signifie « en or ».
• Caractère : **communication, dynamisme, créativité, sensibilité**.
• Autre orthographe : *Aurian*.

Orlando

Ce prénom est une forme espagnole de Roland.

• **Origine germanique**, signifie « gloire » et « terre ».
• Caractère : **détermination, réflexion, stabilité, séduction**.

Oscar

Après une brève vague de succès au XIXe s., Oscar est l'un des favoris depuis 2000.

• **Origine germanique**, signifie « lande d'Ans », dieu de la mythologie teutonne.
• Caractère : **discrétion, travail, opiniâtreté, affectivité**.
• Variantes : *Anschaire*, *Ansgaine*.

Ossian

Ce prénom est très en vogue dans les pays de culture irlandaise.

• **Origine celte**, signifie « petit faon ».
• Caractère : **indépendance, épicurisme, vivacité, charisme**.
• Variante : *Oisin*.

Osvald

• **Origine germanique**, signifie « gouverneur de l'Est ».
• Caractère : **sensibilité, dévouement, harmonie, diplomatie**.
• Anglo-saxon : *Oswald*. Espagnol et italien : *Osvaldo*.

Otton

Ce prénom a de multiples formes dérivées, courantes en Allemagne et dans les pays nordiques.

- **Origine germanique**, signifie « richesse ».
- Caractère : **communication, réactivité, sociabilité, éclectisme.**
- Variantes : *Odon, Otto.*
- Italien : *Ottone.*

Ovide

Ce prénom est celui d'un des plus célèbres poètes latins du Ier s.

- **Origine latine**, signifie « pasteur ».
- Caractère : **ambition, autorité, indépendance, travail.**
- Espagnol : *Ovidio.*

Owen

Ce prénom en vogue est la forme galloise d'Eugène. Il est dans le top 200 des prénoms masculins.

- **Origine grecque**, signifie « bien né ».
- Caractère : **communication, créativité, harmonie, éclectisme.**

Ozan

- **Origine basque**, signifie « santé ».
- Caractère : **sensibilité, écoute, communication, fiabilité.**

Pablo

Forme espagnole de Paul, ce prénom, remporte, comme Paolo, un succès qui ne se dément pas.

- **Origine latine**, signifie « petit ».
- Caractère : **ambition, travail, autorité, charisme.**

Pacifique

Il est le plus discret des prénoms maritimes.

- **Origine latine**, signifie « pacifiste ».
- Caractère : **activité, habileté, charme, diplomatie.**

Paco

Forme espagnole de François.

- **Origine latine**, signifie « Franc ».
- Caractère : **efficacité, volonté, ambition, réflexion.**
- Variante : *Paquito.*

Pamphile

• **Origine grecque**, signifie « grand ami ».
• Caractère : **stabilité, sens des responsabilités, autorité, affectivité**.
• Espagnol et italien : *Panfilo*.

Paolo

Forme italienne de Paul, il suit la vogue d'Enzo, de Marco et de Matteo. Il figure dans le top 200 des prénoms masculins.
• **Origine latine**, signifie « petit ».
• Caractère : **intuition, passion, intelligence, ambition.**

Pascal

• **Origine hébraïque**, signifie « passage ».
• Caractère : **réserve, indépendance, curiosité, traditionalisme.**
• Breton : *Paskal*. Espagnol : *Pascual*. Italien : *Pasquale*. Provençal : *Pascaloun, Pascau*.

Patrice

• **Origine latine**, signifie « patricien ».
• Caractère : **émotivité, tact, charme, affectivité**.
• Italien : *Patrizio*.

Patrick

*Ce prénom est un des grands classiques du milieu du XX*e *s.*
• **Origine latine**, signifie « patricien ».
• Caractère : **calme, raffinement, perfectionnisme, affectivité**.
• Breton : *Padrig, Padriga*. Irlandais : *Paddy, Padraig*.

Paul

*Ce grand classique du XIX*e *s. est à l'honneur depuis les années 1990.*
• **Origine latine**, signifie « petit ».
• Caractère : **intuition, passion, intelligence, ambition.**
• Autre orthographe : *Pol*.
• Variante : *Paulin*.
• Bretons : *Paol, Paolig*. Espagnol : *Pablo*. Germanique : *Paulus*. Italien : *Paolo*. Russe : *Pavan, Pavel*.

Pépin

Ce prénom du haut Moyen Âge fut illustré par Pépin le Bref, fils de Charles Martel et père de Charlemagne.
• **Origine francisque**, signifie « petit ».
• Caractère : **sensibilité, sens des responsabilités, rigueur, équilibre.**

Perceval

Dans la littérature, Perceval est le héros du roman de Chrétien de Troyes Perceval ou le Conte du Graal. *Ce prénom réapparaît timidement, dans le sillage d'Arthur et des prénoms médiévaux.*

- Caractère : **émotivité, réserve, sérieux, travail.**
- Variante : *Parcifal.*

Péreg

Il est la forme celtique de Pierre.

- **Origine latine**, signifie « pierre ».
- Caractère : **réserve, sensibilité, discrétion, rêverie.**

Pharell

Ce prénom irlandais est en pleine progression.

- **Origine celte**, signifie « courageux ».
- Caractère : **sérieux, discrétion, fiabilité, altruisme.**

Philéas

- **Origine grecque**, signifie « qui aime ».
- Caractère : **secret, discrétion, réflexion, sensibilité.**

Philémon

Ce prénom de la mythologie grecque évoque le couple Philémon et Baucis, pauvres paysans phrygiens, symbole de l'amour conjugal que les dieux métamorphosèrent, lorsqu'ils furent âgés, en deux arbres aux branches mêlées.

- **Origine grecque**, signifie « seul ami ».
- Caractère : **idéalisme, affectivité, sociabilité, rêverie.**

Philibert

- **Origine germanique**, signifie « très illustre ».
- Caractère : **affectivité, harmonie, générosité, écoute.**

plusieurs années.

Philippe

Ce prénom est l'un des grands classiques de l'état civil.

- **Origine grecque**, signifie « celui qui aime les chevaux ».
- Caractère : **dynamisme, activité, ambition, autorité.**
- Anglo-saxon : *Philip.* Espagnol : *Felipe.*

Pierre

Prénom intemporel, Pierre est une valeur sûre. Il est dans le top 200 depuis plusieurs années.
- **Origine latine**, signifie « pierre ».
- Caractère : **passion, activité, secret, énergie.**
- Diminutif : *Pierrot.*
- Anglo-saxon : *Pete, Peter, Pierce, Piers.* Breton : *Per, Pereg, Pierrick, Pierrig.* Espagnol : *Pedro.* Germanique : *Petrus.* Italien : *Pietro.* Occitan : *Pieyre.* Provençal : *Pèire, Pèiroun.* Russe : *Piotr.* Scandinave : *Peer.*

Placide

- **Origine latine**, signifie « plaisant ».
- Caractère : **ambition, activité, franchise, curiosité.**

Prosper

Ce prénom connaît une vague de succès au XIXe s.
- **Origine latine**, signifie « prospère ».
- Caractère : **sérieux, autorité, travail, exigence.**
- Espagnol et italien : *Prospero.*

Prudence

Saint Prudence, évêque en Italie au IIIe s., entreprend d'évangéliser sa région, mais il est décapité pour avoir renversé une statue païenne.
- **Origine latine**, signifie « sagesse ».
- Caractère : **sensibilité, rapidité, sens des responsabilités, rigueur.**
- Espagnol et italien : *Prudencio.*

Quentin

Ce prénom est un grand classique depuis 2000. Il figure au top 200 des prénoms masculins.
- **Origine latine**, signifie « cinquième ».
- Caractère : **vivacité, curiosité, sensibilité, prudence.**
- Espagnol : *Quintin.* Italien : *Quintinio.*

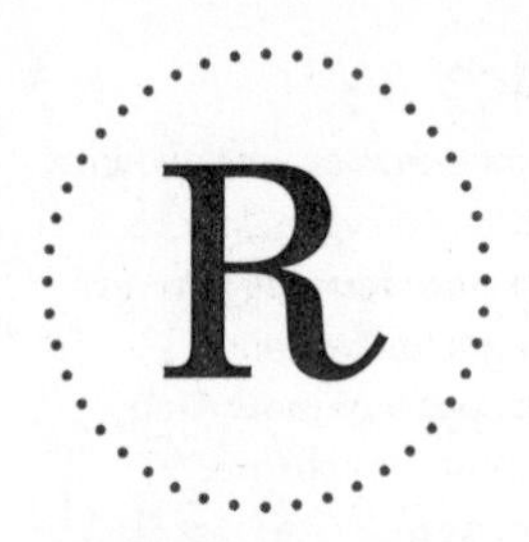

Rachid

• **Origine arabe**, signifie « le bien dirigé ».
• Caractère : **harmonie, élégance, activité, volonté**.

Rainier

• **Origine germanique**, signifie « conseil » et « armée ».
• Caractère : **passion, énergie, douceur, diplomatie**.
• Autre orthographe : *Régnier*.
• Anglo-saxon : *Rayner*. Espagnol : *Rainerio*. Italiens : *Raineri, Ranieri*. Germanique : *Rainer*.

Ralph

Une variante de Raoul.
• **Origine germanique**, signifie « conseil » et « loup ».
• Caractère : **autorité, générosité, volonté, travail**.

Raoul

Forme dérivée de Rodolphe, qui était assez courant au début du XXe s.
• **Origine germanique**, signifie « conseil » et « loup ».
• Caractère : **séduction, efficacité, détermination, attention**.
• Espagnol : *Raul*.

Raphaëm

Ce prénom est, comme Gabriel, l'un des favoris de ce début de siècle.
• **Origine hébraïque**, signifie « Dieu a guéri ».
• Caractère : **émotivité, calme, étude, réflexion**.
• Breton : *Raffig*. Espagnol : *Rafael*. Italien : *Raffaelle, Raffaello*. Provençal : *Rafeioun*.

Rayan

Ce prénom figure dans le top 200 des prénoms masculins.
• **Origine arabe**, signifie « désaltéré »
• Caractère : autonomie, courage, vivacité, activité.

Raymond

• **Origine germanique**, signifie « conseil » et « monde ».
• Caractère : **courage, volonté, travail, réserve**.
• Variante : *Aymon*.

• Anglo-saxon : *Ray*. Espagnol : *Raimon, Ramon*. Germanique : *Raimund*. Italien : *Raimundo*. Provençal : *Ramoun*.

Réginald

• **Origine germanique**, signifie « conseil du gouverneur ».
• Caractère : **générosité, spiritualité, sensibilité, idéalisme.**
• Anglo-saxon : *Reinald, Reinhold*. Espagnol : *Reginaldo*. Italien : *Rainaldo, Rinaldo*.

Régis

• **Origine latine**, signifie « roi ».
• Caractère : **réserve, stabilité, sensibilité, étude.**
• Anglo-saxon : *Roy*. Espagnol : *Regerio*.

Rémi

Sobre et classique, en vogue au Moyen Âge, il est aujourd'hui au top 200 des prénoms maculins.
• **Origine latine**, signifie « remède ».
• Caractère : **sensibilité, intuition, adaptabilité, indépendance.**
• Autre orthographe : *Rémy*.
• Espagnol : *Remigio*.

Renaud

Ce prénom médiéval est une variante de Réginald.
• **Origine germanique**, signifie « conseil du gouverneur ».
• Caractère : **passion, ambition, communication, idéalisme.**
• Anglo-saxon : *Reynold*.

Renzo

Ce nouveau diminutif de Lorenzo fait une carrière prometteuse.
• **Origine latine**, signifie « laurier ».
• Caractère : **sérieux, sens des responsabilités, générosité, diplomatie.**

René

• **Origine latine**, signifie « né à une nouvelle vie ».
• Caractère : **calme, sens des responsabilités, perfectionnisme, sociabilité.**
• Italien : *Renato*. Occitan : *Renat*. Provençal : *Reinie*.

Rhys

Ce prénom fait fureur en Écosse depuis 2010.
• **Origine galloise**, signifie « enthousiaste ».
• Caractère : **stabilité, calme, discrétion, réflexion.**

Riagad

- **Origine celte**, signifie « combat de roi ».
- Caractère : **stabilité, travail, sens de l'organisation, rigueur.**

Richard

Ce prénom a été aussi courant en Allemagne et en Angleterre qu'aux États-Unis.

- **Origine germanique**, signifie « roi fort ».
- Caractère : **raffinement, séduction, sensibilité, prudence.**
- Anglo-saxon : *Dick*, *Richie*, *Rick*, *Rickie*. Espagnol : *Ricardo*. Italien : *Riccardo*.

Rigobert

Il est une variante de Robert.

- **Origine germanique**, signifie « gloire illustre ».
- Caractère : **stabilité, travail, sens de l'organisation, amabilité.**

Riowen

- **Origine celte**, signifie « heureux roi ».
- Caractère : **créativité, harmonie, éclectisme, communication.**

Riwal

- **Origine celte**, signifie « valeur de roi ».
- Caractère : **altruisme, rêverie, étude, méditation.**
- Variantes : *Rivelen*, *Rivoal*, *Riwallon*.

Riwan

- **Origine celte**, signifie « roi en marche ».
- Caractère : **sensibilité, adaptabilité, calme, sens de la négociation.**
- Dimunitifs : *Riwanez*, *Riwanig*.
- Variante : *Rivanone*.

Riware

- **Origine celte**, signifie « jeu de roi ».
- Caractère : **équilibre, rigueur, sens des responsabilités, sens de la justice.**
- Variante : *Rivoaré*.

Roan

- **Origine celte**, signifie « roux ».
- Caractère : **volonté, écoute, diplomatie, méthode.**
- Autre orthographe : *Rohan*.

Robert

Ce prénom qui se développe au Moyen Âge connaît son heure de gloire au début du XXᵉ s. Robin le supplante aujourd'hui.

- **Origine germanique**, signifie « gloire illustre ».
- Caractère : **détermination, travail, sens de l'organisation, amabilité**.
- Anglo-saxon : *Bob, Bobby, Rob, Robbie, Robby*. Breton : *Ropars, Roparz, Roparzh*. Espagnol : *Roberto*. Provençal : *Roubert*.

Robin

Courante au Moyen Âge, cette forme dérivée de Robert est illustrée par le personnage de Robin des Bois, héros de légende anglais symbolisant la résistance des Saxons aux envahisseurs normands. En vogue depuis les années 1990, Robin figure au top 200 des prénoms masculins.

- **Origine germanique**, signifie « gloire illustre ».
- Caractère : **prudence, intuition, stabilité, réflexion**.

Robinson

Il est une variante de Robin, prisée dans les pays anglo-saxons.

- **Origine germanique**, signifie « gloire illustre ».
- Caractère : **spiritualité, étude, réflexion, discrétion**.

Roch

- **Origine germanique**, signifie « gloire ».
- Caractère : **courage, combativité, passion, efficacité**.
- Anglo-saxon : *Rocky*. Espagnol : *Roque*. Italien : *Rocco*.

Rodéric

Il est la forme originelle de Rodrigue.

- **Origine germanique**, signifie « gloire du roi ».
- Caractère : **idéalisme, sensibilité, réserve, diplomatie**.
- Anglo-saxon : *Rory*. Scandinave : *Reurik*.

Rodolphe

Ce prénom est la forme originelle de Raoul. Il connaît un discret succès.

- **Origine germanique**, signifie « gloire » et « loup ».
- Caractère : **vivacité, réalisme, ambition, volonté**.
- Diminutif : *Rudy*.
- Anglo-saxon : *Rodolf*. Espagnol : *Rodolfo*. Italien : *Rudolfo*. Germanique : *Rudolf, Rudy*. Slave : *Radek*.

Rodrigue

Ce prénom est surtout connu grâce au personnage du Cid *de Corneille.*

• **Origine germanique**, signifie « gloire du roi ».

• Caractère : **sensibilité, intuition, intelligence, étude**.

• Espagnol : *Rodrigo*.

Rogatien

• **Origine latine**, signifie « prière ».

• Caractère : **courage, énergie, sens pratique, efficacité**.

• Breton : *Rogasian*.

Roger

Il est un classique du début du XXe s.

• **Origine germanique**, signifie « gloire » et « lance ».

• Caractère : **sens de l'observation, intuition, émotivité, générosité**.

• Anglo-saxon : *Dodge*, *Rodger*. Espagnol : *Rogelio*. Germanique : *Rudiger*. Italien : *Ruggiero*.

Roland

Prénom du neveu de Charlemagne, héros de La Chanson de Roland, *écrite au XIe s. par Turold.*

• **Origine germanique**, signifie « gloire » et « terre ».

• Caractère : **communication, dynamisme, rapidité, autorité**.

• Espagnol et italien : *Rolando*. Germanique : *Roeland*, *Roldan*.

Romain

Ce prénom a été l'un des favoris dans les années 1980. Il figure dans le top 200 aujourd'hui.

• **Origine latine**, signifie « romain ».

• Caractère : **sensibilité, étude, réflexion, discrétion**.

• Germanique : *Romanus*. Italien : *Romano*, *Roméo*. Slave : *Romek*.

Roman

Variante polonaise de Romain en vogue depuis les années 2000.

• **Origine latine**, signifie « romain ».

• Caractère : **sensibilité, charme, fidélité, secret**.

Romaric

• **Origine germanique**, signifie « puissante gloire ».

• Caractère : **audace, goût de l'aventure, intuition, esprit d'analyse**.

Roméo

Cette variante italienne de Romain est surtout connue grâce au personnage de Shakespeare, héros de Roméo et Juliette.

• **Origine latine**, signifie « de Rome ».

• Caractère : **rapidité, réalisme, ambition, exigence.**
• Italien : *Romeo.*

Romuald

• **Origine germanique**, signifie « gloire du gouverneur ».
• Caractère : **communication, adresse, diplomatie, exigence.**

Ronald

Il est une variante de Réginald, courante aux États-Unis.
• **Origine germanique**, signifie « conseil du gouverneur ».
• Caractère : **ambition, autorité, volonté, travail.**
• Anglo-saxon : *Ronnie*. Espagnol : *Ronaldo.*

Ronan

• **Origine celte**, signifie « royal ».
• Caractère : **idéalisme, charme, sensibilité, indépendance.**
• Variante : *Renan.*

Rory

Ce prénom est un favori en Irlande depuis 2000.
• **Origine irlandaise**, signifie « roux ».
• Caractère : **travail, réflexion, ambition, persévérance.**

Ruben

Dans la Bible, il est le fils aîné de Léa et Jacob, à l'origine de l'une des douze tribus d'Israël.
• **Origine hébraïque**, signifie « c'est un fils ».
• Caractère : **équilibre, travail, ambition, sens des responsabilités.**
• Anglo-saxon : *Reuben, Rouven, Ruby.*

Rudy

Diminutif de Rodolphe.
• **Origine germanique**, signifie « gloire » et « loup ».
• Caractère : **activité, franchise, adaptabilité, curiosité.**

Rufus

• **Origine latine**, signifie « roux ».
• Caractère : **réserve, prudence, travail, discipline.**

Ryan

• **Origine celte**, signifie « petit roi ».
• Caractère : **rigueur, sens des responsabilités, activité, goût de l'aventure.**

Sabin

Ce prénom est plus connu sous sa forme féminine Sabine.

• **Origine latine**, signifie « de la famille des Sabinus ».

• Caractère : **dynamisme, sensibilité, combativité, sens pratique.**

• Espagnol : *Sabino, Sabiniano.*

Sacha

Diminutif russe d'Alexandre, ce prénom devenu mixte est très en vogue. Il fait partie du top 200.

• **Origine grecque**, signifie « l'homme qui repousse ».

• Caractère : **sensibilité, volonté, activité, opportunisme.**

Saëns

• **Origine latine**, signifie « de Sidon ».

• Caractère : **rigueur, travail, ténacité, courage.**

Saïd

Prénom arabe très populaire.

• **Origine arabe**, signifie « l'homme heureux ».

• Caractère : **affectivité, sens des responsabilités, sensibilité, harmonie.**

Salomon

Fils de David et de Bethsabée, Salomon est roi d'Israël de 972 à 932 av. J.-C. Son règne marque l'apogée d'Israël. La tradition le dépeint juste, sage, voire magicien.

• **Origine hébraïque**, signifie « paix ».

• Caractère : **franchise, courage, réalisme, rigueur.**

• Anglo-saxon : *Solomon.* Arabe : *Salman, Soliman, Suleiman.* Breton : *Salaün.*

Sami

Ce prénom est la forme arabe de Samuel.

• **Origine hébraïque**, signifie « son nom est Dieu ».

• Caractère : **puissance, rigueur, autorité, courage.**

Samson

Dans la Bible, Samson, juge d'Israël au XIIe *s. av. J.-C., est réputé pour sa force surnaturelle, due à sa longue chevelure. Il est séduit et trahi par la belle Dalila qui le rase pendant son sommeil et le livre aux Philistins. Ses cheveux repoussent, il retrouve sa force et, captif dans un temple, il le renverse sur le peuple. Ce prénom, illustré par un saint celte, est un des classiques bretons.*

• **Origine hébraïque**, signifie « soleil ».
• Caractère : **calme, réserve, étude, réflexion.**
• Anglo-saxon : *Sampson*. Breton : *Samzun*. Espagnol : *Sanson*. Italien : *Sanson*. Provençal : *Sansoun*.

Samuel

Ce prénom est en bonne place au top 200 des prénoms masculins. Samuel, juge et prophète, est l'un des guides d'Israël et rédacteur d'un récit historique et de poèmes nommés Livre de Samuel.

• **Origine hébraïque**, signifie « son nom est Dieu ».
• Caractère : **passion, autorité, énergie, exigence.**
• Diminutif : *Sam*.

Sandro

Diminutif d'Alessandro, forme italienne d'Alexandre, ce prénom est en pleine expansion.

• **Origine grecque**, signifie « qui repousse l'ennemi ».
• Caractère : **méthode, travail ténacité, ambition.**

Sanjay

• **Origine sanscrite**, signifie « triomphant ».
• Caractère : **connaissance, sagesse, travail, méthode.**

Santiago

Ce prénom a pour origine le cri de guerre des chrétiens « Sancte Iacobe » dans les combats médiévaux en Espagne.

• **Origine espagnole**, signifie « saint Jacques ».
• Caractère : **activité, curiosité, sociabilité, indépendance.**

Saturnin

Dans la mythologie romaine, Saturne est un dieu qui, chassé du ciel par Jupiter, se réfugie dans le Latium où il enseigne l'agriculture aux hommes.

• **Origine latine**, du nom du dieu Saturne.

• Caractère : **courage, droiture, franchise, rigueur.**
• Espagnol : *Saturnino.*

Saül

Il est, dans la Bible, le premier roi d'Israël, au Ier s. av. J.-C. Saül est aussi le prénom que portait l'apôtre Paul.
• **Origine hébraïque**, signifie « le demandé ».
• Caractère : **indépendance, sens de la justice, franchise, courage.**

Scott

• **Origine écossaise**, signifie « écossais ».
• Caractère : **autonomie, autorité, indépendance, affectivité.**

Sean

Forme irlandaise de Jean.
• **Origine hébraïque**, signifie « Dieu a fait grâce ».
• Caractère : **curiosité, charisme, communication, exigence.**

Sébastien

L'un des favoris entre 1960 et 1980. Bastien a pris le relais au hit-parade, sans atteindre le même succès.
• **Origine grecque**, signifie « honoré ».
• Caractère : **sensibilité, communication, émotivité, réserve.**
• Variante : *Bastien.*
• Anglo-saxon et espagnol : *Sebastian.* Italien : *Sebastiano.*

Selman

Une variante d'Anselme.
• **Origine germanique**, signifie « casque du dieu Ans », divinité teutonne.
• Caractère : **organisation, autorité, énergie, fierté.**

Selyan

Ce prénom, qui fait référence à Séléné, déesse de la Lune dans la mythologie grecque, est en pleine expansion.
• **Origine grecque**, signifie « lune ».
• Caractère : **activité, fiabilité, rigueur, altruisme.**

Septime

Prénom rarissime illustré par un empereur romain au début du IIe s.
• **Origine latine**, signifie « septième ».
• Caractère : **curiosité, charisme, vivacité, sociabilité.**
• Espagnol : *Septimio.*

Les saints patrons

- Allemagne : Michel
- Alsace : Odile
- Amérique du Sud : Rose
- Amiens : Firmin
- Angleterre : Georges, Michel
- Ardennes : Hubert
- Autriche : Joseph, Léopold
- Belgique : Joseph
- Bohême : Venceslas
- Brest : Hervé
- Bretagne : Anne, Yves
- Bruxelles : Gudule, Michel
- Canada : Aime, Joseph
- Chypre : Barnabé
- Corse : Rita
- Danemark : Knut
- Écosse : André
- Égypte : Marc
- Espagne : Jacques
- Europe : Benoît, Cyrille
- France : Denis, Jeanne
- Gibraltar : Bernard
- Grèce : André
- Irlande : Brigitte, Colomban, Patrick
- Italie : François
- Lisbonne : Adrien
- Madrid : Isidore
- Mexique : Joseph
- Milan : Ambroise
- Moscou : Boris
- Nantes : Hervé
- Paris : Denis, Geneviève
- Pays de Galles : Dewi
- Pérou : Joseph
- Pologne : Casimir, Christian, Stanislas
- Quimper : Hervé
- Russie : André, Basile, Joseph, Serge
- Sicile : Guy, Rosalie
- Suède : Éric
- Suisse : Maurice
- Turquie : Jean
- Venise : Marc
- Vietnam : Joseph

Séraphin

• **Origine hébraïque**, signifie « séraphin », ange au plus haut degré de la dynastie céleste.

• Caractère : **sociabilité, harmonie, diplomatie, communication.**

• Espagnol : *Serapio*. Germanique : *Serafinus*.

Serge

Grand classique russe, Serge connaît le succès en Europe au milieu du XXe s.

• **Origine latine**, signifie « issu des Sergius », nom d'une célèbre famille romaine du Ier s.

• Caractère : **émotivité, autorité, efficacité, calme**.

• Espagnol et italien : *Sergio*. Germanique : *Sergius*. Russe : *Serguei*.

Servan

Ce prénom est plus rare que Servane, sa forme féminine.

• **Origine latine**, signifie « esclave ».

• Caractère : **affectivité, indépendance, réserve, harmonie**.

• Espagnol : *Servando*.

Seth

Ce prénom est celui du troisième fils d'Adam et Ève, né après que Caïn eut tué Abel.

• **Origine hébraïque**, signifie « fondateur ».

• Caractère : **autonomie, créativité, imagination, affectivité**.

Séverin

• **Origine latine**, signifie « exigeant ».

• Caractère : **indépendance, dynamisme, activité, fierté**.

• Variantes : *Séverian*, *Séverien*.

• Espagnol : *Severino*. Germanique : *Severinus*. Scandinave : *Sören*.

Seymour

Forme dérivée de Maurice.

• **Origine latine**, signifie « maure ».

• Caractère : **travail, rigueur, courage, ténacité**.

Sezni

• **Origine celte**, signifie « rayon de soleil ».

• Caractère : **sociabilité, diplomatie, discrétion, franchise**.

• Variante : *Seznec*.

Shai

Ce prénom moderne est en vogue en Israël.

• **Origine hébraïque**, signifie « cadeau ».

• Caractère : **indépendance, autorité, énergie, sensibilité**.

Shannon

Ce prénom mixte, apprécié par les familles irlandaises, est plus courant pour les filles.

• **Origine irlandaise**, signifie « ancien ».

• Caractère : **adaptabilité, indépendance, goût de l'aventure, sensibilité.**

Shelley

Ce prénom anglais, masculin au XIXe s., tend à se féminiser.

• **Origine anglaise**, signifie « clairière ».

• Caractère : **sensibilité, adaptabilité, goût de l'aventure, indépendance.**

Sidney

Forme anglo-saxonne de Denis, il est en vogue depuis les années 1990.

• **Origine grecque**, du nom de Dionysos, dieu de la Vigne.

• Caractère : **sensibilité, affectivité, indépendance, détermination.**

Siegfried

Siegfried est un héros de la mythologie allemande et le sujet d'une œuvre de Wagner. Ce prénom est en pleine expansion.

• **Origine germanique**, signifie « victoire » et « paix ».

• Caractère : **virilité, autorité, fierté, ambition.**

• Espagnol : *Sigfrido*. Scandinave : *Sigurd*.

Siegmund

Une forme dérivée de Sigismund.

• **Origine germanique**, signifie « victoire » et « protection ».

• Caractère : **charme, vivacité, intuition, communication.**

• Autre orthographe : *Sigmund*.

Sigismond

• **Origine germanique**, signifie « victoire » et « protection ».

• Caractère : **discipline, exigence, sens de l'organisation, travail.**

• Espagnol : *Sigismundo*. Italien : *Sigismondo*.

Silas

Prénom de l'un des premiers apôtres, à Jérusalem. Il est en pleine croissance après des siècles d'oubli.

• **Origine araméenne**, signifie « qui demande ».

• Caractère : **activité, rigueur, ambition, travail.**

Siméon

D'après la Bible, en Israël, au Ier s., un ange annonce à Siméon, noble vieillard, qu'il verrait le Messie. Marie vient au Temple de Jérusalem avec l'Enfant Jésus âgé de quarante jours et le remet à Siméon pour qu'il le présente comme le Messie annoncé par les prophètes.

• **Origine hébraïque**, signifie « exaucé ».
• Caractère : **élégance, éloquence, communication, affectivité**.
• Italien : *Siméo*.

Simon

Ce prénom est l'un des grands classiques de la culture hébraïque.
• **Origine hébraïque**, signifie « exaucé ».
• Caractère : **indépendance, affectivité, adaptabilité, charisme**.

Sixte

Ce prénom est bien plus rare que sa forme féminine Sixtine.
• **Origine latine**, signifie « sixième ».
• Caractère : **activité, dynamisme, adaptabilité, éclectisme**.
• Espagnol : *Sixto*. Italien : *Sisto*.

Sloan

• **Origine celte**, signifie « guerrier »
• Caractère : **méthode, sagesse, étude, réserve**.

Soen

Ce prénom est une variante d'Yves, fréquente en Cornouailles.
• **Origine celte**, signifie « if ».
• Caractère : **sensibilité, courage, opportunisme, efficacité**.

Sohan

Ce prénom fait partie du top 200 des prénoms masculins.
• **Origine arabe,** signifie « étoile ».
• Caractère : **volonté, ambition, persévérance, autorité**.
• Variante : *Soan*.

Solal

• **Origine hébraïque**, signifie « qui se fraye un chemin ».
• Caractère : **dynamisme, activité, indépendance, volonté**.

Solan

Cette forme masculine de Solène est en forte croissance.
• **Origine celte**, signifie « solennel ».
• Caractère : **réflexion, étude, sérieux, sagesse**.

Solen

Prénom mixte plus fréquemment féminin, mais saint Solen était bien un homme.
• **Origine latine**, signifie « solennel ».
• Caractère : **réflexion, étude, esprit d'analyse, rigueur**.
• Variante : *Solan*.

Soliman

Forme arabe de Salomon, ce prénom a été porté par le plus célèbre sultan d'Istanbul, Soliman le Magnifique, qui a régné au XVIe s.

- **Origine hébraïque**, signifie « paix ».
- Caractère : **sociabilité, sens artistique, harmonie, charisme.**
- Variante : *Slimane.*

Sosthène

- **Origine grecque**, signifie « force indestructible ».
- Caractère : **calme, sérieux, sens des responsabilités, rigueur.**

Stanislas

- **Origine slave**, signifie « qui se tient debout » et « victoire ».
- Caractère : **sérieux, calme, travail, ambition.**
- Anglo-saxon : *Stanley.* Germanique : *Stanislaus.* Slave : *Stanislaw.*

Stéphane

L'un des favoris entre 1960 et 1980.

- **Origine grecque**, signifie « couronné ».
- Caractère : **curiosité, réserve, imagination, affectivité.**
- Variante : *Étienne.*
- Anglo-saxon : *Steeve, Stephen, Steven.* Breton : *Stefan.* Germanique : *Stefanus.* Italien : *Stefano.* Slave : *Stepko.*

Sullian

Saint Sullian, moine irlandais du VIe s., accoste en Bretagne où il fonde un monastère.

- **Origine celte**, signifie « né du soleil ».
- Caractère : **rigueur, travail, sens des responsabilités, réflexion.**

Sullivan

Ce prénom anglo-saxon est en vogue depuis la fin du XXe s.

- **Origine celte**, signifie « aux yeux noirs ».
- Caractère : **indépendance, émotivité, activité, fidélité.**

Sulpice

- **Origine latine**, signifie « de la famille des Sulpicius », noble famille romaine du Ier s.
- Caractère : **franchise, curiosité, opiniâtreté, autorité.**
- Espagnol : *Sulpicio.*

Sven

- **Origine scandinave**, signifie « jeune homme ».

• Caraçtère : **charme, sensibilité, charisme, épicurisme.**

Swann

Prénom mixte, surtout connu en France par l'œuvre de Marcel Proust.

• **Origine anglaise**, signifie « cygne ».

• Caractère : **réserve, charme, calme, sens des responsabilités.**

Sylvain

• **Origine latine**, signifie « forêt ».

• Caractère : **vivacité, ambition, courage, sens pratique.**

• Occitan : *Silvan, Silvian.*

Sylvestre

• **Origine latine**, signifie « sylvestre ».

• Caractère : **communication, adresse, diplomatie, exigence.**

• Autre orthographe : *Silvestre.*

• Anglo-saxon : *Silvester.* Espagnol : *Silvio.*

Symphorien

• **Origine grecque**, signifie « porter ensemble ».

• Caractère : **réserve, calme, gentillesse, prudence.**

Tancelin

Ce prénom est une forme dérivée d'Anselme.

• **Origine germanique**, signifie « casque du dieu Ans », divinité teutonne.

• Caractère : **stabilité, affectivité, fidélité, harmonie.**

Tancrède

Courant au Moyen Âge, ce prénom a presque disparu par la suite.

• **Origine francisque**, signifie « pensée ».

• Caractère : **activité, curiosité, imagination, affectivité.**

Tanguy

• **Origine celte**, signifie « feu » et « guerrier ».

• Caractère : **sociabilité, séduction, curiosité, goût de l'aventure.**

• Variantes : *Tangi, Tanneguy.*

Tao

• **Origine vietnamienne**, signifie « la création ».
• Caractère : **générosité, écoute, discrétion, travail.**

Taraise

• **Origine grecque**, signifie « originaire de Tarente ».
• Caractère : **rapidité, activité, affectivité, énergie.**

Tarek

• **Origine arabe**, signifie « étoile du matin ».
• Caractère : **volonté, autorité, rigueur, travail.**
• Variante : *Tarik*.

Tatien

Forme masculine de Tatiana.
• **Origine latine**, du nom de Tatius, roi de légende, souverain des Sabins.
• Caractère : **sensibilité, générosité, fantaisie, curiosité.**

Teiki

• **Origine tahitienne**, signifie « roi des dieux rêveurs »
• Caractère : **idéalisme, intuition, réflexion, émotivité.**

Tenshi

• **Origine japonaise**, signifie « ange ».
• Caractère : **sensibilité, sociabilité, dynamisme, persévérance.**

Térence

Ce prénom est illustré par le poète comique latin du IIe s. av. J.-C. Il réapparaît à l'état civil depuis les années 1990.
• **Origine latine**, signifie « issu des Terentius », nom d'une famille patricienne de Rome du IIe s.
• Caractère : **indépendance, travail, affectivité, adaptabilité.**
• Germanique : *Terentius*.

Thalassio

Féminin de Thalassa.
• **Origine grecque**, en référence à la mer.
• Caractère : **énergie, passion, ambition, volonté.**

Thaddée

• **Origine araméenne**, signifie « courageux ».
• Caractère : **sensibilité, passion, altruisme, idéalisme.**
• Anglo-saxon : *Thaddeus*.
• Espagnol : *Tadeo*. Italien : *Taddeo*. Russe : *Tadzio*.

Origines antiques

Nombreux sont les prénoms qui tirent leur origine du patronyme d'illustres familles patriciennes qui vivaient à Rome au Ier s. En voici les principaux.

- Agrippa, des Agrippa,
- Cassien, des Cassius,
- Fabien et Fabienne, des Fabius,
- Horace, des Horacius,
- Hortense, des Hortensius,
- Jules, des Iulius,
- Sabin et Sabine, des Sabinus,
- Serge, des Sergius,
- Sulpice, des Sulpicius,
- Térence, des Terencius.

Théo

Diminutif de Théodore considéré comme un prénom à part entière depuis les années 1990. Il fait partie du top 200 des prénoms.

- **Origine grecque**, signifie « don de Dieu ».
- Caractère : **éloquence, adaptabilité, harmonie, charisme.**
- Autre orthographe : *Théau.*

Théobald

- **Origine germanique**, signifie « dieu audacieux ».
- Caractère : **émotivité, prudence, réserve, méthode.**
- Italien : *Teobaldo.*

Théodore

- **Origine grecque**, signifie « don de Dieu ».
- Caractère : **sensibilité, affectivité, ordre, sociabilité.**
- Variantes : *Théodorit, Théodote.*
- Espagnol : *Theodoro.* Germanique : *Theodorus.* Slave : *Teodor.*

Théodoric

- **Origine germanique**, signifie « peuple roi ».
- Caractère : **sensibilité, travail, sérieux, prudence.**

Théodose

Ce prénom est porté par plusieurs empereurs romains d'Orient aux Ve-VIIIe s.

- **Origine grecque**, signifie « don de Dieu ».
- Caractère : **ambition, autorité, volonté, travail.**
- Germanique : *Theodosius.*

Théodule

• **Origine grecque**, signifie « serviteur de Dieu ».
• Caractère : **autorité, force de caractère, tendresse, volonté.**

Théophane

• **Origine grecque**, signifie « dieu lumineux ».
• Caractère : **intelligence, curiosité, charisme, travail.**

Théophile

Ce prénom de l'Antiquité connaît le succès au XIXe s., comme Théophraste et Théodule. La légende de Théophile est chantée par le poète Rutebeuf, du Moyen Âge.
• **Origine grecque**, signifie « qui aime Dieu ».
• Caractère : **rapidité, intelligence, travail, activité.**

Théophraste

Théophraste est un philosophe grec du IIIe s. av. J.-C., successeur d'Aristote à la direction du Lycée, quartier étudiant d'Athènes.
• **Origine grecque**, signifie « celui qui parle de Dieu ».
• *Caractère* : **indépendance, générosité, fiabilité, sociabilité.**

Théotime

• **Origine grecque**, signifie « honneur de Dieu ».
• Caractère : **passion, réserve, réflexion, opportunisme.**

Thibaud

Ce prénom courant au Moyen Âge connaît un discret succès depuis les années 1960. Il est la forme francisée de Théobald. Il figure au top 200 des prénoms masculins.
• **Origine germanique**, signifie « dieu audacieux ».
• Caractère : **affectivité, ordre, rigueur, sensibilité.**
• Autre orthographe : *Thibault.*

Thierry

Ce prénom, forme francisée de Théodoric, nomme plusieurs rois francs ; courant au Moyen Âge et dans les années 1950, il a disparu aujourd'hui.
• **Origine germanique**, signifie « peuple roi ».
• Caractère : **sensibilité, travail, sérieux, prudence.**

Thomas

• **Origine araméenne**, signifie « jumeau ».
• Caractère : **sérieux, réflexion, fidélité, réalisme.**

• Anglo-saxon : *Tom, Tommy.* Espagnol et italien : *Tomaso.* Scandinave : *Tomas.*

Thorvald

• **Origine scandinave**, signifie « puissance du dieu Thor ».
• Caractère : **idéalisme, altruisme, courage, détermination.**
• Variante : *Turold.*

Tiago

Diminutif de Santiago, sa popularité croît depuis 2005.
• **Origine espagnole**, signifie « saint Jacques », cri de guerre des chevaliers chrétiens en Espagne pendant les combats.
• Caractère : **étude, réflexion, réserve, attention.**

Tiburce

• **Origine latine**, signifie « originaire de Tibur », ville italienne.
• Caractère : **harmonie, sens des responsabilités, affectivité, émotivité.**

Tilian

Ce prénom est en pleine croissance.
• **Origine galloise**, signifie « peuple ».
• Caractère : **volonté, équilibre, fiabilité, sérieux.**

Tilio

Prénom en pleine croissance.
• **Origine galloise**, signifie « peuple ».
• Caractère : **charme, sens de la famille, travail, persévérance.**
• Variantes : *Teilo, Télio, Tilian.*

Timaël

Ce prénom, contraction de Timothée et de Maël, est en pleine expansion.
• **Origines celte et grecque**, signifie « honneur » et « prince ».
• Caractère : **stabilité, sérieux, sens des responsabilités, affectivité.**

Timéo

Forme espagnole de Timée, il connaît un succès croissant depuis 2000. Il figure aujourd'hui dans le top 200 des prénoms masculins.
• **Origine grecque**, signifie « honneur ».
• Caractère : **équilibre, activité, sens pratique, persévérance.**

Timoléon

• **Origine grecque**, signifie « honneur du lion ».
• Caractère : **travail, persévérance, travail, rigueur**.

Timothée

Ce prénom longtemps méconnu est en vogue depuis les années 2000. Il figure au top 200.
• **Origine grecque**, signifie « honneur de Dieu ».
• Caractère : **curiosité, réflexion, indépendance, habileté**.
• Anglo-saxon : *Tim, Timothy*.

Tino

Diminutif d'Augustino. En vogue en Italie dans les années 1940, Tino revient depuis 2010.
• **D'origine latine**, qui signifie « vénérable ».
• Caractère : **énergie, activité, rigueur, droiture**.

Titien

Prénom issu du surnom du peintre italien du XVIe s. Titien, qui réalisa de magnifiques toiles à la demande des papes, de François Ier et de Charles Quint.
• Caractère : **sensibilité, créativité, indépendance, adaptabilité**.

Titouan

Diminutif d'Antoine, il est très en vogue depuis les années 1990.
• **Origine latine**, signifie « inestimable ».
• Caractère : **activité, émotivité, sagesse, intelligence**.

Tobie

Dans la Bible, Tobie est un vieil homme très pieux de la tribu de Nephtali ; devenu aveugle, il est guéri par son fils sur les conseils de l'ange Raphaël.
• **Origine hébraïque**, signifie « Dieu est bon ».
• Caractère : **fidélité, sens des responsabilités, stabilité, affectivité**.
• Anglo-saxon : *Tobias*.

Tom

Ce diminutif de Thomas est devenu un prénom à part entière depuis le début de ce XXIe s.
• **Origine araméenne**, signifie « jumeau ».
• Caractère : **créativité, harmonie, communication, éclectisme**.

La vogue des diminutifs

Vous aimez les prénoms courts ? Ceux qui suivent sont pour vous !

Alex	Gino	Loïs	Théo
Andy	Jamie	Louan	Tim
Bastien	Lenny	Maé	Tom
Brett	Léo	Naël	
Charlie	Loan	Sacha	

Tristan

*Tristan est un personnage clé de la légende celte : il forme avec Yseult le couple légendaire le plus célèbre d'Occident. Les différentes versions en vers et en prose parues au XII*e* et au XIII*e* s. sont toutes inspirées de la légende celte. Richard Wagner en fait un drame lyrique en 1865. Ce prénom est en vogue depuis 1980.*

• **Origine galloise**, de Dristan, nom d'un héros de légende médiévale celte.
• Caractère : **activité, rigueur, indépendance, autorité**.

Tugdual

• **Origine celte**, signifie « bonne valeur ».
• Caractère : **réflexion, prudence, curiosité, intelligence**.
• Autres orthographes : *Tudwal, Tutgual, Tuzwal*.

Tyler

Favori aux États-Unis, ce prénom progresse très vite en France.

• **Origine américaine**, signifie « toiture ».
• Caractère : **stabilité, travail, détermination, ambition**.

Ulric

• **Origine germanique**, signifie « roi » et « loup ».
• Caractère : **courage, volonté, sensibilité, rigueur**.
• Espagnol et italien : *Ulrico*.
• Germanique : *Ulrich*.

Ulysse

Héros de la mythologie grecque, dont les exploits sont contés par Homère dans L'Iliade et L'Odyssée. Roi d'Ithaque, vaillant guerrier et habile stratège, il imagine le cheval de Troie pour tromper l'ennemi. Il retrouve son royaume et sa fidèle épouse Pénélope après dix ans d'errance.
• **Origine grecque**, du titre de l'œuvre d'Homère.
• Caractère : **passion, courage, audace, ténacité**.
• Anglo-saxon : *Ulysses*. Espagnol : *Ulises*. Italien : *Ulisse*.

Urbain

• **Origine latine**, signifie « urbain ».
• Caractère : **exigence, prudence, sensibilité, travail**.
• Anglo-saxon : *Urban*. Espagnol et italien : *Urbano*. Germanique : *Urbanus*.

Uriel

Uriel est le nom d'un archange de l'armée céleste.
• **Origine hébraïque**, signifie « Dieu est léger »
• Caractère : **franchise, loyauté, autorité, ambition**.

Vaast

Forme flamande de Gaston.
• **Origine germanique**, signifie « hôte ».
• Caractère : **générosité, charisme, rêverie, altruisme**.

Valentin

En vogue depuis les années 1990, il figure au top 200 des prénoms masculins.

• **Origine latine**, signifie « vaillant ».
• Caractère : **sociabilité, écoute, diplomatie, adaptabilité**.
• Italien : *Valentino*.

Valère

Ce prénom est celui d'un personnage du théâtre de Molière.

• **Origine latine**, signifie « valeureux ».
• Caractère : **intuition, secret, générosité, émotivité**.
• Variantes : *Valérian, Valérien, Valéry*.
• Espagnol : *Valerio, Valeriano*.

Valéry

Forme dérivée de Valère.

• **Origine latine**, signifie « valeureux ».
• Caractère : **réserve, sérieux, prudence, persévérance**.
• Autre orthographe : *Valéri*.

Vallier

• **Origine latine**, signifie « celui qui fortifie ».
• Caractère : **détermination, réflexion, travail, sens pratique**.

Vianney

Les années 1980 ont vu l'apogée de Vianney, du nom de Jean-Marie Vianney.

• Caractère : **imagination, stabilité, affectivité, réserve**.

Vicken

Forme arménienne de Victor.

• **Origine latine**, signifie « vainqueur ».
• Caractère : **réserve, calme, diplomatie, éloquence**.

Victor

Très prisé au XIXe s., ce prénom est une vedette des années 1980. Il a toujours sa place au top 200 des prénoms masculins.

• **Origine latine**, signifie « vainqueur ».
• Caractère : **épicurisme, calme, générosité, sociabilité**.
• Variantes : *Victorian, Victorien*.
• Espagnol : *Victorio*. Italien : *Vittorio*. Provençal : *Vitour*.

Vincent

Un grand classique indémodable.

• **Origine latine**, signifie « vaincre ».
• Caractère : **indépendance, exigence, volonté, opportunisme**.
• Breton : *Visant*. Espagnol : *Vicente*. Italien : *Vincenzo*.

Virgile

Ce prénom évoque le poète latin du Ier s. av. J.-C., protégé de l'empereur Auguste, auteur des Bucoliques, *des* Géorgiques *et de* L'Énéïde.

- **Origine latine**, du nom des habitants d'une ville d'Espagne sous domination romaine.
- Caractère : **dynamisme, activité, habileté, exigence.**
- Autre orthographe : *Virgil.*
- Breton : *Virgiliz.* Espagnol : *Virgilio.*

Vital

- **Origine latine**, signifie « vie ».
- Caractère : **autonomie, énergie, ambition, travail.**
- Russe : *Vitali.*

Vivien

- **Origine latine**, signifie « vivant ».
- Caractère : **intuition, fantaisie, adaptabilité, indépendance.**
- Variante : *Vivian.*
- Espagnol et italien : *Viviano.*

Vladimir

- **Origine slave**, signifie « souverain » et « paix ».
- Caractère : **élégance, charme, sociabilité, travail.**
- Variante : *Volodia.*
- Espagnol : *Vladimiro.*

Vladislas

- **Origine slave**, signifie « qui possède la gloire ».
- Caractère : **altruisme, rêverie, étude, générosité.**
- Variantes : *Vladislaw, Vladislav, Wladislas.*

Vougay

- **Origine celte**, signifie « étincelle ».
- Caractère : **travail, volonté, ambition, exigence.**

Waldemar

- **Origine germanique**, signifie « illustre qui gouverne ».
- Caractère : **curiosité, sens de l'organisation, adaptabilité, réflexion.**
- Espagnol : *Waldo.*

Wallace

Ce patronyme, courant en Écosse, devient un prénom au XIXᵉ s.

• **Origine galloise**, signifie « gallois ».

• Caractère : **travail, ambition, persévérance, sociabilité**.

Walter

Forme originelle de Gautier.

• **Origine germanique**, signifie « qui gouverne l'armée ».

• Caractère : **charme, indépendance, sociabilité, charisme**.

• Diminutif : *Walt*.

Wandrille

• **Origine germanique**, signifie « espoir » et « celui qui fait tourner ».

• Caractère : **réalisme, énergie, charisme, sens des responsabilités**.

Warren

Forme anglo-saxonne de Vare, prénom latin tombé en désuétude.

• **Origine latine**, signifie « divers ».

• Caractère : **curiosité, originalité, goût de l'aventure, adaptabilité**.

Wenceslas

• **Origine slave**, signifie « couronne » et « gloire ».

• Caractère : **altruisme, équilibre, étude, réflexion**.

• Autre orthographe : *Venceslas*.

• Espagnol : *Wenceslao*.

Werner

• **Origine germanique**, signifie « armée qui protège ».

• Caractère : **activité, exigence, indépendance, sensibilité**.

• Variante : *Verney*.

Wilfrid

• **Origine germanique**, signifie « volonté » et « paix ».

• Caractère : **exigence, énergie, dynamisme, adaptabilité**.

Wilhelm

Forme germanique de Guillaume.

• **Origine germanique**, signifie « volonté » et « protection ».

• Caractère : **intuition, réserve, sensibilité, originalité**.

William

Ce prénom, forme anglo-saxonne de Guillaume, est un des grands traditionnels outre-Manche. Il est au top 200 en France.

- **Origine germanique**, signifie « volonté » et « protection ».
- Caractère : **élégance, activité, sensibilité, exigence**.
- Diminutif : *Willy*.

Willis

Forme dérivée de Willigis.

- **Origine germanique**, signifie « volonté » et « otage ».
- Caractère : **sociabilité, vivacité, communication, éloquence**.

Wilmer

- **Origine germanique**, signifie « illustre volonté ».
- Caractère : **rigueur, travail, ambition, volonté**.
- Variantes : *Vilmer, Vulmer, Wilmar*.

Wilson

Ce prénom est une forme anglo-saxonne de Guillaume.

- **Origine germanique**, signifie « volonté » et « protection ».
- Caractère : **activité, passion, perfectionnisme, dynamisme**.

Winoco

- **Origine celte**, signifie « sacré ».
- Caractère : **ambition, volonté, autorité, goût du pouvoir**.
- Variantes : *Gwenneg, Gwennog*.

Winston

Ce prénom est illustré par Churchill.

- **Origine germanique**, signifie « ami » et « pierre ».
- Caractère : **curiosité, adaptabilité, intelligence, opportunisme**.
- Variante : *Wistan*.

Wodan

- **Origine scandinave**, variante d'Odin, dieu créateur des hommes dans la mythologie nordique.
- Caractère : **rigueur, réflexion, travail, étude**.
- Variante : *Wotan*.

Woody

Il est un diminutif de Woodrow.

- **Origine anglaise**, signifie « rangée d'arbres ».
- Caractère : **ambition, travail, rigueur**.

Xavier

Ce prénom traditionnel basque n'a jamais été courant, mais il est indémodable.

- **Origine basque**, signifie « maison neuve ».
- Caractère : **indépendance, perfectionnisme, affectivité, exigence.**
- Espagnol : *Javier*. Provençal : *Zavié*.

Xyste

Ce prénom rarissime est une forme dérivée de Sixte.

- **Origine latine**, signifie « sixième ».
- Caractère : **créativité, harmonie, communication, éclectisme.**

Yaël

Forme bretonne et basque de Joël, mais il a aussi une origine hébraïque. Mixte, il progresse doucement.

- *Origine hébraïque*, signifie « chèvre sauvage ».
- Caractère : **sagesse, sérieux, étude, réflexion.**

Yanis

Forme grecque de Jean, qui prend la relève de Yann depuis 2000.

- **Origine hébraïque**, signifie « Dieu a fait grâce ».
- Caractère : **vivacité, activité, épicurisme, charisme.**
- Autre orthographe : *Yannis.*

Yann

Ce prénom traditionnel breton est une forme de Jean.

- **Origine hébraïque**, signifie « Dieu a fait grâce ».
- Caractère : **indépendance, activité, générosité, fiabilité.**

Yannick

Il est un dérivé de Yann.

- **Origine hébraïque**, signifie « Dieu a fait grâce ».
- Caractère : **curiosité, activité, diplomatie, adaptabilité.**

Yoann

Une autre variante de Jean, plus ancienne et moins tendance, mais toujours présente.

- **Origine hébraïque**, signifie
- Dieu a fait grâce ».
- Caractère : **tolérance, attention, affectivité, sensibilité.**
- Autre orthographe : *Yohan.*

Yoël

Variante de Joël. Joël, prophète en Israël au VIe s. av. J.-C., est l'auteur du livre qui porte son nom.

- **Origine hébraïque**, signifie « Yahvé est Dieu ».
- Caractère : **créativité, harmonie, communication, charisme.**
- Variante : *Yaël.*

Yoen

Forme dérivée d'Yves, usitée dans le Léon, en Bretagne.

- **Origine celte**, signifie « if ».
- Caractère : **sensibilité, opportunisme, courage, efficacité.**

Youwan

Ce prénom est une variante d'Yves.

- **Origine celte**, signifie « if ».
- Caractère : **sensibilité, opportunisme, courage, efficacité.**

Yolan

Comme Lilian, un prénom féminin qui se masculinise !

- **Origine latine**, forme masculine de Yolande, qui signifie « violette ».
- Caractère : **sagesse, réflexion, droiture, générosité.**

Yvain

Forme médiévale d'Yves. Yvain est un personnage du roman en vers de Chrétien de Troyes, Yvain ou le Chevalier au lion. *Compagnon du roi Arthur, il incarne l'idéal du chevalier preux et fier qui met toute sa vaillance au service de la dame qu'il aime, défend les opprimés et prône les vertus de l'amour courtois.*

- **Origine celte**, signifie « if ».
- Caractère : **courage, ambition, opiniâtreté, loyauté.**

Yves

Ce grand classique breton est moins fréquent qu'au siècle dernier. Ses variantes ont pris le relais.

- **Origine celte**, signifie « if ».

• Caractère : **sensibilité, courage, opportunisme, efficacité**.
• Variantes : *Eozenn, Erwann, Ewan, Ivelain, Iwan, Yonen, Youenn, Yvain, Yvon*

Yvon

Il est une variante d'Yves.
• **Origine celte**, signifie « if ».
• Caractère : **réserve, exigence, sens des responsabilités, travail**.

Zacharie

Zacharie est le nom d'un des douze prophètes juifs à la fin du VIe s.
• **Origine hébraïque**, signifie « Dieu s'est souvenu ».
• Caractère : **volonté, efficacité, activité, ambition**.
• Anglo-saxon : *Zach, Zachary*.

Zadig

Ce prénom évoque le conte philosophique de Voltaire.
• **Origine hébraïque**, signifie « passage »
• Caractère : **sérieux, calme, sociabilité, diplomatie**.

Zébulon

Dans la Bible, Zébulon est un fils de Jacob et de Léa.
• **Origine hébraïque**, signifie « résident ».
• Caractère : **autorité, travail, fierté, exigence**.

Zénon

• **Origine grecque**, signifie « rayonnant ».
• Caractère : **esprit d'équipe, sens des responsabilités, ambition, détermination**.

Zéphirin

Zéphyr, dans la mythologie grecque, est le dieu du Vent d'ouest et l'époux d'Iris, déesse de l'Arc-en-ciel.
• **Origine grecque**, signifie « du zéphyr », vent doux.
• Caractère : **sociabilité, charme, élégance, volonté**.

Ziane

• **Origine arabe**, signifie « clément ».
• Caractère : **sensibilité, sagesse, générosité, réflexion**.

les prénoms de filles

Abélie

Forme féminine d'Abel, ce prénom est très peu usité.

• **Origine hébraïque**, signifie « ce qui passe ».

• Caractère : **élégance, charme, charisme, émotivité.**

• Espagnol et italien : *Abelia.*

• Variantes : *Abéla, Abelaine, Avéla, Avelaine.*

Abelinde

Dérivé d'Abel, ce prénom n'est plus guère répandu depuis le Moyen Âge.

• **Origine hébraïque**, signifie « ce qui passe ».

• Caractère : **sensibilité, charme, intuition, sociabilité.**

Abeline

Cette forme féminine d'Abel est rare.

• **Origine hébraïque**, signifie « ce qui passe ».

• Caractère : **émotivité, charme, sociabilité, adresse.**

Abella

Autre forme féminine d'Abel, guère plus usitée que les autres.

• **Origine hébraïque**, signifie « ce qui passe ».

• Caractère : **diplomatie, éloquence, sensibilité, charisme.**

• Variantes : *Avella, Avelia.*

Abigaël

Ce prénom biblique mélodieux est assez répandu aux États-Unis.

• **Origine hébraïque**, signifie « ma joie est en Dieu ».

• Caractère : **féminité, séduction, affectivité, fantaisie.**

• Autre orthographe : *Abigail.*

Acanthe

• **Origine latine**, signifie « innocence ».

• Caractère : **harmonie, équilibre, sens de la justice, rigueur.**

Acmée

Forme dérivée d'Aimée.

• **Origine latine**, signifie « aimée ».

• Caractère : *charme, sensibilité, perfectionnisme, esthétisme.*

• Italien : *Acma.*

Adalsinde

Prénom de la famille d'Adèle et Alice, assez répandu au Moyen Âge.

• **Origine germanique**, signifie « noble ».

• Caractère : **douceur, harmonie, affectivité, prudence.**

Adamante

Ce prénom de fleur, connu dans l'Antiquité, a presque totalement disparu aujourd'hui.

• **Origine latine**, nom d'une plante.

• Caractère : **imagination, curiosité, vivacité, indépendance.**

Adélaïde

Forme médiévale d'Adèle, ce prénom royal répandu au XIXe s. connaît un regain de faveur depuis les années 1980.

• **Origine germanique**, signifie « noble ».

• Caractère : **curiosité, vivacité, adaptabilité, éloquence.**

• Variantes : *Alice, Alisson, Alix.*

• Espagnol : *Adelaïda*. Germanique : *Adelheid*. Italien : *Alida*. Provençal : *Alaïs, Alaïdo.*

Adèle

Très en vogue au XIXe s., Adèle revient en force à l'état civil.

• **Origine germanique**, signifie « noble ».

• Caractère : **sensibilité, curiosité, courage, détermination.**

• Variantes : *Adélie, Adeline, Adelise.*

• Anglo-saxon : *Ethel*. Espagnol : *Adela*. Germanique : *Heidi*. Italien : *Adela, Alda*. Breton : *Adellig, Dellig.*

Adeline

Dérivée d'Adèle, Adeline connaît ses heures de gloire dans les années 1980.

• **Origine germanique**, signifie « noble ».

• Caractère : **sensibilité, curiosité, fidélité, sociabilité.**

• Variantes : *Adelinde, Aline, Édeline, Line.*

• Espagnol : *Adelina, Lina*. Italien : *Adelina, Adelinda, Alida.*

Adenette

Cette forme féminine d'Adenet, dérivé d'Adam, est très rare.

• **Origine hébraïque**, signifie « faite de terre ».

• Caractère : **rigueur, générosité, dévouement, émotivité.**

• Variantes : *Adenotte, Adnette, Adnotte.*

Adisson

Ce prénom mixte plaît beaucoup aux États-Unis et se manifeste en France depuis 2010.

• **Origine américaine**, signifie « enfant d'Adam ».

• Caractère : **volonté, générosité, altruisme, idéalisme**.

Adrienne

Contrairement à son masculin Adrien, très en vogue aujourd'hui, ce prénom du début du XXe s. n'est plus attribué.

• **Origine latine**, signifie « originaire d'Adria ».

• Caractère : **curiosité, réserve, travail, sociabilité**.

• Provençal : *Adrianne*. Espagnol et italien : *Adria*, *Adriana*.

Aëlle

Cette forme bretonne d'Angèle est rare.

• **Origine grecque**, signifie « messagère ».

• Caractère : **affectivité, imagination, secret, prudence**.

• Diminutifs : *Aëlaïg*, *Aëlez*.

• Variantes : *Aéla*, *Aélia*.

Aelys

Forme occitane d'Alice.

• **Origine germanique**, signifie « de noble lignée ».

• Caractère : **énergie, ambition, détermination, autorité**.

Aénor

Forme bretonne d'Eléonore.

• **Origine grecque**, signifie « compassion ».

• Caractère : **franchise, dynamisme, curiosité, opiniâtreté**.

• Variante : *Aanor*.

Aesa

Forme bretonne d'Isabelle.

• **Origine hébraïque**, signifie « Dieu est plénitude ».

• Caractère : **féminité, sensibilité, générosité, idéalisme**.

Agathe

Après quelques apparitions au XIXe s., c'est à la fin du XXe s. qu'Agathe connaît le succès.

• **Origine grecque**, signifie « bonne ».

• Caractère : **douceur, réserve, altruisme, détermination**.

• Anglo-saxon : *Agatha*, *Aggie*. Arabe : *Hassina*. Espagnol et italien : *Agata*. Provençal : *Agueto*.

Aglaé

Comme bien des prénoms de la mythologie grecque, Aglaé reste rare.

• **Origine grecque**, signifie « rayonnante de beauté ».

• Caractère : **activité, autorité, exigence, vivacité**.

Agnès

Ce prénom pur a connu à travers les âges bien des périodes fastes, de la Renaissance à nos jours. C'est toutefois Inès, dont la sonorité est proche, qui le supplante aujourd'hui.

• **Origine grecque**, signifie « chaste ».

• Caractère : **sociabilité, élégance, réflexion, énergie**.

• Diminutif : *Nessie*.

• Arabe : *Zakia*. Breton : *Oanel*, *Oalig*. Espagnol : *Inès*. Italien : *Agnese*.

Agrippine

Ce prénom de l'Antiquité est porté par deux princesses romaines au Ier s., Agrippine l'ancienne (la mère de Caligula), et Agrippine la jeune (la mère de Néron).

• **Origine latine**, signifie « de la famille Agrippa », illustre famille romaine du Ier s.

• Caractère : **autorité, vivacité, dynamisme, indépendance**.

• Espagnol : *Agrippina*.

Aïcha

Ce prénom est porté par la troisième épouse de Mahomet, réputée pour sa beauté et son intelligence. Elle s'oppose à Ali, le gendre de son mari.

• **Origine arabe**, signifie « qui vivra ».

• Caractère : **énergie, courage, persévérance**.

• Diminutif : *Aïchoucha*.

Aïda

• **Origine arabe**, signifie « récompense ».

• Caractère : **esthétisme, perfectionnisme, émotivité, sociabilité**.

Aiko

Ce prénom progresse vite.

• **Origine japonaise**, signifie « enfant de l'amour »

• Caractère : **droiture, affectivité, sociabilité, réflexion**.

Aimée

Après une petite vague de ferveur au début du XXe s., Aimée a disparu au profit d'une de ses formes dérivées, Amicie.

- **Origine latine**, signifie « aimée ».
- Caractère : **charme, émotivité, sens des responsabilités, réserve**.
- Variantes : *Acmée, Aimie, Amabilis, Amicie.*
- Anglo-saxon : *Amy, Mia.* Arabe : *Aziza.* Espagnol : *Amada.* Italien : *Amata.*

Aimy

Ce prénom est une variante d'Émilie.

- **Origine germanique**, signifie « travailleuse ».
- Caractère : **dynamisme, sociabilité, curiosité, vivacité**.

Aïna

Ce prénom est en pleine évolution.

- **Origine japonaise**, signifie « amour »
- Caractère : **autonomie, activité, écoute, altruisme**.

Ainhoa

Ce prénom est très apprécié au pays basque.

- **Origine basque**, référence à un village dans lequel la Vierge serait apparue à un berger.
- Caractère : **charme, curiosité, épicurisme, sens artistique**.

Alaïs

Forme provençale d'Éléonore.

- **Origine grecque**, signifie « compassion ».
- Caractère : **affectivité, harmonie, sensibilité, vie familiale**.
- Variante : *Alaïdo.*

Alana

Ce prénom gallois se répand timidement en France. Il peut aussi être considéré comme le féminin d'Alain, d'origine latine, qui signifie « du peuple Alani ».

- **Origine celte**, signifie « calme ».
- Caractère : **réflexion, étude, sens des responsabilités, sociabilité**.

Alara

Forme féminine d'Alaric.

- **Origine germanique**, signifie « toute-puissante ».
- Caractère : **sensibilité, charisme, épicurisme, curiosité**.

Albane

C'est dans les années 1990 que cette version féminine d'Alban est apparue dans les familles traditionnelles.

- **Origine latine**, signifie « blanche ».

• Caractère : **vivacité, élitisme, charisme, travail.**
• Variante : *Albine.*
• Italien : *Alba, Albana.* Provençal : *Aubane.*

Alberte

Cette version féminine d'Albert a toujours été discrète.
• **Origine germanique**, signifie « très illustre ».
• Variante : *Albertine.*
• Italien : *Alberta.*

Albertine

Ce prénom est une autre forme féminine d'Albert.
• **Origine germanique**, signifie « très illustre ».
• Caractère : **charme, fantaisie, adaptabilité, persévérance.**

Albine

Version féminine d'Albin, ce prénom est moins fréquent qu'Albane.
• **Origine latine**, signifie « blanche ».
• Caractère : **vivacité, élitisme, charisme, travail.**
• Variantes : *Albaine, Aubine.*
• Italien : *Albina.*

Alceste

Dans la mythologie grecque, elle est la fille de Pélias, qui est sauvée des enfers par Héraclès. Elle inspire une tragédie à Euripide.
• Caractère : **sensibilité, sociabilité, générosité, charisme.**

Alda

Forme italienne d'Aude.
• **Origine germanique**, signifie « ancienne ».
• Caractère : **réflexion, habileté, curiosité, fantaisie.**

Aldegonde

• **Origine germanique**, signifie « noble guerre ».
• Caractère : **tradition, douceur, générosité, altruisme.**

Alène

Forme féminine d'Alain.
• **Origine latine**, signifie « originaire des Alani », nom d'une tribu qui vivait au Ve s. au bord de la mer Noire.
• Caractère : **passion, sens des responsabilités, rigueur, autorité.**
• Variantes : *Alane, Alena.*

Aleth

• **Origine latine**, signifie « qui a des ailes ».
• Caractère : **émotivité, idéalisme, altruisme, courage.**

Alexandra

Version féminine d'Alexandre, ce prénom connaît une grande vague de faveur dans les années 1980.
• **Origine grecque**, signifie « celle qui repousse ».
• Caractère : **courage, détermination, franchise, travail.**
• Diminutifs : *Sandra, Sandy.*
• Variantes : *Alexandrine, Sandrine.*
• Espagnol : *Alessandra.* Italien : Alessia

Alexia

Version féminine d'Alexis et l'un des prénoms vedettes des années 1990.
• **Origine grecque**, signifie « qui repousse l'ennemi ».
• Caractère : **secret, élitisme, fidélité, intuition.**
• Variante : *Alexane.*
• Espagnol : *Aleja.*
• Italien : *Alessia.*

Alice

Ce joli prénom, en vogue à la fin du XIXe s., réapparaît, plus discrètement mais plus durablement qu'Alisson. Il est illustré par le personnage d'Alice au pays des merveilles, de Lewis Caroll. Il est dans le peloton de tête du top 200 aujourd'hui.
• **Origine germanique**, signifie « noble ».
• Caractère : **éloquence, vivacité, intuition, humour.**
• Variantes : *Alix, Alycia, Alyssa, Alyssia.*
• Anglo-saxon : *Alisson.* Italien : *Alicia, Alissa.* Occitan : *Aélis, Aélys.*

Alida

Forme italienne d'Adeline.
• **Origine germanique**, signifie « noble ».
• Caractère : **sensibilité, courage, travail, prudence.**
• Variantes : *Alinda, Linda.*

Aliénor

Forme occitane d'Éléonore.
• **Origine grecque**, signifie « compassion ».
• Caractère : **charme, énergie, vivacité, opportunisme.**
• Variante : *Élianor.*

Aliette

Forme dérivée d'Adélaïde.

• **Origine germanique**, signifie « noble ».

• Caractère : **charisme, sociabilité, calme, réserve.**

Aline

Prénom médiéval, diminutif d'Adeline.

• **Origine germanique**, signifie « noble ».

• Caractère : **curiosité, vivacité, indépendance, affectivité.**

• Italien : *Alina.*

Alise

Ce prénom est une forme rare d'Adélaïde.

• **Origine germanique**, signifie « noble ».

• Caractère : **volonté, énergie, ambition, franchise.**

Alisson

Cette forme anglo-saxonne d'Alice connaît un grand succès dans les années 1990. Elle est devenue plus rare en France depuis 2000.

• **Origine germanique**, signifie « noble ».

• Caractère : **réserve, élitisme, étude, prudence.**

• Autre orthographe : *Alison.*

Alix

Forme originelle d'Alice, Alix a une vogue discrète mais permanente dans les familles traditionnelles. Bien qu'il soit mixte, ce prénom est majoritairement attribué à des filles. Alix figure au top 200 des prénoms féminins en France.

• **Origine germanique**, signifie « noble ».

• Caractère : **volonté, opiniâtreté, indépendance, franchise.**

Aliya

• **Origine arabe**, signifie « admirable ».

• Caractère : **sensibilité, écoute, sociabilité, générosité.**

Alizé

Les puristes pensent que ce prénom vient du germanique adal, qui signifie « noble » ; d'autres préfèrent trouver son origine dans l'alizé, ce vent léger et régulier qui souffle sur la plus grande partie de la planète.

• Caractère : **émotivité, prudence, discrétion, sociabilité.**

Allegra

Équivalent espagnol de Laetitia.

• **Origine espagnole**, signifie « joie ».

• Caractère : **émotivité, souplesse, adaptabilité, diplomatie.**
• Variante : *Allegria.*

Alma

Prénom en pleine expansion.
• **Origine latine**, signifie « nourricière ».
• Caractère : **affectivité, générosité, fidélité, rigueur.**

Almena

Prénom celte, malgré une consonance latine.
• **Origine celte**, signifie « princesse ».
• Caractère : **charme, sens des responsabilités, émotivité, réserve.**
• Diminutif : *Alma.*

Almira

• **Origine arabe**, signifie « précieuse ».
• Caractère : **spiritualité, étude, réflexion, rigueur.**

Aloyse

Une des formes médiévales de Louise, dérivée d'Éloïse.
• **Origine germanique**, signifie « glorieux vainqueur ».
• Caractère : **sensibilité, calme, imagination, rêverie.**
• Diminutif : *Loyse.*

Alphonsine

Ce féminin d'Alphonse paraît aujourd'hui bien désuet.
• **Origine germanique**, signifie « très vive ».
• Caractère : **charisme, persuasion, charme, éloquence.**
• Italien : *Alfonsa.*

Alvina

Ce prénom est très apprécié dans les pays Scandinaves.
• **Origine germanique**, signifie « amie des elfes ».
• Caractère : **idéalisme, altruisme, travail, détermination.**
• Variantes : *Alva, Alwina.*

Alwena

Forme dérivée de Gwenn.
• **Origine celte**, signifie « blanche ».
• Caractère : **tradition, douceur, sensibilité, travail.**

Amabilis

Ce prénom rare est un dérivé d'Aimée.
• **Origine latine**, signifie « aimée ».
• Caractère : **affectivité, charisme, discrétion, exigence.**
• Autre orthographe : *Amabyllis.*

Amanda

Forme féminine d'Amand courante dans les pays anglo-saxons et latins.

• **Origine latine**, signifie « amoureuse ».

• Caractère : **réflexion, curiosité, étude, fantaisie.**

Amandine

Autre version féminine d'Amand, Amandine connaît un succès continu depuis les années 1980. Elle figure au top 200 des prénoms féminins.

• **Origine latine**, signifie « amoureuse ».

• Caractère : **sens de l'analyse, intuition, exigence, réflexion.**

• Anglo-saxon : *Amanda.*

Amarillys

Malgré la vogue des prénoms écologiques, Amarillys est loin de rejoindre Capucine ou Marguerite.

• **Origine grecque**, nom d'une plante bulbeuse vivace odorante appelée aussi « lis Saint-Jacques ».

• Caractère : **franchise, autorité, dynamisme, sociabilité.**

Amaya

Variante d'Aimée.

• **Origine latine,** signifie « aimée ».

• Caractère : **créativité, charisme, dynamisme, communication.**

Ambre

Deux étymologies sont possibles pour ce prénom : grecque, si on le considère comme une forme féminine d'Ambroise ; arabe, si on pense qu'il vient de l'ambre gris. Il est en bonne place au top 200 des prénoms.

• Caractère : **vivacité, éloquence, charme, imagination.**

• Variante : *Ambrine.*

• Anglo-saxon : *Amber.*

Amélie

L'origine d'Amélie est incertaine. On peut penser qu'elle est une forme féminine d'Émile qui, en latin, signifie « émule », ou qu'elle est issue d'un mot germanique qui se traduit par « puissant ». Devenu un grand classique, ce prénom est toujours au top 200.

• Caractère : **discrétion, gentillesse, sociabilité, élitisme.**

• Anglo-saxon : *Melly.* Espagnol : *Amalia.* Italien : *Amelia, Melia.*

Amicie

Ce prénom ancien, dérivé d'Aimée, apparaît à l'état civil depuis ce début de siècle.

• **Origine latine**, signifie « aimée ».

• Caractère : **affectivité, harmonie, sensibilité, sociabilité.**

Amy

Forme anglo-saxonne d'Aimée, ce prénom est très en vogue en Grande-Bretagne.

• **Origine latine**, signifie « aimée ».
• Caractère : **réserve, prudence, travail, activité**.

Anaëlle

Ce prénom est une variante bretonne d'Anne. Il est en bonne place dans le top 200 des prénoms féminins.

• **Origine hébraïque**, signifie « grâce ».
• Caractère : **curiosité, indépendance, charme, vivacité**.

Anaïs

Cette forme méridionale d'Anne connaît un grand succès à la fin du XXᵉ s., se plaçant dans le peloton de tête du top 200.

• **Origine hébraïque**, signifie « grâce ».
• Caractère : **énergie, sens des responsabilités, charme, franchise**.

Anastasie

Féminin d'Anastase. Il est rare en Europe de l'Ouest, mais répandu dans les pays slaves.

• **Origine grecque**, signifie « résurrection ».
• Caractère : **volonté, franchise, énergie, travail**.
• Variantes : *Anastasiane, Aspasie.*
• Slave : *Anastasia, Nastasia.*

Anaya

Ce prénom est en grande progression.

• **Origine sanscrite**, signifie « unique » et origine basque, signifie « frère ».
• Caractère : **fidélité, sociabilité, discrétion, droiture**.

Anceline

Ce prénom est une forme dérivée d'Anselme et le féminin d'Ancelin.

• **Origine germanique**, signifie « protégée du dieu Ans ».
• Caractère : **travail, volonté, opiniâtreté, rigueur**.

Andréa

Ce prénom, en Italie, est masculin. En France, il est davantage attribué aux filles et fait partie du top 200.

• **Origine grecque**, signifie « homme ».
• Caractère : **sensibilité, altruisme, intuition, sociabilité**.

Andrée

Forme féminine d'André.

• **Origine grecque**, signifie « homme ».
• Caractère : **sensibilité, altruisme, intuition, sociabilité**.
• Breton : *Andreva*.
• Variante : *Andréane*.

Anémone

Ce prénom de fleur n'a pas encore atteint le succès de Capucine.

• **Origine grecque**, du nom de la fleur.
• Caractère : **passion, fierté, goût du pouvoir, détermination**.

Angèle

Ce prénom, longtemps discret en France, est aujourd'hui au top 200.

• **Origine grecque**, signifie « messagère ».
• Caractère : **ambition, courage, générosité, franchise**.
• Variantes : *Angélique, Angéline*.
• Anglo-saxon : *Angela, Angie*. Breton : *Aela, Aelia, Aelle*. Espagnol et italien : *Angela*.

Angelina

Ce prénom a atteint le top 200 des prénoms féminins.

• **Origine grecque**, signifie « messagère ».
• Caractère : **sensibilité, altruisme, sérieux, calme**.

Angélique

Ce prénom est une autre forme féminine d'Ange, en vogue aux XVIIe-XVIIIe s.

• **Origine grecque**, signifie « messagère ».
• Caractère : **vivacité, charme, impatience, intrépidité**.
• Espagnol et italien : *Angelica*.

Anissa

Au top 200 des prénoms féminins.

• **Origine arabe**, signifie « gentille ».
• Caractère : **réflexion, discrétion, étude, sens de l'analyse**.

Anita

Forme espagnole d'Anne.

• **Origine hébraïque**, signifie « grâce ».
• Caractère : **émotivité, courage, altruisme, prudence**.

Anna

Ce prénom est international. Très fréquent en Russie, il est aussi très usité en Bretagne, en Italie et dans les pays slaves. Aujourd'hui, c'est un des favoris.

• **Origine hébraïque**, signifie « grâce ».

• Caractère : **dynamisme, curiosité, activité, épicurisme.**
• Espagnol, portugais : *Ana.*

Annabelle

Ce prénom est une heureuse conjugaison d'Anne et d'Isabelle, prénom dérivé d'Élisabeth.
• **Origine hébraïque**, signifie « grâce » et « Dieu est plénitude ».
• Caractère : **charme, éloquence, fantaisie, communication.**
• Italien : *Annabella.*

Anne

Classique intemporel, Anne ne se démode jamais et se combine avec bonheur avec d'autres prénoms.
• **Origine hébraïque**, signifie « grâce ».
• Caractère : **fierté, élégance, intuition, élitisme.**
• Diminutifs : *Annette, Nana, Nanette, Nina, Nine, Ninette.*
• Variantes : *Anna, Annie, Annick.*
• Anglo-saxon : *Ann, Nancy.* Breton : *Annaïg, Annaïk, Annick, Anouck, Naïg.* Espagnol : *Anita.* Germanique : *Annchen.* Hollandais : *Anke.* Provençal : *Anaïs, Anneto, Ano.*

Annick

Cette forme bretonne d'Anne connaît un franc succès dans les années 1950.
• **Origine hébraïque**, signifie « grâce ».
• Caractère : **exigence, rigueur, élitisme, réserve.**
• Variantes : *Annaïc, Annaïg.*

Annie

Ce diminutif d'Anne est en vogue dans les années 1950, dans le sillage d'Annick.
• **Origine hébraïque**, signifie « grâce ».
• Caractère : **réserve, courage, activité, réflexion.**

Elles ont eu la côte en 2016

Adèle	Léa
Alice	Léna
Anna	Lilou
Camille	Lina
Chloé	Lola
Emma	Louise
Eva	Manon
Inès	Rose
Jade	Sarah
Juliette	Zoé

Anouck

Cette forme bretonne d'Anne connaît une vague de succès dans les années 1950.

• **Origine hébraïque**, signifie « grâce ».

• Caractère : **indépendance, charisme, activité, perfectionnisme.**

Ansgarde

*Ce prénom médiéval est porté par la première femme de Louis II, au IX*e *s.*

• **Origine germanique**, signifie « demeure d'Ans », divinité teutonne.

• Caractère : **affectivité, sens des responsabilités, harmonie, générosité.**

Anthea

Ce prénom n'est plus attribué depuis l'Antiquité.

• **Origine grecque**, signifie « de la beauté d'une fleur ».

• Caractère : **harmonie, droiture, rigueur, charisme.**

• Espagnol : *Antia.* Italien : *Antea.*

Antoinette

*Féminin d'Antoine, ce prénom se fait rare après avoir remporté un discret succès entre le XVII*e *et le XIX*e *s.*

• **Origine latine**, signifie « inestimable ».

• Caractère : **sensibilité, harmonie, loyauté, générosité.**

• Diminutifs : *Toinette, Toinon.* Italien : *Antonella, Antonietta.*

Antonine

Ce prénom est l'une des formes féminines d'Antonin.

• **Origine latine**, signifie « inestimable ».

• Caractère : **sensibilité, calme, réserve, fierté.**

• Variante : *Antonie.*

• Espagnol et italien : *Antonia, Antonina.*

Aodrenn

Forme bretonne d'Aude.

• **Origine germanique**, signifie « ancienne ».

• Caractère : **calme, sensibilité, stabilité, fiabilité.**

• Variantes : *Aoda, Aodez, Aodrena.*

Aouregan

• **Origine celte**, signifie « de haute naissance ».

• Caractère : **ténacité, autorité, travail, ambition.**

• Variante : *Aourgen.*

Apolline

Féminin d'Apollinaire, il est un prénom vedette du début de XXIe s.

- **Origine grecque**, signifie « relative à Apollon ».
- Caractère : **réserve, prudence, intelligence, curiosité**.

Ariane

Ce distingué prénom d'un personnage de la mythologie grecque a toujours été discret.

- **Origine grecque**, signifie « relative à Ariane ».
- Caractère : **charme, fantaisie, communication, indépendance**.
- Autre orthographe : *Arianne*.
- Espagnol et italien : *Ariana*. Germanique : *Ariadne*.

Le fil d'Ariane

Dans la mythologie grecque, Ariane est la fille de Minos, roi de Crète. Elle tombe amoureuse de Thésée, héros venu combattre le Minotaure, monstre terrifiant mi-homme mi-taureau enfermé dans un labyrinthe. Ariane lui remet une épée et une pelote de fil afin qu'il ne se perde pas.

Aricie

Forme féminine d'Aristide.

- **Origine grecque**, signifie « le meilleur fils ».
- Caractère : **charme, affectivité, intuition, éloquence**.

Arielle

Ce féminin d'Ariel n'est pas courant.

- **Origine hébraïque**, signifie « vaillante ».
- Caractère : **énergie, persuasion, autorité, curiosité**.

Arlette

Ce prénom en vogue au Moyen Âge a été supplanté par Charlotte, qui a la même étymologie.

- **Origine germanique**, signifie « virile ».
- Caractère : **sensibilité, travail, rêverie, réserve**.
- Anglo-saxon : *Arleen*. Italien : *Arlita*.

Armance

Ce prénom est l'une des formes féminines d'Armand.

- **Origine germanique**, signifie « homme fort ».
- Caractère : **indépendance, volonté, ambition, charisme**.

Armande

L'un des prénoms phares du XVIIe s., comme son masculin Armand.

• **Origine germanique**, signifie « homme fort ».

• Caractère : **indépendance, sensibilité, exigence, fiabilité**.

• Italien : *Armanda*. Portugais : *Arminda*.

Armelle

Ce prénom breton est un grand classique indémodable.

• **Origine celte**, signifie « princesse » et « ourse ».

• Variante : *Hermeline*.

• Breton : *Arzhela*.

Arnegonde

Cette reine mérovingienne est la femme de Clotaire au VIe s.

• **Origine germanique**, signifie « combat de l'aigle ».

• Caractère : **diplomatie, sociabilité, adaptabilité, charisme**.

Arsinoë

Forme féminine d'Arsène, ce prénom a été porté par plusieurs princesses égyptiennes au IVe s. av. J.-C.

• **Origine grecque**, signifie « virile ».

• Caractère : **élégance, charme, autorité, travail**.

Artémise

Ce prénom mythologique, qui fait référence à la déesse grecque de la Nature sauvage et de la Chasse, est en vogue au XVIIe s.

• **Origine grecque**, signifie « relative à Artémis ».

Les dieux de l'Antiquité

De nombreux prénoms ont pour origine les dieux de la mythologie. En voici quelques exemples :

• Artémise vient d'Artémis, déesse grecque de la Chasse.

• Athénaïs est issu d'Athéna, déesse grecque de la Sagesse, protectrice d'Athènes.

• Apollinaire et Apolline viennent d'Apollon, dieu grec de la Beauté.

• Denis a pour origine Dionysos, dieu de la Vigne et du Vin.

• Héraïs est inspiré d'Héra, la femme de Zeus.

• Hermance est issu d'Hermès, dieu messager de la mythologie grecque.

• Joévin vient de Jupiter.

• Marsile est issu de Mars, dieu romain de la Guerre.

• Caractère : **vivacité, curiosité, séduction, affectivité**.
• Espagnol : *Artemisa*.

Arya

• **Origine sanscrite**, signifie « noble ».
• Caractère : **générosité, tolérance, écoute, émotivité**.
• Variante : *Aria*.

Aselle

Est-ce l'étymologie peu flatteuse de ce prénom qui lui a interdit le succès ?
• **Origine latine**, signifie « petite ânesse ».
• Caractère : **générosité, altruisme, discrétion, étude**.

Ashley

Ce prénom celte inconnu en France jusqu'aux années 1990 commence à être attribué aussi bien aux filles qu'aux garçons.
• **Origine celte**, signifie « bois de frêne ».
• Caractère : **stabilité, charme, prudence, opportunisme**.

Anastasie

Forme féminine d'Anastase, ce prénom est illustré par une femme célèbre pour sa beauté et son intelligence, qui fut la conseillère de Périclès au Ve s. av. J.-C.
• **Origine grecque**, signifie « résurrection ».
• Caractère : **volonté, franchise, énergie, travail**.

Assunta

Forme italienne d'Assomption.
• **Origine latine**, signifie « qui prend ».
• Caractère : **curiosité, activité, dynamisme, indépendance**.
• Espagnol : *Asunción*.

Assya

Ce prénom aurait été porté par l'épouse de Pharaon, femme exemplaire que l'islam vénère comme une sainte. Il est très en vogue aujourd'hui.
• **Origine arabe**, signifie « l'Orientale ».
• Caractère : **adaptabilité, diplomatie, émotivité, sociabilité**.
• Variante : *Assia*.

Astrée

Ce prénom mythologique évoque Astraïa, une fille de Zeus.
• **Origine grecque**, signifie « astre ».
• Caractère : **habileté, émotivité, curiosité, adaptabilité**.

Astrid

Dans la gamme des prénoms Scandinaves, Astrid est en tête.
• **Origine germanique**, signifie « fidèle aux dieux ».
• Caractère : **énergie, courage, autorité, travail**.

Athalie

Ce prénom biblique est chargé d'histoire : il est porté par une reine de Juda, au IXe s. av. J.-C. C'est aussi le nom d'une tragédie de Racine composée au XVIIe s. pour les jeunes filles de Saint-Cyr.
• **Origine hébraïque**, signifie « Dieu est exalté ».
• Caractère : **ambition, opportunisme, indépendance, adaptabilité**.
• Italien : *Athalia*.

Athénaïs

Ce prénom, inspiré de la mythologie grecque, a été en vogue au XVIIe s., à la cour de Louis XIV. La marquise de Montespan, favorite du roi, l'a particulièrement bien illustré.
• **Origine grecque**, du nom de la déesse Athéna.
• Caractère : **charme, détermination, écoute, éloquence**.
• Variante : *Arthellaïs*.

Attalia

Ce prénom est plus connu sous sa forme dérivée Athalie.
• **Origine hébraïque**, signifie
• « Dieu est exalté ».
• Caractère : **ambition, énergie, indépendance, volonté**.
• Variante : *Athalie*.

Aude

Ce prénom médiéval, après avoir disparu pendant plusieurs siècles, connaît un grand succès dans les années 1980.
• **Origine germanique**, signifie « ancienne ».
• Caractère : **calme, sensibilité, stabilité, fiabilité**.
• Breton : *Aoda, Aodez, Aodrenn, Aodrena*. Italien : *Alda*.

Audrey

Forme moderne d'Ethelred, Audrey a connu le succès dans les années 1980.
• **Origine germanique**, signifie « noble gloire ».
• Caractère : **calme, charme, détermination, étude**.
• Variantes : *Audraine, Audrenn*.

Augusta

Ce prénom est l'une des formes féminines d'Auguste.

• **Origine latine**, signifie « vénérable ».
• Caractère : **indépendance, courage, activité, volonté**.

Augustine

Cette version féminine d'Augustin a connu son apogée au début du XXe s. Il est en pleine évolution depuis 2010.
• **Origine latine**, signifie « vénérable ».
• Caractère : **charme, émotivité, prudence, affectivité**.
• Italien : *Augustina, Agosta*.

Aura

Ce prénom est la forme primitive d'Aurélie et d'Auriane.
• **Origine latine**, signifie « en or ».
• Caractère : **passion, émotivité, persévérance, exigence**.
• Variantes : *Aurélie, Auriane, Orane*.
• Breton : *Aureguenn*. Italien : *Ornelia, Ornella*.

Aurélie

Forme moderne d'Aura, qui connaît son apogée dans les années 1980.
• **Origine latine**, signifie « en or ».
• Caractère : **charme, combativité, volonté, ambition**.
• Autre orthographe : *Orélie*.
• Variantes : *Aurélia, Auréliane*.
• Breton : *Aourell*.

Auriane

Forme dérivée d'Aura aujourd'hui préférée à Aurélie.
• **Origine latine**, signifie « en or ».
• Caractère : **sensibilité, affectivité, sens des responsabilités, harmonie**.
• Italien : *Oriana*.

Aurore

Ce prénom lumineux a toujours été discret.
• **Origine latine**, signifie « aurore ».
• Caractère : **charme, affectivité, prudence, calme**.
• Arabe : *Sahar*. Italien : *Aurora*.

Austen

Ce diminutif d'Augustin est très en vogue aux États-Unis où il est devenu un prénom mixte.
• **Origine latine**, signifie « vénérable ».
• Caractère : **équilibre, ambition, charisme, sens de la justice**.

Ava

Ce prénom est la première forme originelle d'Ève. Il évolue très favorablement.

• **Origine hébraïque**, signifie « vivante ».
• Caractère : **affectivité, réserve, prudence, esthétisme.**
• Autre orthographe : *Hava.*
• Variantes : *Aviva, Ève.*

Auxane

Ce prénom mixte évolue favorablement.
• **Origine grecque**, signifie « hospitalière ».
• Caractère : **vivacité, énergie, communication, générosité.**

Avela

Cette forme bretonne féminine d'Abel est peu répandue.
• **Origine hébraïque**, signifie « ce qui passe ».
• Caractère : **énergie, travail, discrétion, intuition.**

Avelaine

Ce prénom rare est une autre forme bretonne d'Abel.
• **Origine hébraïque**, signifie « ce qui passe ».
• Caractère : **activité, rigueur, détermination, courage.**
• Variante : *Aveline.*

Axelle

Ce féminin d'Axel est une forme dérivée d'Absalom. Il figure au top 200 des prénoms féminins.
• **Origine hébraïque**, signifie « père de la paix ».
• Caractère : **enthousiasme, curiosité, émotivité, charisme.**

Aya

• **Origine japonaise**, signifie « beauté sauvage » ; **origine hébraïque**, signifie « vautour » ; **origine arabe**, signifie « vertu ».
• Caractère : **volonté, travail, rigueur, activité.**

Ayla

Ce prénom est celui d'une héroïne de la littérature américaine, femme de la préhistoire imaginée par Jean M. Auel. Il est aujourd'hui répandu aux États-Unis et continue sa progression en France.
• Caractère : **créativité, vivacité, communication, générosité.**

Aymone

Ce prénom est une forme occitane de Raymonde.
• **Origine germanique**, signifie « conseil » et « monde ».
• Caractère : **sociabilité, réserve, sensibilité, curiosité.**

Azélie

Variante de Solène.
• **D'origine latine**, qui signifie « solennel ».
• Caractère : **fiabilité, prudence, sérieux, réflexion.**
• Variantes : *Azélia, Zélia, Zélia.*

Azilis

Forme bretonne de Cécile.
• **Origine latine**, signifie « aveugle ».
• Caractère : **indépendance, exigence, autorité, goût du pouvoir.**

Aziza

• **Origine arabe**, signifie « aimée ».
• Caractère : **spiritualité, rêverie, altruisme, étude.**

Bahia

• **Origine arabe**, signifie « belle ».
• Caractère : **sens artistique, communication, activité, ténacité.**

Balbine

Ce prénom de l'Antiquité a presque disparu de l'état civil.
• **Origine latine**, signifie « bègue ».
• Caractère : **communication, originalité, adaptabilité, charisme.**
• Espagnol : *Balbina.*

Bao

• **Origine vietnamienne**, signifie « précieuse ».
• Caractère : **altruisme, intuition, réserve, droiture.**

Barbara

Ce prénom est une forme dérivée de Barbe, très en vogue aux États-Unis dans les années 1950.

• **Origine grecque**, signifie « barbare ».
• Caractère : **secret, curiosité, intimité, réserve**.
• Variantes : *Barbarella, Barbe, Barberine.*
• Anglo-saxon : *Babs, Barbara, Barbie.* Espagnol et italien : *Barbara.* Germanique : *Barbara, Barbel.*

Barbe

Ce prénom a eu quelques adeptes au XVIIIe *s. Il a presque disparu depuis.*
• **Origine grecque**, signifie « barbare ».
• Caractère : **énergie, autorité, réflexion, conscience professionnelle**.

Barberine

Ce prénom est, avec Barbara, l'une des formes modernes de Barbe.
• **Origine grecque**, signifie « barbare ».
• Caractère : **douceur, charme, affectivité, dévouement**.

Bathilde

Ce prénom du haut Moyen Âge est courant entre le Ve *et le* VIIIe *s.*
• **Origine germanique**, signifie « audacieux combat ».
• Caractère : **élégance, sensibilité, réserve, courage**.
• Variantes : *Balthilde, Bathille, Beaudour.*

Baucis

Ce prénom romanesque est la forme féminine de Baud, prénom aujourd'hui disparu. Il évoque l'héroïne de Philémon et Baucis, *d'Ovide, illustrant le couple idéal qui vit un parfait amour de l'adolescence à la vieillesse.*
• **Origine latine**, signifie « heureuse ».
• Caractère : **sensibilité, énergie, perfectionnisme, prudence**.

Béatrice

Ce joli prénom, dérivé de Béat, évoque la jeune fille qui est l'objet de la passion de Dante, écrivain florentin du XIIIe *s., et pour laquelle il compose des sonnets et des canzone.*
• **Origine latine**, signifie « heureuse ».
• Caractère : **psychologie, intuition, observation, réserve**.
• Anglo-saxon : *Beatrix, Battie, Trixie.* Breton : *Beatris.* Espagnol : *Beatriz.* Germanique : *Beatrix, Betrix, Trixie.* Italien : *Bea, Beatrice.*

Beaudour

Ce prénom médiéval rare est une forme dérivée de Bathilde.

• **Origine germanique**, signifie « audacieux combat ».

• Caractère : **affectivité, sensibilité, équilibre, harmonie.**

Bélinda

Forme dérivée de Béline.

• **Origine germanique**, du nom de Belinus, divinité d'Europe centrale.

• Caractère : **volonté, exigence, perfectionnisme, émotivité.**

Bella

Diminutif d'Isabelle, lui-même dérivé d'Élisabeth.

• **Origine hébraïque**, signifie « Dieu est plénitude ».

• Caractère : **vivacité, autorité, ténacité, courage.**

Bénédicte

Cette forme féminine de Benoît a connu son apogée dans les années 1970.

• **Origine latine**, signifie « bénie ».

• Caractère : **sensibilité, discrétion, affectivité, générosité.**

• Variante : *Benoîte.*

• Anglo-saxon : *Benedict.* Germanique : *Benedickt.* Italien : *Benedetta.*

Benjamine

Féminin de Benjamin, ce prénom peu courant évoque le plus jeune fils de Jacob et de Rachel.

• **Origine hébraïque**, signifie « fille de bon augure ».

• Caractère : **passion, ambition, vitalité, affectivité.**

• Italien : *Beniamina.*

Benoîte

Ce féminin de Benoît s'est raréfié pour laisser la place à Bénédicte.

• **Origine latine**, signifie « bénie ».

• Caractère : **esprit d'analyse, intuition, réserve, affectivité.**

• Breton : *Benigez, Benniga.* Italien : *Benita.*

Bérangère

Forme féminine de Béranger, ce prénom courant au Moyen Âge est devenu rare.

• **Origine germanique**, signifie « ourse » et « lance ».

• Caractère : **sociabilité, curiosité, indépendance, fantaisie.**

• Autre orthographe : *Bérengère.*

Bérénice

Ce prénom fut porté par plusieurs reines d'Égypte et par une princesse juive qui renonça à épouser l'empereur Titus pour ne pas déplaire

au peuple. Bérénice est aussi l'héroïne d'une tragédie de Racine. Son étymologie est la même que celle de Véronique.
• **Origine grecque**, signifie « porteuse de victoires ».
• Caractère : **prudence, réflexion, réserve, autorité**.
• Anglo-saxon : *Bernice*. Germanique : *Berenike*.

Bérétrude

Ce prénom du haut Moyen Âge fut porté par la deuxième femme de Clotaire II au VIe s.
• **Origine germanique**, signifie « illustre combat ».
• Caractère : **équilibre, réserve, sens de la justice, rigueur**.

Bernadette

Ce féminin de Bernard a eu ses adeptes au début du XXe s.
• **Origine germanique**, signifie « ours fort ».
• Caractère : **spontanéité, franchise, rigueur, exigence**.
• Variante : *Bernardine*.
• Espagnol : *Bernardita*. Germanique : *Bernharda*. Italien : *Bernardina*.

Berthe

Grand classique du XIXe s., Berthe est un prénom médiéval.
• **Origine germanique**, signifie « illustre ».
• Caractère : **prudence, éloquence, passion, exigence**.
• Variantes : *Bertrade, Bertrude*.
• Anglo-saxon : *Bertie*. Espagnol et italien : *Berta*. Germanique : *Bertha*.

Bertille

Ce prénom est favori en Scandinavie sous sa forme masculine.
• **Origine germanique**, signifie « illustre et habile ».
• Caractère : **générosité, esprit critique, émotivité, goût du pouvoir**.

Bertrade

L'une des formes féminines de Bertrand, très fréquente au Moyen Âge. Il est porté au VIIIe s. par la femme de Pépin le Bref, mère de Charlemagne, qu'un trouvère immortalisa sous le surnom de « Berthe au grand pied ».
• **Origine germanique**, signifie « illustre corbeau ».
• Caractère : **activité, volonté, indépendance, goût du pouvoir**.
• Variantes : *Bertrande, Bertrane*.

Béryl

Ce prénom traditionnellement féminin devient mixte.

- **Origine latine**, signifie « béryl », nom d'une famille de pierres précieuses de différentes couleurs (vertes, ce sont des émeraudes ; bleues, des aigues-marines ; jaunes, des héliodores ; roses, des morganites).
- Caractère : **générosité, charme, curiosité, diplomatie.**

Béthanie

Ce prénom évoque un village près de Jérusalem, où vécurent Marthe, Marie et Lazare. En vogue aux États-Unis sous la graphie Bethany.

- **Origine hébraïque**, signifie « humble demeure ».
- Caractère : **autorité, ambition, détermination, travail.**

Bethsabée

Ce prénom évoque la belle maîtresse du roi David, lequel envoya se faire tuer à la guerre le mari encombrant de sa bien-aimée afin de pouvoir l'épouser. Mère de Salomon, Bethsabée intrigua avec le prophète Nathan pour que son fils succède à David à la place de son fils aîné.

- **Origine hébraïque**, signifie « fille du serment ».
- Caractère : **prudence, exigence, réserve, émotivité.**
- Espagnol : *Betsabe*. Forme hébraïque : *Bathsheva.*

Béverly

Prénom exclusivement masculin pendant la première partie du XXe s. dans les pays anglo-saxons. Il se féminise en arrivant en France.

- **Origine anglaise**, signifie « la rivière aux castors ».
- Caractère : **ambition, équilibre, sens de la justice, harmonie.**

Bibiane

Forme originelle de Viviane.

- **Origine latine**, signifie « vivante ».
- Caractère : **douceur, féminité, énergie, exigence.**

Bienvenue

Féminin de Bienvenu, ce prénom n'est pas plus courant que lui.

- **Origine latine**, signifie « bienvenue ».
- Caractère : **sociabilité, charisme, générosité, écoute.**
- Italien : *Benvenuta.*

Blanche

Ce prénom évoque la reine Blanche de Castille, mère de Saint Louis,

régente à la mort de Louis VIII et pendant la septième croisade.
• **Origine latine**, signifie « blanche ».
• Caractère : **curiosité, vivacité, franchise, émotivité.**
• Breton : *Gwenn.* Espagnol : *Blanca.* Germanique : *Blanka.* Italien : *Bianca.*

Blancheflor

Forme médiévale de Blanche, ce prénom est empreint d'esprit chevaleresque. Il évoque la mère de Tristan, héros d'une légende celte du XIIIe s.
• **Origine latine**, signifie « fleur blanche ».
• Caractère : **douceur, affectivité, dévouement, stabilité.**
• Variante : *Blanchefleur.*

Blandine

Ce prénom doux est illustré par l'une de nos saintes les plus populaires.
• **Origine latine**, signifie « caressante ».
• Caractère : **réserve, prudence, réflexion, exigence.**
• Espagnol et germanique : *Blanda.* Italien : *Blandina.*

Bleuzenn

Ce prénom breton a la même signification que Blancheflor.
• **Origine celte**, signifie « fleur blanche ».
• Caractère : **générosité, charisme, fidélité, rêverie.**
• Variantes : *Bleuwenn, Blowen.*

Blichilde

Ce prénom est porté par la femme de Childéric II au VIIe s.
• **Origine germanique**, signifie « hardi combat ».
• Caractère : **autorité, goût du pouvoir, travail, rigueur.**

Bodil

• **Origine scandinave**, signifie « combattante »
• Caractère : **courage, volonté, ambition, persévérance.**

Boéciane

Féminin de Boèce, ce prénom évoque le poète latin qui a traduit de nombreux philosophes grecs.
• **Origine latine**, signifie « de Boétie ».
• Caractère : **générosité, rêverie, charisme, prudence.**
• Variante : *Boécia.*

Bonnie

Ce prénom n'est pas un diminutif, mais une forme écossaise du prénom français Bonne, assez fréquent au XVIIe s. et tombé depuis dans l'oubli. Bonnie se maintient aux États-Unis, puis réapparaît en France où elle progresse rapidement.

• **Origine latine**, signifie « bonne ».
• Caractère : **franchise, curiosité, passion, rapidité.**

Brenda

L'étymologie de ce prénom est très discutée ; certains évoquent une origine scandinave, d'autres une origine écossaise ; les plus nombreux assurent que ce prénom est la forme féminine de Brendan. Quoi qu'il en soit, il est courant dans les pays anglo-saxons.

• **Origine celte**, signifie « corbeau ».
• Caractère : **affectivité, calme, intuition, harmonie.**

Brianna

Ce féminin de Brian ou Bryan est en vogue aux États-Unis depuis plusieurs années. Il évolue favorablement en France.

• **Origine celte**, signifie « importance ».
• Caractère : **individualisme, curiosité, adaptabilité, goût de l'aventure.**

Brigitte

Un des symboles du catholicisme en Irlande et en Suède. Très en vogue dans les années 1950, il a presque disparu aujourd'hui.

• **Origine celte**, signifie « élevée ».
• Caractère : **douceur, générosité, émotivité, sensibilité.**

Les prénoms géographiques

La tendance, outre-Manche, est depuis peu aux prénoms géographiques. Il existait déjà Clyde, évocateur d'une rivière écossaise, et Kerry, du nom d'un comté en Irlande. Après Philadelphia et Brittany, voici Calédonia. Ce n'est pas une innovation : dans l'Antiquité, les prénoms Adrien, Boèce, Cyprien, et, un peu plus tard, Franck, soulignaient eux aussi l'origine de ceux qui les portaient. En France, les favoris sont Chine, Guyenne, Lorraine, Louisiane et Toscane.

• Anglo-saxon : *Bridget*. Breton : *Berc'hed, Berhed*. Espagnol : *Brigida*. Germanique : *Birgid*. Italien : *Birgitta, Brigida*. Provençal : *Bregido*.

Brittany

Ce prénom, apprécié aux États-Unis depuis les années 1990, fait une apparition remarquée à l'état civil français.

• **Origine anglaise**, signifie « originaire de (Grande-) Bretagne ».

• Caractère : **ambition, volonté, énergie, indépendance**.

Brivaëlle

Forme dérivée de Briac.

• **Origine celte**, signifie « estime » et « importance ».

• Caractère : **adaptabilité, indépendance, charme, curiosité**.

Brune

Qu'il soit le féminin de Bruno ou le diminutif de Brunehild, ce prénom a une étymologie germanique.

• **Origine germanique**, signifie « bouclier ».

• Caractère : **tradition, générosité, fidélité, sensibilité**.

Brunehaut

Ce prénom médiéval est illustré par la reine d'Austrasie, rivale de Frédégonde, avec laquelle elle engage une lutte sans merci.

• **Origine germanique**, signifie « bouclier de combat ».

• Caractère : **détermination, passion, énergie, travail**.

• Variante : *Brunehilde, Brynhild*.

• Espagnol : *Brunilda*.

Caitlen

Cette forme irlandaise de Catherine est l'un des prénoms féminins favoris outre-Manche.

• **Origine grecque**, signifie « pure ».

• Caractère : **indépendance, passion, travail, sociabilité**.

Calédonia

Ce prénom suit la vogue de Brittany dans les pays anglo-saxons.
• **Origine anglaise**, signifie « originaire d'Écosse ».
• Caractère : **ambition, énergie, détermination, travail.**

Calie

Diminutif de Calliope, ce prénom est en pleine expansion.
• **D'origine grecque**, signifie « qui a une belle voix ».
• Caractère : **sensibilité, rigueur, générosité, organisation.**
• Autre orthographe : *Callie.*

Calliope

Elle est, dans la mythologie grecque, la Muse de la poésie épique et de l'éloquence, fille de Zeus et de Mnémosyne, déesse de la Mémoire.
• **Origine grecque**, signifie « qui a une belle voix ».
• Caractère : **sociabilité, humour, éloquence, intuition.**
• Espagnol : *Caliope.* Grec : *Kalliopé.*
• Diminutifs : *Calie, Callie.*

Calliste

Callisto, dans la mythologie grecque, est une nymphe aimée de Zeus. Jalouse, Héra la change en ourse et la fait tuer par Artémis. Zeus en fait une constellation, la Grande Ourse.
• **Origine grecque**, signifie « la plus belle ».
• Caractère : **sociabilité, éloquence, sens artistique, sensibilité.**
• Variantes : *Callista, Callistine, Calixta, Calixte.*

Calypso

Nymphe de la mythologie grecque, Calypso, reine de l'île d'Ogygie, accueille Ulysse après son naufrage et le retient pendant sept années.
• **Origine grecque**, signifie « calice ».
• Caractère : **dynamisme, charme, éloquence, communication.**

Camélia

Après Capucine, voici Camélia au top 200 des prénoms féminins. Il continue de progresser.
• **Origine latine**, signifie « camélia ».
• Caractère : **harmonie, travail, sens de la justice, ambition.**

Camille

Ce prénom mixte est connu dès l'Antiquité. Il nomme les garçons et les filles qui, à Rome, assistent les prêtres, dans les cérémonies de sacrifice aux dieux païens. Il figure en bonne place au top 200 des prénoms.

• **Origine latine**, signifie « qui fait partie des Camillus ».
• Caractère : **sens des responsabilités, indépendance, réflexion, travail.**
• Anglo-saxon : *Camilla*. Espagnol : *Camila*. Germanique : *Kamill*. Italien : *Camilla*.

Candice

Dérivé de Candide, il figure au top 200 des prénoms féminins.

• **Origine latine**, signifie « blanche ».
• Caractère : **élégance, charme, sociabilité, charisme.**
• Diminutifs : *Candie, Candy*.
• Italien : *Candida*.

Cannelle

Après une brève apparition dans les années 1980, Cannelle a presque disparu.

• **Origine française** ; la cannelle est une substance aromatique extraite de l'écorce du cannelier.
• Caractère : **vivacité, indépendance, séduction, esprit de famille.**

Capucine

Au top 200 des prénoms féminins, il continue à progresser.

• **Origine italienne**, signifie « capucine ».
• Caractère : **passion, opiniâtreté, travail, émotivité.**

Carey

Prénom en vogue outre-Manche.

• **Origine galloise**, signifie « près du château ».
• Caractère : **réflexion, étude, réserve, travail.**

Carine

Ce dérivé de Catherine connaît le succès dans les années 1970.

• **Origine grecque**, signifie « pure ».
• Caractère : **courage, volonté, ambition, charme.**
• Autre orthographe : *Karine*.
• Anglo-saxon : *Karin*. Espagnol et italien : *Carina*.

Carla

Cette forme féminine espagnole et italienne de Charles est un prénom favori de ce début de siècle.
• **Origine germanique**, signifie « virile ».
• Caractère : **ambition, travail, discrétion, justice.**
• Germanique : *Carleen, Karla.*

Carma

• **Origine indienne**, signifie « destinée »
• Caractère : **créativité, émotivité, rêverie, originalité.**

Carmel

Ce prénom mixte est plus souvent féminin. Il évoque le mont Carmel au-dessus de Haïfa, en Israël, où, selon la Bible, le prophète Élie installe son ministère au IXe s. av. J.-C. L'ordre religieux des Carmes y est fondé au XIIe s.
• **Origine hébraïque**, signifie « verger ».
• Caractère : **émotivité, intuition, curiosité, goût de l'aventure.**
• Autre orthographe : *Carmelle.*
• Espagnol et italien : *Carmela.*

Carmen

Ce prénom est un des grands classiques espagnols. L'opéra de Bizet a contribué à sa renommée.
• **Origine latine**, signifie « chanson ».
• Caractère : **intuition, sensibilité, charme, vivacité.**
• Diminutif : *Carmencita.*
• Variantes : *Carmina, Carmine.*
• Italien : *Carmela, Carmina.*

Carole

Cette forme féminine de Charles a été à la mode dans les années 1950. Charlotte l'a supplantée.
• **Origine germanique**, signifie « virile ».
• Caractère : **charme, prudence, émotivité, générosité.**
• Espagnol : *Carola.*

Caroline

Classique entre 1970 et 1990, ce prénom, dérivé de Charles, a laissé la place à Charlotte, puis à Carla, qui ont la même étymologie.
• **Origine germanique**, signifie « virile ».
• Caractère : **éloquence, sensibilité, fiabilité, fidélité.**
• Espagnol et italien : *Carolina.* Russe : *Karolina.*

Casilde

- **Origine latine**, signifie « petite maison ».
- Caractère : **sensibilité, charme, générosité, sociabilité**.
- Espagnol : *Casilda*.

Cassandre

Ce prénom mythologique a connu le succès aux États-Unis, mais en France sa vogue a été de courte durée.

- **Origine grecque**, nom de Cassandra, héroïne de la mythologie.
- Caractère : **communication, franchise, charme, curiosité**.
- Variantes : *Cassie*, *Cassy*.
- Espagnol : *Casandra*.

Germanique : *Kassandra*. Italien : *Cassandra*.

Cassiane

Ce prénom est une des formes féminines de Cassien.

- **Origine latine**, signifie « de la famille Cassius », famille patricienne romaine du Ier s.
- Caractère : **réflexion, sensibilité, éloquence, sens de la justice**.
- Variantes : *Cassia*, *Cassienne*.

Cassie

Ce prénom est en vogue aux États-Unis et commence son ascension en France. Il peut avoir deux origines.

- **Origine grecque**, diminutif de Cassandre, prénom mythologique, ou **origine latine**, diminutif de Cassienne, féminin de Cassien, qui signifie « issu de la famille Cassius », noble famille patricienne de Rome dans l'Antiquité.

Jouer les Cassandres

Cette expression veut dire « faire des prédictions auxquelles personne ne croit ». En voici l'origine : Cassandre, dans la mythologie grecque, est la fille du roi Priam et de la reine Hécube. Apollon l'aime. Elle lui promet ses faveurs en échange du don de prophétie. Apollon accepte, mais la belle se refuse à lui. Par esprit de vengeance, Apollon décide que jamais plus Cassandre ne sera prise au sérieux. Lorsqu'elle annonce la prise prochaine de la ville de Troie... personne ne la croit. Après la bataille, elle est réduite en esclavage par Agamemnon, roi de Mycènes, qui la ramène dans son palais. La reine Clytemnestre, folle de jalousie, la tue.

• Caractère : **énergie, sociabilité, travail, assurance.**
• Variantes : *Cassia, Cassy.*

Catherine

Grand classique traditionnel depuis le XVe s., ce prénom a été illustré par des femmes de caractère et de talent : Catherine de Médicis, Catherine la Grande, tsarine de Russie, Katherine Mansfield, Catherine Deneuve... Ses formes étrangères ont pris la relève.
• **Origine grecque**, signifie « pure ».
• Caractère : **affectivité, imagination, intuition, fidélité.**
• Diminutifs : *Cathie, Cathy.*
• Variantes : *Carine, Karine.*
• Alsacien : *Cathel, Cathelle.* Anglo-saxon : *Kate, Katherine, Kathleen, Ketty, Kitty.* Breton : *Kathel.* Écossais : *Catriona.* Espagnol : *Catalina.* Germanique : *Katharina.* Irlandais : *Caitleen, Caitlin.* Italien : *Caterina.* Provençal : *Catarino, Catoun.* Russe : *Ekatarina, Katarina, Katia, Katinka.* Scandinave : *Karen.*

Catriona

Forme écossaise de Catherine qui remporte un grand succès outre-Manche.
• **Origine grecque**, signifie « pure ».
• Caractère : **générosité, rêverie, affectivité, charisme.**

Cécile

Elle a la vedette de 1970 à 1990.
• **Origine latine**, signifie « aveugle ».
• Caractère : **indépendance, exigence, autorité, ambition.**
• Variantes : *Cécilia, Célia, Célie.*
• Anglo-saxon : *Cecilia, Sheila, Sisley.* Breton : *Azilis.* Espagnol et italien : *Cecilia.* Occitan : *Céciliane.*

Céleste

Prénom mixte figurant au top 200 des prénoms féminins.
• **Origine latine**, signifie « céleste ».
• Caractère : **douceur, harmonie, sens des responsabilités, discrétion.**

Célestine

Ce féminin de Célestin est peu courant depuis le XIXe s.
• **Origine latine**, signifie « céleste ».
• Caractère : **douceur, calme, passion, exigence.**

Célia

Cette forme dérivée de Cécile remporte un franc succès depuis les années 1990. Il fait partie du top 200 des prénoms.

- **Origine latine**, signifie « aveugle ».
- Caractère : **éloquence, adaptabilité, sociabilité, optimisme**.

Célimène

Célimène, personnage de la comédie de Molière Le Misanthrope, *est une jeune femme belle, élégante, spirituelle et séductrice.*

- **Origine grecque**, signifie « lune ».
- Caractère : **charme, optimisme, vitalité, sensibilité**.

Céline

Céline fait une apparition discrète dans les années 1970.

- **Origine latine**, signifie « divine ».
- Caractère : **volonté, ambition, charisme, diplomatie**.
- Espagnol et italien : *Celine*.

Cerise

Après les fleurs, voici les fruits.

- **Origine française**, nom du fruit.
- Caractère : **indépendance, enthousiasme, curiosité, adaptabilité**.

Cesca

Ce diminutif de Francesca, est une des formes italiennes de Françoise.

- **Origine latine**, signifie « de France ».
- Caractère : **autorité, goût du pouvoir, travail, activité**.

Chaïma

Ce prénom fait partie du top 200 des prénoms féminins.

- **Origine arabe**, signifie « très belle ».
- Caractère : **énergie, dynamisme, autorité, charisme**.

Chanel

Ce prénom est né aux États-Unis dans les années 1990, en référence à Coco Chanel et à son parfum le plus célèbre, N° 5.

- **Origine française**, du nom de Gabrielle Chanel.
- Caractère : **travail, réserve, réflexion, prudence**.

Chani

- *Ce prénom moderne est très prisé en Israël aujourd'hui.*
- **Origine hébraïque**, signifie « fil écarlate ».
- Caractère : **franchise, équilibre, éloquence, esprit de justice**.

Quand un nom devient prénom...

Chanel deviendra peut-être dans quelques dizaines d'années un prénom aussi courant que Chantal. L'adoption d'un patronyme pour prénom n'est pas une innovation : Bruce est issu du nom de Robert de Bruis, chevalier français au XIe s., Chantal était le nom de famille de sainte Jeanne-Françoise de Chantal, au XVIe s., et, plus près de nous, Jean-Marie Vianney, au XIXe s., nous laissa son nom en héritage. Aujourd'hui, en Bretagne, Hilouri, du patronyme de saint Yves, commence à s'imposer.

Chantal

Grand favori des années 1950, ce prénom n'est plus à l'honneur. Inspiré du patronyme de sainte Jeanne-Françoise de Chantal.

• Caractère : **séduction, fantaisie, affectivité, indépendance**.

Charlie

Prénom mixte, il est en bonne place au top 200 des prénoms féminins et continue d'évoluer favorablement. Diminutif de Charlotte.

• **Origine germanique**, signifie « virile »

• Caractère : **ambition, volonté, autorité, ordre**.

• Autre orthographe : *Charly*.

Charline

Cette variante de Charlotte est au top 200 des prénoms féminins et il continue de progresser.

• **Origine germanique**, signifie « virile »

• Caractère : **volonté, autonomie, rigueur, réflexion**.

Charlotte

Ce féminin de Charles a battu les records de popularité dans les années 1990. Il est toujours en très bonne place au top 200.

• **Origine germanique**, signifie « virile ».

• Caractère : **affectivité, intuition, générosité, communication**.

• Variantes : *Arlène, Arlette, Carole, Caroline, Charlaine, Charlène, Charbelle, Charlette, Charline, Karelle.*

• Anglo-saxon : *Cheryl, Lotta, Lottie.* Espagnol : *Carlota.* Italien : *Carlotta.*

Chelsea

Apparu dans les années 1960 en Angleterre, il est dans la lignée des prénoms géographiques.
• **Origine anglaise**, signifie « près du port ».

Cheryl

Forme anglo-saxonne de Charlotte, ce prénom est aussi un patronyme courant.
• **Origine germanique**, signifie « virile ».
• Caractère : **affectivité, intuition, générosité, communication**.
• Autre orthographe : *Sheryl.*

Chiara

Forme italienne de Claire, il est au top 200 des prénoms féminins.
• **Origine latine**, signifie « claire ».
• Caractère : **stabilité, droiture, persévérance, travail**.

Chicca

Forme italienne de Frédérique.
• **Origine germanique**, signifie « paix du roi ».
• Caractère : **charisme, tradition, communication, générosité**.

Chine

Comme Louisiane ou Guyenne, Chine est de ces prénoms géographiques qui commencent à apparaître à l'état civil.
• **Origine française**, nom du pays.
• Caractère : **sensibilité, charme, curiosité**.

Chloé

Chloé est la déesse des Fleurs dans la mythologie grecque. À Athènes, en mai, non loin de l'Acropole, on célébrait son culte dans un temple qui lui était consacré. Ce prénom a pris la première place au hit-parade dans les années 1990, à la suite de Charlotte et de Camille. Il est toujours dans le peloton de tête des 200 prénoms favoris.
• **Origine grecque**, signifie « jeune pousse ».
• Caractère : **vivacité, activité, curiosité, spontanéité**.
• Espagnol : *Cloé.*

Christel

Cette forme dérivée de Christine a eu un modeste succès dans les années 1980.
• **Origine grecque**, signifie « messie ».

• Caractère : **volonté, rigueur, conscience professionnelle, fiabilité.**
• Autres orthographes : *Christèle, Christelle.*
• Variante : Christale.
• Breton : *Kristell.*

Christiane

Ce féminin de Christian a connu son apogée dans les années 1940.
• **Origine grecque**, signifie « messie ».
• Caractère : **fierté, indépendance, prudence, réflexion.**
• Italien : *Cristiana.*

Christine

Prénom de reine et de femmes de lettres, Christine est en vogue dès le Moyen Âge. Il atteint son apogée dans les années 1950.
• **Origine grecque**, signifie « messie ».
• Caractère : **distinction, sociabilité, générosité, sens des responsabilités.**
• Espagnol : *Cristina.* Italien : *Christina.* Russe : *Kristina.* Scandinave : *Christen.*

Ciara

Ce prénom est en pleine évolution.
• **Origine celte**, signifie « brune ».
• Caractère : **vivacité, activité, épicurisme, fantaisie.**
• Variante : *Kiara.*

Cinderella

Forme anglo-saxonne de Cendrillon, héroïne d'un conte de fées connu universellement. Elle voit le jour en 1697 sous la plume de Charles Perrault : enfant timide persécutée par sa marâtre, elle séduit le Prince charmant par sa grâce et sa beauté.
• Caractère : **opportunisme, diplomatie, sensibilité, communication.**

Cindy

Ce diminutif de Cynthia a connu un bref succès dans les années 1990.
• **Origine grecque**, signifie « du mont Cynthos ».
• Caractère : **réflexion, étude, réserve, volonté.**

Cinnamone

Elle est, dans la Bible, l'une des filles de Job.
• **Origine hébraïque**, signifie « fleur de cannelle ».
• Caractère : **générosité, fidélité, sensibilité, sens artistique.**

Circé

Dans la mythologie grecque, Circé, reine d'Aea, est une magicienne qui transforme en animal tout homme qui s'en approche. Lorsque Ulysse envoie ses hommes en reconnaissance dans l'île d'Aea, Circé les change en pourceaux. Ne les voyant pas revenir, Ulysse débarque à son tour ; il rencontre sur le rivage Hermès, sous l'apparence d'un jeune homme qui le met en garde contre les maléfices de Circé et lui propose une herbe pour le mettre à l'abri de ses artifices. Ulysse est reçu par Circé, qui lui fait boire un mystérieux breuvage... mais le charme n'opère pas. Impressionnée, Circé s'éprend de lui et accepte de rendre à l'équipage sa forme humaine. Elle est si généreuse que les hommes restent plus d'une année chez leur hôtesse avant de reprendre la mer.

• **Origine grecque**, du nom de Circea, divinité grecque.
• Caractère : **sociabilité, charme, vivacité, ambition**.

Claire

Ce prénom indémodable est actuellement à l'honneur avec sa forme italienne Clara et sa forme anglo-saxonne mixte Clarence.

• **Origine latine**, signifie « claire ».
• Caractère : **sens de l'observation, éloquence, intelligence, communication**.
• Variantes : *Clairemonde, Clarinde, Clarisse.*
• Anglo-saxon : *Clarence.* Espagnol : *Clara.* Italien : *Chiara.* Provençal : *Claroun.* Russe : *Klara.*

Clara

Cette forme espagnole de Claire remporte un franc succès depuis la fin du XXe s. Il fait partie du top 200 des prénoms féminins.

• **Origine latine**, signifie « claire ».
• Caractère : **courage, vitalité, franchise, dynamisme**.
• Variante : *Claramunda.*

Clarence

• **Origine latine**, signifie « claire ».
• Caractère : **volonté, méthode, persévérance, sérieux**.

Clarisse

Cette forme dérivée de Claire a toujours été discrète.

• **Origine latine**, signifie « claire ».
• Caractère : **autorité, énergie, curiosité, activité**.

Claude

Ce prénom mixte a toujours été plus souvent attribué aux garçons. Une exception remarquable : la reine Claude de France, épouse de François Ier.

• **Origine latine**, signifie « de la famille Claudius », illustre famille de la Rome antique.
• Caractère : **générosité, élégance, vivacité, autorité**.
• Variante : *Claudie*.
• Germanique et espagnol : *Claudia*.

Claudine

Forme féminine de Claude très en vogue dans les années 1950.

• **Origine latine**, signifie « de la famille Claudius », illustre famille de la Rome antique.
• Caractère : **charme, réflexion, prudence, communication**.

Cléa

Diminutif de Cloélia, francisé en Clélie. Il est apparu à l'état civil dans les années 2000, à la suite de Léa, et sa carrière est prometteuse.

• **Origine latine**, signifie « de la famille Cloelius ».
• Caractère : **charme, sérieux, sens des responsabilités, persévérance**.

Clélie

Forme francisée de Cloelia.

• **Origine latine**, signifie « de la famille Cloelius ».
• Caractère : **douceur, harmonie, sens des responsabilités, générosité**.
• Variantes : *Clélia, Cloelia*.

Clémence

Cette forme féminine de Clément fait partie du top 200.

• **Origine latine**, signifie « indulgente ».
• Caractère : **douceur, calme, générosité, prudence**.
• Espagnol : *Clemencia*.

Clémentine

Ce diminutif de Clémence fait partie du top 200.

• **Origine latine**, signifie « indulgente ».
• Caractère : **travail, fidélité, perfectionnisme, sociabilité**.
• Espagnol : *Clementina*.

Cléo

Diminutif de Cléopâtre, ce prénom évoque la fastueuse reine d'Égypte du Ier s. av. J.-C. Il fait concurrence à Clio, à la consonance proche.

• **Origine grecque**, signifie « célébration du père ».

• Caractère : **dynamisme, sens pratique, franchise, générosité.**

Cléophée

Prénom en pleine expansion.
• **Origine grecque**, signifie « qui célèbre ».
• Caractère : **calme, réserve, émotivité, communication.**

Clervie

• **Origine celte**, signifie « joyau ».
• Caractère : **idéalisme, travail, altruisme, détermination.**
• Variante : *Klervi.*

Clio

• **Origine grecque**, du nom de Kleiô, muse de la mythologie grecque.
• Caractère : **charme, vivacité, communication, vivacité.**

Cliona

Prénom de la déesse de la Beauté dans la mythologie irlandaise.
• **Origine celte**, signifie « glorieuse ».
• Caractère : **vivacité, ambition, courage, autorité.**

Cloélia

• **Origine latine**, signifie « de la famille Cloelius », illustre famille patricienne à Rome.
• Caractère : **énergie, optimisme, douceur, patience.**
• Variantes : *Clélie, Clélia.*

Clotilde

Ce prénom médiéval est en pleine expansion.
• **Origine germanique**, signifie « gloire » et « combat ».

Les Muses

Ces déesses de la mythologie grecque présidaient aux arts libéraux dans la Grèce antique :

- **Calliope : poésie épique, éloquence.**
- **Clio : histoire.**
- **Erato : élégie.**
- **Euterpe : musique.**
- **Melpomène : tragédie.**
- **Polymnie : poésie lyrique.**
- **Thalie : comédie.**
- **Terpsichore : danse.**
- **Uranie : astronomie.**

On retrouve certains de ces noms à l'état civil aujourd'hui : Clio et Thalie, en particulier.

• Caractère : **dévouement, écoute, prudence, énergie**.
• Autre orthographe : *Clothilde*.

Colette

Elle fait partie de la famille des nombreux dérivés de Nicolas.
• **Origine grecque**, signifie « victoire du peuple ».
• Caractère : **courage, ambition, opportunisme, travail**.
• Espagnol : *Coleta*.

Coline

Plus moderne que Colette, cet autre féminin de Nicolas est en vogue depuis la fin du XXe s. Il figure au top 200 des prénoms féminins.
• **Origine grecque**, signifie « victoire du peuple ».
• Caractère : **travail, prudence, persévérance, sensibilité**.

Colombe

Forme française du celte Colman.
• **Origine celte**, signifie « colombe ».
• Caractère : **vivacité, charme, fidélité, créativité**.
• Variantes : *Colombelle, Colombine*.
• Breton : *Koulma*. Espagnol : *Coloma, Paloma*.

Constance

Cette forme féminine de Constant est à l'honneur depuis le début de ce siècle. Elle figure au top 200 des prénoms féminins.
• **Origine latine**, signifie « persévérance ».
• Caractère : **harmonie, tradition, sens des responsabilités, générosité**.
• Espagnol : *Constancia*. Italien : *Costanza*.

Cora

Diminutif de Coralie, prénom dérivé de Corinne.
• **Origine grecque**, signifiant « jeune fille », en référence aux *koré*, statues de la Grèce antique.
• Caractère : **énergie, vivacité, indépendance, éloquence**.
• Variantes : *Coraline, Coralise*.

Coralie

• **Origine grecque**, signifie « jeune fille ».
• Caractère : **charme, sensibilité, prudence, discrétion**.
• Diminutif : *Cora*.
• Variantes : *Coraline, Coralise*.
• Espagnol : *Coralia*.

Cordélia

- **Origine grecque**, signifie « de Délos ».
- Caractère : **créativité, fantaisie, communication, rêverie.**
- Variante : *Déliane.*

Corentine

Ce prénom reste discret, même si son masculin est très en vogue depuis l'an 2000.

- **Origine celte**, signifie « ami ».
- Caractère : **affectivité, charme, ambition.**

Corinne

Ce prénom est issu du patronyme Korinna, poétesse grecque rivale de Pindare, au Ve s. av. J.-C.

- **Origine grecque**, signifie « jeune fille ».
- Caractère : **diplomatie, sensibilité, harmonie, patience.**
- Italien : *Corinna.*

Cornélie

Ce féminin de Corneille est courant dans l'Antiquité : l'épouse de Pompée et la fille de Scipion le portent déjà.

- **Origine latine**, signifie « corneille ».
- Caractère : **émotivité, idéalisme, exigence, prudence.**
- Variante : *Cornaline.*
- Espagnol et italien : *Cornelia.*

Cosima

Forme féminine de Côme, assez répandue dans les pays germaniques.

- **Origine grecque**, signifie « ordre ».
- Caractère : **charme, créativité, réserve, générosité.**
- Variante : *Cosmana.*

Courtney

Ce prénom mixte est en vogue dans les pays anglo-saxons.

- **Origine anglaise**, signifie « vallée profonde ».
- Caractère : **sensibilité, prudence, réserve, travail.**

Cunégonde

Ce prénom n'est plus guère usité.

- **Origine germanique**, signifie « hardi combat ».
- Caractère : **élégance, discrétion, prudence, réflexion.**
- Espagnol : *Cunégunda.*

Cydalise

Ce prénom un peu précieux, dérivé d'Élisabeth, est en vogue au XVIIIe s.

- **Origine hébraïque**, signifie « Dieu est plénitude ».
- Caractère : **élégance, sensibilité, ténacité, courage.**

Cynthia

Ce prénom mythologique qui évoque les dieux de l'Olympe est répandu dans les pays anglo-saxons.

• **Origine grecque**, signifie « du mont Cynthos ».

• Caractère : **ambition, courage, persévérance, volonté.**

• Variante : *Cindy.*

• Espagnol : *Cintia.* Germanique : *Cintha, Cinthia.* Italien : *Cinzia.*

Cylian

Ce prénom est composé de Cyrine et de Liliane.

• Caractère : **rigueur, loyauté, fidélité, réserve.**

• Variantes : *Cylia, Cyliana.*

Cypriane

Forme féminine de Cyprien.

• **Origine grecque**, signifie « originaire de Chypre ».

• Caractère : **sensibilité, créativité, douceur, prudence.**

• Variante : *Cyprienne.*

Cyrielle

Forme féminine de Cyril.

• **Origine grecque**, signifie « maître ».

• Caractère : **franchise, réalisme, autorité, volonté.**

• Russe : *Kyra, Kyriakê.*

Cyrine

• **Origine grecque**, signifie « maître ».

• Caractère : **réserve, émotivité, confiance, loyauté.**

Dagmar

Forme moderne de Dagomar, ce prénom royal est très répandu au Danemark.

• **Origine Scandinave**, signifie « gloire du dieu Dag », dieu de la Lumière.

• Caractère : **sensibilité, générosité, harmonie, sens des responsabilités.**

Dahud

Appelée aussi Ahès, Dahud est, dans la légende bretonne, la fille du roi Grallon de Cornouaille qui engloutit la cité d'Ys, au large de Douarnenez à la demande du diable travesti en soupirant.

• **Origine celte**, signifie « bonne magie ».
• Caractère : **curiosité, émotivité, adaptabilité, communication**.

Daliane

Sainte Fleur, religieuse dans le Quercy au XIVᵉ s., qui consacra sa vie à soigner les malades, est sa patronne.
• **Origine scandinave**, du nom de cette fleur. C'est un botaniste suédois, Anders Dhal, qui est à l'origine du nom du dahlia.
• Caractère : **efficacité, rigueur, persévérance, fierté**.

Dalila

Personnage biblique, Dalila évoque la beauté mais aussi la trahison. Le juge Samson, qui détient une force exceptionnelle, s'oppose aux Philistins qui oppriment les Israélites. Il tombe amoureux de Dalila, belle Philistine, qui est hélas vénale. Les Philistins lui ont promis la richesse si elle découvre le secret de la force de Samson. Elle le harcèle, et il avoue que sa force vient de sa chevelure. Pendant son sommeil, Dalila lui coupe les cheveux et appelle les Philistins qui s'emparent de Samson.
• **Origine hébraïque**, signifie « coquette ».
• Caractère : **discipline, méthode, opiniâtreté, courage**.
• Anglo-saxon : *Delilah*.

Damia

Forme féminine de Damien, ce prénom est rare.
• **Origine grecque**, du nom de Déméter, déesse romaine de la Terre et des Moissons.
• Caractère : **sérieux, stabilité, travail, réflexion**.
• Italien : *Damiana*.

Dana

L'étymologie de ce prénom est incertaine ; il pourrait s'agir du féminin du prénom biblique Dan ou, plus vraisemblablement, d'un prénom géographique signifiant « du Danemark ».
• Caractère : **diplomatie, opportunisme, émotivité, communication**.
• Variante : *Danaëlle*.

Danaé

Un oracle prédit au roi d'Argos qu'un jour le fils de sa fille Danaé le tuera ; inquiet, le roi enferme la jeune fille dans une tour de bronze afin de la protéger de ses soupirants. Mais Zeus rend visite à la belle sous la forme d'une pluie d'or… et Danaé

conçoit un fils, Persée. Furieux, le roi enferme sa fille et l'enfant dans un coffre et les jette à la mer, qui les dépose dans une île où ils sont recueillis par un pêcheur. Danaé est enlevée par le roi de l'île qui la séquestre pour la contraindre à l'épouser. Elle est délivrée par son fils, qui, de retour à Argos, tue accidentellement le roi... Danaé quitte la Grèce, se rend en Italie et y fonde une cité.
- **Origine grecque**, du nom de l'héroïne de la mythologie.
- Caractère : **passion, réserve, énergie, affectivité**.

Danièle

Grand classique des années 1950, ce prénom, féminin de Daniel, a presque disparu.
- **Origine hébraïque**, signifie « Dieu est juge ».
- Caractère : **communication, vivacité, franchise, énergie**.
- Autre orthographe : *Danielle*.
- Diminutifs : *Dani*, *Dany*.
- Espagnol : *Daniela*. Germanique : *Daleen*, *Danella*, *Danica*, *Danine*, *Danique*, *Danita*. Italien : *Daniela*, *Danila*.

Daphné

Daphné, héroïne de la mythologie grecque, est une nymphe chasseresse. Apollon s'étant moqué d'Éros, dieu de l'Amour, pour le punir, celui-ci lui décoche une flèche qui le fait soupirer pour la belle, et frappe Daphné d'une flèche qui la rend insensible aux soupirs de son prétendant... Apollon, fou de désir, poursuit Daphné à travers la forêt jusqu'au fleuve Pénée ; la nymphe prie si instamment le dieu du fleuve de la sauver qu'il la change en laurier. Apollon décore sa lyre et son carquois d'une branche de laurier en souvenir de l'aimée.
- **Origine grecque**, signifie « laurier ».
- Caractère : **raffinement, élégance, éloquence, vivacité, harmonie, réserve, prudence**.
- Anglo-saxon : *Daphne*. Espagnol, germanique et italien : *Dafne*.

Davina

Cette forme féminine de David est peu courante.
- **Origine hébraïque**, signifie « bien-aimée de Dieu ».
- Caractère : **sens des responsabilités, sensibilité, harmonie, équilibre**.
- Variante : *Davinia*.

Déborah

Prophétesse au XIIe s. av. J.-C., Deborah remercie Yahvé d'avoir donné la victoire à son peuple contre les Cananéens en composant un cantique, conservé dans la Bible.

• **Origine hébraïque**, signifie « abeille ».

• Caractère : **ambition, rapidité, opportunisme, sens des affaires**.

• Anglo-saxon : *Debbie, Debra*. Espagnol et italien : *Debora*.

Delphine

Prénom porté par le personnage d'un roman de Mme de Staël, au début du XIXe s.

• **Origine latine**, signifie « dauphin ».

• Caractère : **sensibilité, charisme, détermination, puissance de travail**.

• Variante : *Dauphine*.

• Espagnol et italien : *Delfina*.

Denise

Très en vogue au début du XXe s., ce prénom est aujourd'hui très rare.

• **Origine latine**, du nom de Dionysos, dieu de la Vigne et du Vin.

• Caractère : **altruisme, ambition, indépendance, persévérance**.

• Autre orthographe : *Denyse*.

Déotille

• **Origine latine**, signifie « pareille à Dieu ».

• Caractère : **méthode, travail, réflexion, rigueur**.

Désirée

Forme féminine de Désiré, ce prénom est porté, à la fin du XVIIIe s., par Désirée Clary, qui épouse le général Bernadotte et devient reine de Suède.

• **Origine latine**, signifie « désirée », « attendue ».

• Caractère : **courage, charisme, esprit d'analyse, volonté**.

• Italien : *Desideria*.

Diane

Le prénom star de la mythologie, évocateur de beauté et d'élégance, illustré à la Renaissance par Diane de Poitiers, favorite d'Henri II.

• **Origine latine**, du nom de Diana, déesse romaine de la Chasse et de la Nature.

• Caractère : **séduction, harmonie, sens artistique, communication**.

• Anglo-saxon, espagnol et italien : *Diana*.

Dinah

Elle est, dans la Bible, la fille de Jacob et de Léa.

• **Origine hébraïque**, signifie « la loi ».
• Caractère : **indépendance, volonté, franchise, fierté.**

Djamila

• **Origine arabe**, signifie « belle ».
• Caractère : **indépendance, curiosité, adaptabilité, sens de l'aventure.**

Dolorès

Ce grand classique espagnol est aujourd'hui plus courant sous ses diminutifs Lola et Lolita.

• **Origine latine**, signifie « douleur ».
• Caractère : **sensibilité, activité, sens des responsabilités, autorité.**
• Diminutifs : *Lola*, *Lolita*.

Dominique

Il est rare qu'un prénom soit mixte à parité ; c'est le cas de Dominique, qui, dans les années 1950, nommait aussi bien les garçons que les filles.

• **Origine latine**, signifie « maître ».
• Caractère : **charme, efficacité, détermination, indépendance.**
• Espagnol : *Dominga*. Italien : *Domenica*. Slave : *Doma*.

Domitille

Féminin de Domitien, ce prénom est discret.

• **Origine latine**, signifie « maison ».

Chic, chic, les prénoms classe

Voici, par ordre alphabétique, le top 25 pour petite fille modèle :

Agathe
Aliénor
Alix
Apolline
Blanche
Capucine
Céleste
Clémence
Clothilde
Colombe
Constance
Domitille
Eléonore
Garance
Hermine
Hortense
Isaure
Jeanne
Léopoldine
Marie
Ombeline
Philippine
Philomène
Sibylle
Sixtine
Violaine

• Caractère : **émotivité, idéalisme, exigence, générosité**.
• Espagnol : *Domicia*.

Donatella

Cette forme féminine de Donatien est italienne.
• **Origine latine**, signifie « donation ».
• Caractère : **communication, sens artistique, harmonie, charisme.**
• Hongrois : *Donka*.

Dora

Un diminutif de Théodora.
• **Origine grecque**, signifie « don de Dieu ».
• Caractère : **réalisme, imagination, indépendance, affectivité**.
• Variantes : *Doria*, *Doriane*.

Dorella

Forme moderne de Dorothée.
• **Origine grecque**, signifie « don de Dieu ».
• Caractère : **travail, rigueur, stabilité, ténacité**.

Doriane

Forme moderne de Théodora, en vogue depuis les années 1990.
• **Origine grecque**, signifie « don de Dieu ».
• Caractère : **ambition, autorité, énergie, rapidité**.
• Variante : *Dorienne*.

Dorine

Ce prénom évoque un personnage des comédies de Molière, servante pleine de santé et de bon sens.
• **Origine grecque**, signifie « don de Dieu ».
• Caractère : **réalisme, imagination, indépendance, affectivité**.

Doris

Elle est, dans la mythologie grecque, l'épouse de Nérée, dont elle a cinquante filles, appelées les Néréides.
• **Origine grecque**, signifie « don de Dieu ».
• Caractère : **énergie, courage, altruisme, passion**.

Dorothée

Forme féminine de Théodore.
• **Origine grecque**, signifie « don de Dieu ».
• Caractère : **réalisme, affectivité, imagination, indépendance**.
• Anglo-saxon : *Dodie*, *Dolly*, *Dorothy*. Espagnol : *Dorotheo*. Germanique : *Dorit*, *Dorothea*,

Dorte, Dorthe. Italien : *Dorotea*. Néerlandais : *Doortje*.

Dune

Ce prénom d'origine germanique est assez répandu en Espagne.

• **Origine germanique**, signifie « colline ».
• Caractère : **équilibre, sens de la justice, rigueur, ambition**.
• Espagnol : *Duna, Dunia*.

Dunvaël

• **Origine celte**, signifie « princesse de la vallée ».
• Caractère : **ambition, travail, persévérance, autorité**.

Éden

Apparu aux États-Unis à la fin du XXe s., ce prénom mixte à tendance féminine se place dans le top 200.

• **Origine hébraïque**, signifie « paradis ».
• Caractère : **énergie, activité, fierté, persévérance**.

Ederna

Ce prénom est le féminin d'Edern.

• **Origine galloise**, signifie « très grande ».
• Caractère : **autorité, tendresse, orgueil, exigence**.
• Diminutif : *Edernez*.

Édith

• **Origine germanique**, signifie « richesse » et « travail ».
• Caractère : **curiosité, vivacité, passion, impatience**.
• Diminutif : *Dita*.
• Espagnol : *Edita*. Italien : *Edda, Editta*.

Edmée

Elle est la forme féminine d'Edme.

• **Origine germanique**, signifie « richesse » et « protection ».
• Caractère : **autorité, vivacité, curiosité, indépendance**.
• Italien : *Edma*.

Edna

Ce féminin d'Éden est en vogue dans les pays anglo-saxons.

• **Origine hébraïque**, signifie « paradis ».

• Caractère : **affectivité, calme, générosité, loyauté.**

Edwige

• **Origine germanique**, signifie « richesse » et « combat ».
• Caractère : **énergie, autorité, charme, ambition.**
• Autre orthographe : *Hedwige.*
• Italien : *Edvige.*

Égéria

Dans la mythologie romaine, Égéria est une nymphe, déesse des Sources, censée conseiller Numa, roi légendaire de Rome, successeur de Romulus.
• **Origine latine**, du nom d'Egéria.
• Caractère : **passion, volonté, indépendance, puissance de travail.**

Églantine

Elle rejoint la ronde des prénoms fleuris, mais a moins de succès que Capucine.
• **Origine latine**, signifie « porteuse d'épines ».
• Caractère : **charme, sensibilité, harmonie, douceur**.
• Italien : *Eglantina.*

Élaia

Originaire de Bizcaye, au Pays basque, ce prénom symbolise le printemps. Il progresse dans l'ensemble de l'Hexagone.
• **Origine basque**, signifie « hirondelle ».
• Caractère : **vivacité, émotivité, sens artistique, générosité.**
• Variantes : *Ainara, Enarra.*

Le jardin des prénoms

Rose et Marguerite ont fleuri les premières à l'état civil. Marguerite avait la primeur dès le Moyen Âge, et s'est épanouie au début du XXe s. Rose a connu son apogée au même moment. Au jardin des prénoms ont poussé ensuite Églantine, Capucine, Anémone, Fleur, Amarillys, Adamante, Dahlia, sans oublier Hazel et Holly, de l'autre côté de la Manche... Voici maintenant Althéa et Chloé.
Du côté des garçons, Yves et Olivier sont, pour l'instant, les seuls représentants notoires du règne végétal.

Éléa

Les années 2000 ont vu surgir ce prénom, qui figure aujourd'hui dans le top 200.

• **Origine hébraïque**, variante de Léa (« vache sauvage »), ou **origine grecque,** dérivé d'Hélène (« éclat du soleil »).

• Caractère : **adaptabilité, curiosité, indépendance, épicurisme**.

Éléana

Cette forme italienne d'Hélène est en pleine évolution.

• **Origine grecque**, signifie « éclat du soleil ».

• Caractère : **affectivité, fiabilité, sociabilité, générosité**.

• Diminutif : *Léana*.

Électre

Dans la mythologie, elle est la fille d'Agamemnon et de Clytemnestre ; pour venger son père, elle persuade son frère Oreste de tuer sa mère et son amant Égisthe. Eschyle, Sophocle, Euripide, puis Jean Giraudoux, entre autres, en ont fait le thème d'une de leurs œuvres.

• Caractère : **adaptabilité, goût de l'aventure et des voyages, indépendance**.

• Italien : *Elettra*.

Éléna

Basque, espagnol, italien et roumain, ce prénom succède au classique Hélène. Il figure au top 200 des prénoms féminins.

• **Origine grecque**, signifie « éclat du soleil ».

• Caractère : **activité, indépendance, volonté, opportunisme**.

• Diminutif : *Léna*.

Éléonore

Médiévale, Éléonore revient au goût du jour après une éclipse de plusieurs siècles. Elle se place en bonne position au top 200.

• **Origine grecque**, signifie « compassion ».

• Caractère : **ambition, esprit d'entreprise, détermination, courage**.

• Variantes : *Ellenore, Élinor, Léonor, Noriane*.

• Breton : *Aanor, Aenor*. Espagnol : *Eleonor*. Italien : *Eleonora*. Occitan : *Alienor*.

Elfie

Forme moderne et élégante d'un très vieux prénom germanique, Elfléda.
Il est en pleine croissance.

• **Origine germanique**, signifie « noble paix ».

• Caractère : **indépendance, énergie, vivacité, sens pratique.**
• Autre orthographe : *Elfy*.

Éliane

Il a surpassé Éliette dans la famille des formes féminines d'Élie. Sa variante Éliana progresse aujourd'hui très vite.
• **Origine hébraïque**, signifie « mon maître est Dieu ».
• Caractère : **activité, réflexion, rigueur, détermination.**
• Variantes : *Élia, Éliana*.

Élianor

Variante d'Aliénor, lui-même dérivé d'Éléonore.
• **Origine grecque**, signifie « compassion ».
• Caractère : **autonomie, passion, sensibilité, franchise.**

Éliette

Forme féminine rare d'Élie.
• **Origine hébraïque**, signifie « mon maître est Dieu ».
• Caractère : **sensibilité, réserve, persévérance, volonté.**

Élina

Variante d'Hélène, elle concurrence Éléna, Léna et Ilona. Comme sa variante Éline, elle se place au top 200 des prénoms féminins.
• **Origine grecque**, signifie « éclat du soleil ».
• Caractère : **dynamisme, curiosité, autorité, indépendance.**
• Diminutif : *Lina*.
• Variante : *Éline*.

Éliora

Ce prénom jusqu'alors peu connu progresse très vite.
• **Origine hébraïque**, signifie « Dieu est ma lumière ».
• Caractère : **dynamisme, méthode, activité, exigence.**
• Diminutifs : *Liora, Lior*.

Élisa

Dans le peloton de tête du top 200 des prénoms féminins.
• **Origine hébraïque**, diminutif d'Élisabeth, qui signifie « Dieu est plénitude ».
• Caractère : **énergie, ambition, autorité, travail.**
• Diminutif : *Lisa*.

Élisabeth

Le succès de ce prénom date du Moyen Âge. Il a traversé les siècles sans prendre une ride, jamais favori, mais jamais oublié. Ses multiples formes dérivées ont connu, chacune à leur tour, la faveur des parents.

• **Origine hébraïque**, signifie « Dieu est plénitude ».

• Caractère : **élégance, sensibilité, ténacité, courage**.

• Diminutifs : *Babette, Lili, Lily, Sissi*.

• Forme originelle : *Elishéva*.

• Anglo-saxon : *Elizabeth, Bessie, Beth, Betsey, Betsy, Betsie, Betty, Lillibet, Lilly, Lisbeth, Liza, Lizzie*. Breton : *Eliboubann, Liboubann*. Espagnol : *Elisabet*. Germanique : *Elisabet, Eilis, Ella, Elsbet, Lies, Liese, Liesel, Lisl, Lissy, Lysje*. Italien : *Elisabetta, Bettina*.

Élise

Ce prénom est en tête du top 200 des prénoms féminins.

• **Origine hébraïque**, signifie « Dieu est plénitude ».

• Caractère : **indépendance, autorité, passion, épicurisme**.

• Variantes : *Élisa, Élisane*.

Éliselore

Forme composée d'Élisabeth et d'Éléonore.

• Caractère : **ambition, énergie, travail, rigueur**.

Ella

Forme anglo-américaine d'Hélène.

• **Origine grecque**, signifie « éclat du soleil ».

• Caractère : **sociabilité, charisme, générosité, réalisme**.

Ellie

Autre forme anglo-américaine d'Hélène, ce prénom progresse vite.

• **D'origine grecque**, signifie « éclat du soleil ».

• Caractère : **rigueur, fidélité, travail, discrétion**.

• Variante : *Elly*.

Elma

• **Origine germanique**, signifie « casque ».

• Caractère : **vivacité, énergie, opiniâtreté, curiosité**.

Eloa

Diminutif féminin d'Elouan, ce prénom progresse très vite.

• **D'origine celte**, signifie « lumière ».

• Caractère : **sagesse, sérieux, intuition, réflexion.**

Eloane

Au top 200 des prénoms féminins, cette forme féminine d'Elouan progresse toujours.
• **D'origine celte**, signifie « lumière ».
• Caractère : **étude, discrétion, sérieux, persévérance.**
• Variante : *Eloana, Elouane.*
• Diminutif : *Loane.*

Élodie

• **Origine latine**, signifie « propriété ».
• Caractère : **secret, dynamisme, adaptabilité, indépendance.**
• Variante : *Alodie.*

Éloïse

Forme médiévale de Louise, illustrée par le récit, au XIIe s., des amours d'Héloïse et Abélard, dont la passion survécut à toutes les épreuves.
• **Origine germanique**, signifie « glorieux vainqueur ».
• Caractère : **éloquence, indépendance, énergie, vivacité.**
• Autre orthographe : *Héloïse.*
• Variantes : *Aloïse, Aloyse.*
• Espagnol : *Eloisa.*

Élona

Ce prénom biblique, masculin à l'origine, est aujourd'hui exclusivement féminin.
• **Origine hébraïque**, signifie « chêne ».
• Caractère : **indépendance, diplomatie, adaptabilité, sociabilité.**

Elsa

Ce diminutif d'Élisabeth est illustré par le poème Les Yeux d'Elsa, *écrit pour Elsa Triolet par Louis Aragon. Il est en bonne place dans le top 200 des prénoms féminins.*
• **Origine hébraïque**, signifie « Dieu est plénitude ».
• Caractère : **réserve, exigence, autorité, rigueur.**
• Variante : *Elsie.*

Elvire

• **Origine germanique**, signifie « noble gardien ».
• Caractère : **courage, opiniâtreté, susceptibilité, ambition.**
• Espagnol : *Elvira.*

Elya

Variante d'Éliane en progression.
• **Origine hébraïque**, signifie « le Seigneur est mon Dieu ».

• Caractère : **affectivité, réserve, étude, sens artistique.**

Élyne

Ce prénom est une des nombreuses variantes d'Hélène.
• **Origine grecque**, signifie « éclat du soleil ».
• Caractère : **énergie, réflexion, travail, communication.**
• Variante : *Éline, Élina, Élyna.*

Émeline

Dans le top 200 des prénoms féminins.
• **Origine germanique**, signifie « émule ».
• Caractère : **sensibilité, intuition, discrétion, sérieux.**

Émilie

Féminin d'Émile, ce prénom a connu son heure de gloire dans les années 1980. Il se maintient dans le top 200 des prénoms féminins.
• **Origine latine**, signifie « travailleuse ».
• Caractère : **courage, énergie, volonté, fidélité.**
• Anglo-saxon : *Emily.* Espagnol et italien : *Emilia.*

Emma

Un favori en France depuis 2010, dans le peloton de tête du top 200.
• **Origine germanique**, signifie « puissante ».
• Caractère : **volonté, activité, travail, autonomie.**

Emmanuelle

Ce prénom a occupé le hit-parade dans les années 1980.
• **Origine hébraïque**, signifie « Dieu est avec nous ».
• Caractère : **indépendance, activité, émotivité, générosité.**
• Variante : *Manuelle.*
• Espagnol : *Emanuela, Manola, Manolita.* Italien : *Emanuela, Manuela, Manuelita.*

Emmy

Ce dérivé anglo-américain d'Emma prolonge le succès de ce prénom.
• **Origine germanique**, signifie « puissante ».
• Caractère : **énergie, passion, vivacité, sensibilité.**
• Variante : *Emmie.*

Endora

Forme dérivée d'Eudora, fille d'Océan et de Téthys dans la mythologie.

• **Origine grecque**, signifie « bon cadeau »
• Caractère : **communication, optimisme, adaptabilité, activité**.

Énéa

Forme féminine d'Énée, prénom tiré de la mythologie.
• **Origine grecque**, d'Aeneas, prince troyen, héros de *L'Énéide*, poème de Virgile.
• Caractère : **curiosité, goût de l'aventure, perfectionnisme, étude**.

Enola

Ce prénom tout récent n'a pas d'étymologie connue ; il est sans doute composé d'Ilona, forme hongroise d'Hélène, et d'Enora, forme bretonne d'Honorine. Il figure dans le top 200 des prénoms féminins.
• Caractère : **souplesse, adaptabilité, esprit de conciliation, sociabilité**.

Enora

Il figure dans le top 200 des prénoms féminins.
• **Origine celte**, signifie « honneur ».
• Caractère : **énergie, indépendance, vivacité, curiosité**.

Erell

Ce prénom très ancien réapparaît après plusieurs siècles d'oubli.
• **Origine celte**, signifie « lien ».
• Caractère : **réflexion, réserve, étude, spiritualité**.

Erin

Ce prénom géographique est très en vogue dans les pays anglo-saxons, comme Brittany.
• **Origine irlandaise**, du nom de l'Irlande.
• Caractère : **ambition, indépendance, énergie, activité**.

Ermelinde

• **Origine germanique**, signifie « doux honneur ».
• Caractère : **émotivité, sensibilité, réserve, idéalisme**.
• Variante : *Ermeline*.

Ermengarde

• **Origine germanique**, signifie « demeure d'Irmin », dieu franc.
• Caractère : **élégance, exigence, esprit critique, humour**.

Ernestine

Féminin d'Ernest en vogue au XIXe s.
• **Origine germanique**, signifie « sérieuse ».

• Caractère : **sérieux, volonté, travail, exigence.**

Esma

• **Origine arabe**, signifie « céleste ».
• Caractère : **sociabilité, équilibre, franchise, justice.**
• Variante : *Esmée.*

Esmeralda

Sans doute le personnage le plus connu de l'œuvre de Victor Hugo.
• **Origine grecque**, signifie « émeraude ».
• Caractère : **vivacité, charme, optimisme, persuasion.**
• Variante : *Smaragde.*

Esperanza

Ce prénom, courant en Espagne, est, d'après la légende, celui de l'une des filles de sainte Sophie.
• **Origine espagnole**, signifie « espérance ».
• Caractère : **sensibilité, curiosité, séduction, optimisme.**
• Italien : *Speranza.*

Estelle

• **Origine latine**, signifie « étoile ».
• Caractère : **douceur, charme, générosité, art de vivre.**
• Anglo-saxon : *Stella.* Breton : *Sterenn.* Espagnol : *Estela.*

Esther

Ce prénom biblique est chargé de traditions. Esther, nièce de Mardochée, un sage vieillard, épouse le roi de Perse Assuérus sans lui révéler ses origines juives, et obtient la grâce des juifs menacés d'extermination par le vizir. La fête de Pourim (le 14e jour du mois de mars) commémore ce jour de grâce. Le Livre d'Esther, *la Méguilah, est l'un des plus beaux récits de l'Ancien Testament.*
• **Origine hébraïque**, signifie « je cacherai ».
• Caractère : **curiosité, rapidité, communication, sens pratique.**
• Italien : *Ester.*

Ethel

Cette forme anglo-saxonne d'Adèle est très prisée aux États-Unis.
• **Origine germanique**, signifie « noble ».
• Caractère : **charme, énergie, indépendance, autorité.**

Ethelred

Ce prénom médiéval est actuellement oublié.
• **Origine germanique**, signifie « noble gloire ».
• Caractère : **réserve, charme, volonté, travail.**

• Variantes : *Audrey, Etheldred, Etheldreda, Ethelhead.*

Eudeline

Ce prénom médiéval est le féminin d'Eudes.

• **Origine germanique**, signifie « richesse ».

• Caractère : **altruisme, affectivité, harmonie, fantaisie.**

Eudoxie

Ce prénom a été porté par une tsarine de Russie.

• **Origine grecque**, signifie « bonne doctrine ».

• Caractère : **autorité, affectivité, susceptibilité, fidélité.**

• Espagnol : *Eudoxia.*

Eugénie

*En vogue au XIX*e *s., ce prénom est illustré par l'impératrice Eugénie, femme de Napoléon III.*

• **Origine grecque**, signifie « bien née ».

• Caractère : **élégance, vivacité, optimisme, fantaisie.**

• Espagnol et italien : *Eugenia.*

Eulalie

• **Origine grecque**, signifie « bonne parole ».

• Caractère : **calme, émotivité, fantaisie, douceur.**

• Diminutifs : *Lalia, Lalie.*

• Espagnol et italien : *Eulalia.*

Euphrasie

• **Origine grecque**, signifie « belle élocution ».

• Caractère : **idéalisme, imagination, vivacité, calme.**

• Espagnol : *Eufrasia.*

Euphrosine

• **Origine grecque**, signifie « bel esprit ».

• Caractère : **réserve, émotivité, susceptibilité, prudence.**

• Espagnol : *Eufrosina.*

Éva

Forme latine et scandinave d'Ève, Éva dépasse Ève depuis les années 1990. Elle figure dans le peloton de tête du top 200. Sainte Ève est sa patronne.

• **Origine hébraïque**, signifie « vivante ».

• Caractère : **autorité, énergie, réflexion, activité.**

• Variantes : *Ava, Hawa.*

Évaëlle

Cette forme bretonne d'Ève apparaît à la fin du XXe s.

- **Origine hébraïque**, signifie « vivante ».
- Caractère : **réflexion, intuition, adaptabilité, indépendance.**

Évangeline

Ce prénom est un hymne à l'Évangile.

- **Origine grecque**, signifie « bonne nouvelle ».
- Caractère : **curiosité, vivacité, indépendance, opportunisme.**
- Variante : *Évangélista.*
- Espagnol : *Evangelina.*

Ève

Nos aïeux ont bonne presse ; le succès d'Ève accompagne celui d'Adam.

- **Origine hébraïque**, signifie « vivante ».
- Caractère : **indépendance, volonté, opportunisme, goût du pouvoir.**
- Forme biblique : *Hawa.*
- Variantes : *Éva, Évelyne, Evie, Maeve.*
- Arabe : *Haoua.* Espagnol, italien et scandinave : *Eva.*

Évelyne

Cette forme dérivée d'Ève est en vogue dans les années 1950.

- **Origine hébraïque**, signifie « vivante ».
- Caractère : **réflexion, discrétion, prudence, patience.**

Fabienne

Ce prénom est le féminin de Fabien.

- **Origine latine**, signifie « issue des Fabius », illustre famille romaine du Ier s.
- Caractère : **affectivité, sensibilité, charme, intuition.**

Fabiola

Forme espagnole de Fabienne.

- **Origine latine**, signifie « issue des Fabius », illustre famille romaine du Ier s.
- Caractère : **ambition, rigueur, travail, autorité.**

Fanchon

Ce prénom est un diminutif de Françoise.

- **Origine latine**, signifie « de France ».
- Caractère : **réserve, élitisme, intuition, émotivité**.

Fanny

Diminutif de Frances, forme anglaise de Françoise. Ce prénom connut d'abord un grand succès en Angleterre au XIXe s. avant d'atteindre la France. Il figure au top 200 des prénoms féminins.

- **Origine latine**, signifie « de France ».
- Caractère : **sensibilité, harmonie, diplomatie, générosité**.
- Diminutif : *Fannette*.

Fantine

Elle évoque un des personnages féminins du roman Les Misérables *de Victor Hugo.*

- **Origine latine**, signifie « enfant ».
- Caractère : **douceur, altruisme, générosité, prudence**.

Fatima

Ce prénom est celui de la quatrième fille du Prophète, épouse d'Ali.

- **Origine arabe**, signifie « petite chamelle ».
- Caractère : **indépendance, adaptabilité, goût de l'aventure, charisme**.

Faustine

Ce prénom a été illustré, dans l'Antiquité, par deux impératrices romaines, Faustine l'Ancienne, épouse d'Antonin le Pieux, et Faustine la Jeune, épouse de Marc Aurèle. Il figure au top 200 et sa croissance s'accélère.

- **Origine latine**, signifie « fortunée ».
- Caractère : **curiosité, intuition, vivacité, adaptabilité**.
- Italien : *Fausta, Faustina*.

Faye

Cette forme anglaise de Foy est très en vogue dans les pays anglo-saxons.

- **Origine latine**, signifie « foi ».
- Caractère : **charme, séduction, détermination, ambition**.
- Variante : *Faith*.
- Espagnol : *Fe*. Italien : *Fede*.

Fédora

Diminutif de Théodora.

- **Origine grecque**, signifie « don de Dieu ».
- Caractère : **travail, rigueur, sens de l'organisation, stabilité**.
- Variantes : *Féodora, Fjodora*.

Félicie

Féminin de Félix, ce prénom revient au goût du jour.

- **Origine latine**, signifie « heureuse ».
- Caractère : **réserve, prudence, sensibilité, générosité**.
- Italien : *Felicia*.

Félicité

Ce prénom est une seconde forme féminine de Félix.

- **Origine latine**, signifie « heureuse ».
- Caractère : **sensibilité, diplomatie, générosité, calme**.
- Anglo-saxon : *Felicity*. Espagnol : *Felicidad*. Germanique : *Félicitas*. Italien : *Felicita*.

Fénella

- **Origine celte**, signifie « jeune fille aux épaules blanches ».
- Caractère : **autorité, ambition, travail, persévérance**.
- Variantes : *Finella, Fionnula*.

Fernande

Ce féminin de Fernand est peu répandu.

- **Origine germanique**, signifie « qui ose la paix ».
- Caractère : **émotivité, prudence, sociabilité, sensibilité**.
- Espagnol, italien et portugais : *Fernanda*.

Fiona

Ce prénom est particulièrement courant en Écosse.

- **Origine gaélique**, signifie « blonde ».
- Caractère : **réserve, idéalisme, rêverie, curiosité**.

Flammen

- **Origine celte**, signifie « qui a de l'éclat ».
- Caractère : **réflexion, étude, travail, réserve**.
- Variante : *Flammig*.

Flavie

La dynastie des Flavius gouverna l'Empire romain de 69 à 96 avec Vespasien, Titus et Domitien. Saint Flavien, diacre à Carthage au III*e s., meurt en martyr pour avoir refusé de renier sa foi.*

- **Origine latine**, signifie « blonde ».
- Caractère : **élégance, détermination, ambition, perfectionnisme**.
- Anglo-saxon, espagnol et italien : *Flavia*.

Fleur

Elle est la forme francisée de Flore.
• **Origine latine**, signifie « fleur ».
• Caractère : **passion, activité, ambition, franchise.**
• Variantes : *Fleurestine, Florestine, Fleurimonde, Florimonde.*

Flora

Déesse des Fleurs et des Jardins à Rome, elle avait un temple sur le Quirinal et était célébrée au mois de mai, pendant des fêtes appelées « floralies ». Flora figure au top 200 des prénoms féminins.
• **Origine latine**, signifie « fleur ».
• Caractère : **altruisme, générosité, idéalisme, énergie.**
• Variantes : *Fleur, Flore, Florelle, Floraine, Florie, Floriane, Florinde, Florine.*
• Espagnol : *Flor, Florinda.*

Florelle

Ce prénom mélodieux est une variante de Flore.
• **Origine latine**, signifie « fleur ».
• Caractère : **sens des responsabilités, affectivité, générosité, tradition.**
• Italien : *Florella.*

Florence

Ce prénom fait partie des classiques discrets, toujours présents à l'état civil sans se faire remarquer.
• **Origine latine**, signifie « florissante ».
• Caractère : **sensibilité, ambition, harmonie, indépendance.**
• Variantes : *Florange, Florentine.*
• Espagnol : *Florencia.* Italien : *Fiorenza.*

Floriane

Ce prénom est moins répandu que son masculin Florian.
• **Origine latine**, signifie « fleurie ».
• Caractère : **autorité, ambition, rapidité, énergie.**
• Italien : *Floriana.*

Florie

Cette forme dérivée de Flore était courante au Moyen Âge.
• **Origine latine**, signifie « fleur ».
• Caractère : **imagination, intuition, fantaisie, affectivité.**

Florine

Cette forme dérivée de Flore revient en vogue.
• **Origine latine**, signifie « fleur ».
• Caractère : **réserve, réflexion, intuition, sociabilité.**

Fortunée

Ce prénom est aussi rare que son masculin Fortunat.

• **Origine latine**, signifie « chance ».
• Caractère : **sensibilité, curiosité, épicurisme, diplomatie**.
• Espagnol : *Fortunata*.

France

Une forme assez rare de Françoise.

• **Origine latine**, signifie « de France ».
• Caractère : **réserve, passion, exigence, intuition**.
• Germanique : *Franka*. Italien : *Franca*.

Francine

Cette forme dérivée de Françoise a connu le succès dans les années 1950.

• **Origine latine**, signifie « Franc », nom qui désignait le peuple français du VIe au IXe s.
• Caractère : **réserve, autorité, exigence, goût du pouvoir**.
• Espagnol : *Francina*.

Françoise

Ce prénom est l'une des vedettes du XVIe s., puis des années 1950.

• **Origine latine**, signifie « Franc », nom du peuple français entre le VIe et le IXe s.
• Caractère : **douceur, calme, altruisme, sociabilité**.
• Variantes : *Fanchon, France, Francine*.
• Anglo-saxon : *Frances*. Breton : *Franceza, Soazic, Soizic*. Espagnol : *Francisca, Paquita*. Germanique : *Franciska*. Italien : *Francesca, Cesca*. Provençal : *Franceso*. Slave : *Franeka, Franja*.

Frédégonde

Frédégonde devient reine de Neustrie, au VIe s., en épousant Chilpéric Ier dont elle a fait étrangler la première femme, Galswinthe. Brunehaut, sœur de Galswinthe, reine d'Austrasie, femme de Sigebert, intelligente et énergique, engage une lutte sans merci contre la meurtrière. Frédégonde fait assassiner Sigebert. Clotaire II, fils de Frédégonde, capture Brunehaut et la fait périr.

• **Origine germanique**, signifie « paix du monde ».
• Caractère : **curiosité, sociabilité, émotivité, adaptabilité**.
• Variante : *Frédérune*.

Frédérique

Cette forme féminine de Frédéric connaît son apogée dans les années 1960.

• **Origine germanique**, signifie « paix du roi ».
• Caractère : **charisme, tradition, communication, générosité**.
• Espagnol : *Federica*.
Germaniques : *Frederika, Frida, Friederike, Frika, Rika*. Italiens : *Federica, Chicca*.

Freya

Prénom issu de la mythologie scandinave, ce prénom est très apprécié en Suède.

• **Origine scandinave**, signifie « noble dame ».
• Caractère : **ambition, courage, détermination, énergie**.

Frida

L'une des formes germaniques de Frédérique, très courante outre-Rhin.

• **Origine germanique**, signifie « paix du roi ».
• Caractère : **volonté, indépendance, autorité, activité**.
• Variante : *Frieda*.

Gabrielle

Forme féminine de Gabriel, ce joli prénom revient en vogue depuis les années 1990. Il est au top 200 des prénoms féminins.

• **Origine hébraïque**, signifie « ma force est en Dieu ».
• Caractère : **énergie, exigence, esprit d'entreprise, sens de l'organisation**.
• Espagnol : *Gabriela*. Italien : *Gabriella*.
• Diminutif : *Gaby*.

Gaëlle

Elle est le féminin de Gaël.

• **Origine celte**, signifie « généreux seigneur ».
• Caractère : **affectivité, sens artistique, imagination, raffinement**.
• Variante : *Gaëla*.

Gaïa

Gaïa, dans la mythologie grecque, est la première créature issue du chaos originel ; elle est la mère du ciel, des eaux et des montagnes. La légende conte qu'elle fonda le sanctuaire de Delphes, où un culte lui était rendu. Elle présidait à l'accomplissement des serments qu'on prononçait souvent en son nom, et punissait les parjures...

- **Origine grecque**, de Gaea, le nom donné à la Terre dans la mythologie.
- Caractère : **ambition, volonté, opiniâtreté, adaptabilité**.
- Variante : *Gaïane*.

Gaïd

Forme bretonne de Marguerite.

- **Origine grecque**, signifie « perle ».
- Caractère : **prudence, réflexion, sens de l'organisation, optimisme**.
- Variante : *Gaïdig*.

Gaïl

Ce prénom est le diminutif d'Abigaïl.

- **Origine hébraïque**, signifie « ma joie est en Dieu ».
- Caractère : **sociabilité, curiosité, adaptabilité, diplomatie**.

Galatée

Dans la mythologie grecque, Pygmalion, sculpteur, tombe amoureux d'une statue d'ivoire représentant Aphrodite et prie les dieux pour qu'elle prenne vie. Son vœu exaucé, il l'épouse. Ce thème a été illustré au cinéma et au théâtre.

- **Origine grecque**, signifie « blanche comme le lait ».
- Caractère : **sensibilité, sens des responsabilités, harmonie, affectivité**.
- Anglo-saxon, italien : *Galatea*.

Garance

Garance a connu une courte vague de succès dans les années 2000 et se maintient au top 200 des prénoms féminins.

- **Origine française**, du nom d'une plante à fleurs jaunes qui pousse dans les bois ; le mot désigne aussi une couleur rouge foncé.
- Caractère : **réserve, réflexion, étude, douceur**.

Gemma

Ce prénom italien date de la Renaissance.

- **Origine latine**, signifie « pierre précieuse ».
- Caractère : **communication, stabilité, créativité, charisme**.

Geneviève

Ce prénom du haut Moyen Âge a connu sa dernière vague de succès dans les années 1940.

• **Origine germanique**, signifie « du genre féminin ».
• Caractère : **sensibilité, fidélité, travail, perfectionnisme.**
• Forme médiévale : *Genovefa.*
• Variantes : *Génevote, Ginette.*
• Anglo-saxon : *Guenevere.* Espagnol : *Genoveva.* Italien : *Genoveffa.*

Georgette

Elle fut en vogue au début du XXe s.

• **Origine grecque,** signifie « celle qui travaille la terre ».
• Caractère : **communication, sensibilité, autorité, goût du pouvoir.**
• Variantes : *Georgiane, Georgienne, Georgine.*
• Espagnol : *Georgetta.* Italien : *Giorgetta.*

Georgia

Ce prénom est l'une des formes féminines de Georges.

• **Origine grecque**, signifie « celle qui travaille la terre ».
• Caractère : **harmonie, ambition, travail, réserve.**
• Diminutif : *Georgina.*

Géraldine

• **Origine germanique**, signifie « lance » et « gouvernant ».
• Caractère : **enthousiasme, éloquence, curiosité, adaptabilité.**

Gerda

Ce prénom allemand est la version féminine de Gérard.

• **Origine germanique**, signifie « dure lance ».
• Caractère : **équilibre, sens des responsabilités, rigueur, ambition.**
• Variantes : *Garda, Gardina, Gerralda, Gerrie, Gerry.*

Germaine

Cette forme féminine de Germain était courante au début du XXe s.

• **Origine germanique**, signifie « de même sang ».
• Caractère : **réserve, sensibilité, combativité, courage.**
• Espagnol et italien : *Germana.*

Gersende

Ce prénom est médiéval.

• **Origine germanique**, signifie « lance précieuse ».
• Caractère : **vivacité, autorité, ambition, curiosité.**
• Variante : *Gersande.*

Gertrude

• **Origine germanique**, signifie « lance fidèle ».
• Caractère : **ambition, autorité, opiniâtreté, courage**.
• Espagnol : *Gertrudis*.
• Germanique : *Gertrud, Gertrui, Gerty, Trudi*. Italien : *Gertruda*. Néerlandais : *Geertruida*.

Gervaise

• **Origine germanique**, signifie « lance audacieuse ».
• Caractère : **vivacité, franchise, communication, curiosité**.

Ghislaine

• **Origine germanique**, signifie « douce otage ».
• Caractère : **charme, éloquence, activité, épicurisme**.
• Autre orthographe : *Guislaine*.

Gilberte

• **Origine germanique**, signifie « lance illustre ».
• Caractère : **sensibilité, activité, indépendance, sens des responsabilités**.
• Variante : *Wilberte*.
• Espagnol : *Gilberta*.

Gilda

Ce prénom italien, lancé par le film américain Gilda *dans les années 1940, est un diminutif féminin de Hermenegilde, prénom mixte au Moyen Âge.*
• **Origine germanique**, signifie « promesse » et « armée ».
• Caractère : **affectivité, sens des responsabilités, tradition, prudence**.

Gillian

Ce prénom est une forme dérivée de Juliana, forme germanique de Julie. Répandu outre-Manche au Moyen Âge puis dans les années 1940, il est devenu rare.
• **Origine latine**, signifie « de la famille Julius », famille patricienne romaine dont est issu Jules César.
• Caractère : **travail, énergie, activité, ambition**.

Gina

Diminutif de Luigina, « petite Louise » en italien.
• **Origine germanique**, signifie « glorieuse combattante ».
• Caractère : **charme, volonté, travail, stabilité**.

Ginger

Diminutif de l'anglais Virginia. Il est en vogue aux États-Unis depuis les années 1940.

• **Origine latine**, signifie « vierge ».

• Caractère : **sens de la justice, harmonie, équilibre, rigueur.**

Gisèle

Forme dérivée de Ghislaine. Courant au Moyen Âge, il disparaît presque complètement, puis revient depuis 2010 et progresse rapidement.

• **Origine germanique**, signifie « douce otage ».

• Caractère : **ambition, volonté, esprit d'entreprise, sociabilité.**

• Anglo-saxon : *Giselle*. Espagnol et germanique : *Gisela*. Italien : *Giselda, Gisella*.

Giulia

Cette forme italienne de Julie est très en vogue en Europe depuis la fin du XXe s. Elle figure au top 200 et continue sa progression.

• **Origine latine**, signifie « de la famille Julius », famille patricienne romaine dont est issu Jules César.

• Caractère : **travail, énergie, activité, ambition.**

• Variante : *Giulietta*.

Glenda

• **Origine galloise**, signifie « pure et bonne ».

• Caractère : **indépendance, altruisme, générosité, fantaisie.**

Glenna

Ce prénom est le féminin de Glen.

• **Origine celte**, signifie « vallée ».

• Caractère : **réserve, réflexion, harmonie, sens des responsabilités.**

Gloria

Ce prénom italien a connu le succès outre-Manche dans les années 1940.

• **Origine latine**, signifie « gloire ».

• Caractère : **volonté, efficacité, exigence, opportunisme.**

Glwadys

Ce prénom réapparaît depuis les années 1990.

• **Origine celte**, signifie « richesse ».

• Caractère : **communication, indépendance, volonté, ambition.**

• Autre orthographe : *Gladys*.

• Breton : *Gladez*. Espagnol : *Gladis*.

Godelièvre

Ce prénom médiéval a presque disparu.

- **Origine germanique**, signifie « aimée de Dieu ».
- Caractère : **charisme, harmonie, éloquence, créativité**.
- Anglo-saxon : *Godelewa*. Espagnol : *Godeliva*.

Godiva

Ce prénom médiéval rare s'apparente par l'étymologie à Dorothée et à Théodora.

- **Origine germanique**, signifie « don de Dieu ».
- Caractère : **rigueur, sens de l'organisation, travail, énergie**.

Goulwena

Forme féminine de Goulven.

- **Origine celte**, signifie « lumière sacrée ».
- Caractère : **sociabilité, harmonie, communication, sens artistique**.
- Diminutif : *Goulwenig*.

Grace

Ce prénom est plus courant aux États-Unis qu'en Europe.

- **Origine latine**, signifie « grâce ».
- Caractère : **raffinement, élégance, affectivité, rigueur**.
- Variantes : *Graciane, Gratienne*.
- Espagnol : *Gracia, Graciela*. Italien : *Grazia, Graziella*.

Gretel

Forme alsacienne de Marguerite.

- **Origine grecque**, signifie « perle ».
- Caractère : **émotivité, travail, rigueur, conscience professionnelle**.
- Espagnol : *Greta*. Germanique : *Gretchen, Gritt, Gritta*.

Griselda

Elle est une forme dérivée de Grace.

- **Origine latine**, signifie « grâce ».
- Caractère : **réserve, réflexion, étude, douceur**.
- Diminutif : *Zelda*.
- Variante : *Grisélidis*.

Gudule

Ce prénom guerrier est tombé en désuétude.

- **Origine germanique**, signifie « combat ».
- Caractère : **volonté, dynamisme, persévérance, autorité**.
- Variante : *Gunilde*.
- Espagnol : *Gudelia*.

Guenièvre

Forme médiévale de Gwenn, ce prénom est celui de l'héroïne du Chevalier à la charrette, *roman de Chrétien de Troyes paru au XIIe s. Il est l'emblème de la dame des romans courtois.*

• **Origine celte**, signifie « blanche » et « douce ».
• Caractère : **rêverie, étude, réflexion, douceur**.
• Variantes : *Gwenn, Gwennin, Gwenivar*.
• Anglo-saxon : *Guinevere, Jennifer*. Espagnol : *Ginebra*. Italien : *Ginevra*.

Guérande

Forme féminine de Géraud.

• **Origine germanique**, signifie « lance qui gouverne »
• Caractère : **intuition, diplomatie, sociabilité, adaptabilité**.

Guila

Ce prénom moderne est en vogue dans les milieux hébraïques.

• **Origine hébraïque**, signifie « joie ».
• Caractère : **générosité, détermination, énergie, activité**.
• Variante : *Guiléa*.

Guillemette

Cette forme féminine de Guillaume avait disparu de l'état civil ; elle revient dans les milieux traditionnels.

• **Origine germanique**, signifie « volonté » et « protection ».
• Caractère : **charme, imagination, créativité, sociabilité**.
• Germanique : *Wilhelmine, Wilma*. Italien : *Guglielma, Guglielmina, Vilma*.

Guivéa

Ce prénom moderne, féminin de Guivéone, est très en vogue en Israël.

• **Origine hébraïque**, signifie « petite colline ».
• Caractère : **réserve, stabilité, harmonie, sens de la justice**.

Guyenne

Un de ces prénoms géographiques courants dans les pays anglo-saxons.

• **Origine française**, du nom de la province d'Aquitaine, appelée Guyenne lorsqu'elle était possession anglaise.
• Caractère : **réserve, réflexion, indépendance, sens de l'organisation**.

Guyonne

Forme féminine de Guy.

- **Origine germanique,** signifie « forêt ».
- Caractère : **autonomie, curiosité, vivacité, activité.**

Gwellaouen

- **Origine celte**, signifie « lumière blanche ».
- Caractère : **sensibilité, émotivité, douceur, fantaisie.**

Gwenaëlle

Forme féminine de Gwenaël.

- **Origine celte,** signifie « ange blanc ».
- Caractère : **sociabilité, fantaisie, sensibilité, prudence.**

Gwendoline

Ce prénom est une forme composée de Gwendal et de Line.

- **Origine celte**, signifie « valeur sacrée ».
- Caractère : **émotivité, rêverie, idéalisme, créativité.**
- Espagnol et italien : *Guendalina.*

Gwenivar

Forme bretonne de Guenièvre, épouse du roi Arthur.

- **Origine celte**, signifie « blanche ».
- Caractère : **altruisme, charisme, rêverie, générosité.**
- Variante : *Gweniver.*

Gwenn

Ce prénom typiquement breton s'est décliné en de nombreuses variantes.

- **Origine celte**, signifie « blanche ».
- Caractère : **sensibilité, émotivité, douceur, fantaisie.**
- Variantes : *Gwellaouen, Gwenivar, Gwenna, Gwennaïc, Gwennaïg, Gwennou.*

Gwenola

Forme féminine de Gwenolé.

- **Origine celte**, signifie « valeureuse » et « sacrée ».
- Caractère : **charme, émotivité, vivacité, communication.**

Gwenwed

- **Origine celte**, signifie « pensée sacrée ».
- Caractère : **ambition, rigueur, sens de la justice, équilibre.**
- Variantes : *Gwenfredig, Gwenfrevi, Gwenfrewi.*

Gwyneth

Variante féminine de Gwynn, nom du diable gardien des portes de l'enfer dans la mythologie galloise.

- **Origine celte**, signifie « blanche ».

• Caractère : **ambition, rigueur, équilibre, sens de la justice.**
• Autre orthographe : *Gwynneth.*
• Variantes : *Gweneth, Gwenith.*

Hadassa

Prénom que portait Esther, épouse d'Assuérus, roi de Perse.
• **Origine hébraïque**, signifie « myrte ».
• Caractère : **réalisme, efficacité, sens de l'organisation, ambition.**

Hadeltrude

Ce prénom est celui de la première femme de Clotaire II, au VIe s.
• **Origine germanique**, signifie « noble fidélité ».
• Caractère : **goût du pouvoir, sens de la justice, rigueur, réalisme.**

Hailey

Prénom en grande progression.
• **Origine scandinave**, signifie « héroïne ».
• Caractère : **calme, sérieux, optimisme, sociabilité.**
• Autre orthographe : *Haley.*

Hanae

Ce prénom asiatique est de plus en plus prisé par les familles françaises. Il figure au top 200 des prénoms féminins et continue de progresser.
• **Origine japonaise**, signifie « fleur ».
• Caractère : **sociabilité, réserve, coopération, adaptabilité.**
• Autre orthographe : *Anaé.*

Hannah

Forme originelle d'Anne.
• **Origine hébraïque**, signifie « gracieuse ».
• Caractère : **ambition, indépendance, dynamisme, autorité.**

Hazel

Ce prénom est assez fréquent outre-Manche.
• **Origine anglaise**, signifie « noisetier ».
• Caractère : **réserve, réflexion, étude, travail.**

Heather

Prénom de fleur très en vogue aux États-Unis depuis les années 1990.
• **Origine anglaise**, signifie « bruyère ».
• Caractère : **adaptabilité, diplomatie, sociabilité, sensibilité**.

Heidi

Cette forme germanique d'Adèle est courante en Allemagne.
• **Origine germanique**, signifie « noble ».
• Caractère : **charme, énergie, indépendance, autorité**.

Héléa

Dans la Bible, Héléa est membre de la tribu de Juda.
• **Origine hébraïque**, signifie « femme d'atours ».
• Caractère : **patience, calme, perfectionnisme, raffinement**.

Hélène

Ce prénom évoque l'héroïne de L'Iliade, *d'Homère : Hélène est la femme de Ménélas, roi de Sparte. Paris, fils du roi de Troie, séduit par sa beauté, l'enlève, provoquant ainsi la guerre de Troie.*
• **Origine grecque**, signifie « éclat du soleil ».
• Caractère : **sensibilité, idéalisme, émotivité, exigence**.
• Variantes : *Elina*, *Mylène*, *Nelly*. Anglo-saxon : *Aileen*, *Elaine*, *Ellen*, *Helen*. Breton : *Lenaïc*. Espagnol et portugais : *Helena*. Germanique : *Helena*, *Lena*, *Lenchen*. Hongrois : *Ilona*. Irlandais : *Airleen*. Italien : *Elena*. Roumain : *Ileana*. Russe : *Yelena*.

Helga

Variante d'Olga, en vogue aussi bien dans les pays Scandinaves et germaniques qu'en Espagne.
• **Origine slave**, signifie « consacrée aux dieux ».
• Caractère : **harmonie, fidélité, sens des responsabilités, stabilité**.

Hélicie

Forme dérivée d'Hélène.
• **Origine grecque**, signifie « éclat du soleil ».
• Caractère : **calme, sens des responsabilités, conscience professionnelle, affectivité**.

Héloïse

Forme médiévale de Louise, ce prénom est en vogue depuis les années 1990. Il est en bonne place au top 200 des prénoms féminins.

• **Origine germanique**, signifie « glorieux vainqueur ».
• Caractère : **charisme, éloquence, indépendance, travail.**
• Autre orthographe : *Éloïse*.
• Variantes : *Aloïse*, *Aloyse*, *Loïse*.

L'histoire d'Abélard et Héloïse

Héloïse, née dans le Paris de 1101, est la nièce du chanoine Fulbert qui tient à lui donner une parfaite éducation. Après l'avoir placée dans un monastère, il la reprend chez lui et lui donne un précepteur du nom de Pierre Abélard, philosophe et théologien breton renommé. Le maître et l'élève éprouvent vite une violente passion mutuelle. Héloïse met au monde un fils et épouse secrètement Abélard. Fulbert accuse le précepteur d'avoir trahi sa confiance et, dans un accès de fureur, le fait émasculer. Héloïse se retire au couvent du Paraclet, dont elle devient abbesse, et Abélard termine ses jours à l'abbaye de Saint-Denis. Leur amour ne s'éteint pas pour autant, et ils ne cesseront jamais de s'écrire.

Henriette

• **Origine germanique**, signifie « maison de roi ».
• Caractère : **courage, autorité, curiosité, indépendance.**
• Anglo-saxon : *Harriet*, *Hettie*, *Hetty*, *Nettie*. Espagnol : *Riquita*.

Héraïs

Dans la mythologie grecque, Héra est la femme de Zeus, protectrice du mariage et des épouses.
• **Origine grecque**, du nom d'Héra.
• Caractère : **ambition, réalisme, sens de l'organisation, volonté.**

Hermance

Dans la mythologie grecque, Hermès est le fils de Zeus et de Maïa, l'une de ses conquêtes. Il est le messager de son père, et le dieu protecteur du commerce… et des voleurs. Il est aussi le dieu qui accompagne les âmes des défunts jusqu'à leur dernière demeure.
• **Origine grecque**, du nom d'Hermès.
• Caractère : **prudence, opiniâtreté, conscience professionnelle, affectivité.**

Hermeline

Forme dérivée d'Armelle.
- **Origine celte**, signifie « princesse » et « ourse ».
- Caractère : **calme, dynamisme, curiosité, séduction.**

Hermine

- **Origine latine**, du nom de l'hermine.
- Caractère : **franchise, exigence, sensibilité, rêverie.**
- Variantes : *Hermien, Hermienne, Herminie, Irma, Irmine.*
- Espagnol : *Herminia.*

Hermione

Dans la mythologie grecque, ce prénom est porté par la fille de Ménélas et d'Hélène, et par la femme d'Oreste.
- **Origine grecque**, signifie « terrestre ».
- Caractère : **affectivité, sens des responsabilités, harmonie, charisme.**

Hervéa

Elle est une forme féminine d'Hervé.
- **Origine celte**, signifie « forte » et « ardente ».
- Caractère : **intelligence, réalisme, autorité, franchise.**
- Variante : *Herveline.*

Hilary

Forme anglo-saxonne féminine d'Hilaire.
- **Origine latine**, signifie « gaie ».
- Caractère : **ambition, lucidité, indépendance, efficacité.**

Hilda

L'étymologie de nombreux prénoms féminins d'origine germanique comporte le mot Hild, qui signifie « combat » : Brunehild, Clothilde, Mathilde... Hilda en est la forme la plus simple.
- **Origine germanique**, signifie « guerrière ».
- Caractère : **réserve, élégance, vivacité, exigence.**
- Espagnol : *Hildelita.*

Hildegarde

Très en vogue au VIIIe s., ce prénom est porté par la troisième femme de Charlemagne et par plusieurs princesses carolingiennes.
- **Origine germanique**, signifie « qui sait combattre ».
- Caractère : **activité, audace, indépendance, combativité.**
- Espagnol et italien : *Hildegarda.*

Hiltrude

• **Origine germanique**, signifie « fidèle au combat ».
• Caractère : **réflexion, discrétion, étude, conscience professionnelle.**
• Germanique : *Hiltruda, Trudi.*

Hina

• **Origine japonaise** (signifie « éclat du soleil »), **tahitienne** (référence à la déesse de la lune) et **hébraïque** (signifie « gracieuse »).
• Caractère : **douceur, altruisme, volonté, énergie.**

Hiroko

• **Origine japonaise**, signifie « enfant de la prospérité »
• Caractère : **ténacité, rigueur, organisation, fiabilité.**

Holly

• **Origine anglaise**, signifie « houx ».
• Caractère : **altruisme, rêverie, charisme, persévérance.**

Honorine

Ce prénom est le féminin d'Honoré.
• **Origine latine,** signifie « honneur ».
• Caractère : **générosité, dynamisme, passion, ambition.**

Ingonde, Chunsène, Gomatrude, Ultrogothe, Méroflède, et les autres…

Ils étaient bien différents des nôtres, les prénoms féminins du royaume franc aux VIe et VIIe s. L'étymologie, presque toujours germanique, leur dormait une consonance plutôt gutturale. Les reines mérovingiennes qui ont laissé leur prénom à l'histoire nous permettent d'apprécier : Austregilde, Suavegothe, Faileube, Vénérande, Galswinthe, Marcatrude se succèdent dans des royaumes bien souvent en proie à des luttes fratricides. Elles ont en général un caractère bien trempé, comme Brunehaut et Frédégonde, terribles rivales dont les exploits sont passés à la postérité. Parmi ces souveraines, deux portent des prénoms qui nous sont familiers, car ils ont traversé les siècles jusqu'à nous avec une étonnante fraîcheur : Clotilde, la femme de Clovis, et Gisèle, la femme de Childéric III.

Hortense

Masculin dans l'Antiquité, ce prénom est devenu féminin au XIXe s.

- **Origine latine,** de Hortensius, patronyme d une illustre famille romaine.
- Caractère : **courage, passion, discrétion, enthousiasme.**

Huguette

Forme féminine de Hugues, en vogue au début du XXe s., comme Ginette.

- **Origine germanique,** signifie « intelligence ».
- Caractère : **volonté, ambition, travail, opportunisme.**

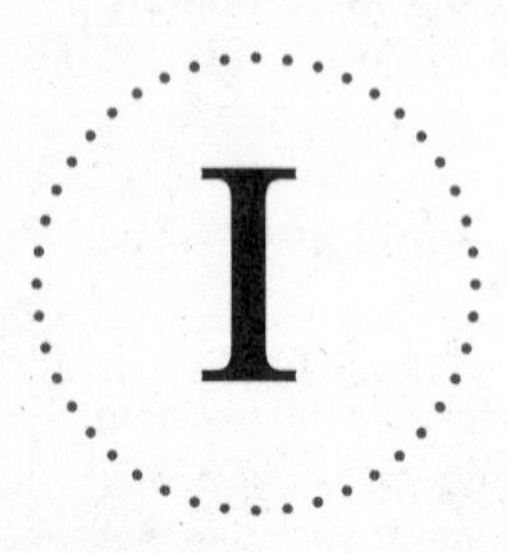

Ida

- **Origine germanique**, signifie « travailleuse ».
- Caractère : **curiosité, audace, énergie, indépendance.**

Ilana

Le succès d'Ilan a entraîné la popularité de son féminin.

- **Origine hébraïque**, signifie « arbre ».
- Caractère : **détermination, autorité, travail, passion**

Iliana

Ce prénom est une forme dérivée de Liliane et d'Isabelle, elle-même dérivée d'Élisabeth.

- **Origine hébraïque**, signifie « Dieu est plénitude ».
- Caractère : **ambition, puissance de travail, ténacité, courage.**

Iloa

Variante d'Hélène, ce prénom est en pleine évolution.

- **Origine grecque**, signifie « éclat du soleil ».
- Caractère : **dynamisme, activité, autorité, curiosité.**

Ilona

Forme hongroise d'Hélène, Ilona fut très en vogue dans les années 1990.

- **Origine grecque**, signifie « éclat du soleil ».
- Caractère : **élégance, sensibilité, discrétion, sens artistique.**
- Variantes : *Ilana, Ilka, Ilonka, Ilu, Iluska, Inka.*

Ilse

Forme dérivée d'Élisabeth.

- **Origine hébraïque**, signifie « Dieu est plénitude ».
- Caractère : **discrétion, rigueur, application, sens du devoir**.
- Variantes : *Ilsabe*, *Ilsebey*.

Ilyana

Ce prénom figure au top 200 et poursuit sa croissance.

- **Origine hébraïque**, dérivé d'Élie.
- Caractère : **énergie, volonté, persévérance, méthode**.

Inaya

Il figure lui aussi au top 200 reste en progression.

- **Origine arabe**, signifie « sollicitude ».
- Caractère : **autonomie, autorité, raison, travail**.

Iindia

Prénom géographique fréquent dans les pays anglo-saxons.

- **Origine anglaise**, du nom de l'Inde.
- Caractère : **sens de la justice, écoute, réserve, travail**.

Indiana

Une forme anglo-saxonne de Diane assez fréquente aux États-Unis.

- **Origine latine**, du nom de la déesse de la Chasse et de la Nature.
- Caractère : **sociabilité, vivacité, curiosité, adaptabilité**.

Inès

Ce prénom est la forme hispanique d'Agnès, très en vogue depuis les années 1990. Il figure au top 200 des prénoms féminins.

- **Origine grecque**, signifie « chaste ».
- Caractère : **calme, affectivité, rêverie, discrétion**.

Inga

- **Origine scandinave**, signifie « dédiée au dieu Ing »
- Caractère : **affectivité, émotivité, générosité, écoute**.
- Variante : *Inge*.

Ingrid

Ce prénom est l'un des plus emblématiques des pays nordiques.

- **Origine Scandinave**, signifie « chevalier du dieu Ing ».
- Caractère : **réserve, sens de l'organisation, logique, sensibilité**.
- Variante : *Inga*.

Imelda

• **Origine germanique**, signifie « soldat ».
• Caractère : **adresse, droiture, ambition, volonté**.

Iphigénie

Dans la mythologie grecque, elle est la fille d'Agamemnon, qui veut, pendant la guerre de Troie, la sacrifier à la déesse Artémis afin que les vents soient favorables à sa flotte.
• **Origine grecque**, signifie « sacrifice ».
• Caractère : **autorité, ambition, indépendance, travail**.
• Anglo-saxon : *Iphigenia*.

Irène

• **Origine grecque,** signifie « paix ».
• Caractère : **émotivité, sensibilité, diplomatie, perfectionnisme**.
• Anglo-saxon : *Earine*, *Irine*. Breton : *Arine*. Slave : *Irina*, *Raïssa*.

Iris

Dans la mythologie grecque, Iris est la messagère ailée des dieux de l'Olympe qui porte en écharpe l'arc-en-ciel. Ce prénom est au top 200.
• **Origine grecque**, d'iris, nymphe de la mythologie.
• Caractère : **autorité, exigence, indépendance, générosité**.

Irma

Forme dérivée d'Hermine.
• **Origine latine**, du nom de l'hermine, rat d'Arménie fournissant une fourrure recherchée.
• Caractère : **curiosité, vivacité, indépendance, goût de l'aventure**.
• Variantes : *Irmeline*, *Irmine*.

Isabeau

Forme médiévale d'Isabelle, dérivée d'Élisabeth. Il est illustré par la reine Isabeau de Bavière, épouse de Charles VI, au XVe s.
• **Origine hébraïque**, signifie « Dieu est plénitude ».
• Caractère : **charme, discrétion, rigueur, volonté**.
• Variante : *Isambour*.

Isabelle

Ce prénom noble, élégant et indémodable, est un dérivé d'Élisabeth.
• **Origine hébraïque**, signifie « Dieu est plénitude ».
• Caractère : **générosité, sensibilité, idéalisme, imagination**.

• Breton : *Aesa*. Espagnol : *Isabel*. Italien : *Isabella, Isotta, Isolda*. Provençal : *Eisabeu*.

Isadora

Elle est la forme féminine d'Isidore.

• **Origine grecque**, signifie « don d'Isis ».

• Caractère : **franchise, autorité, courage, détermination**.

Isalis

Ce prénom est une forme composée d'Isabelle et d'Alice.

• **Origine hébraïque**, signifie « Dieu est plénitude ».

• Caractère : **féminité, sensibilité, générosité, idéalisme**.

• Autre orthographe : *Isalys, Ysalis*.

Isaure

• **Origine grecque**, d'Isaura, ville d'une ancienne province d'Asie Mineure.

• Caractère : **autorité, exigence, volonté, perfectionnisme**.

Isée

Ce prénom est en pleine expansion.

• **Origine grecque** : référence à un orateur athénien du IVe s. av. J.-C.

• Caractère : **sérieux, rigueur, sociabilité, diplomatie**.

Isis

Ce prénom progresse rapidement.

• **Origine égyptienne**, référence au nom d'une reine mythique et d'une déesse de l'Égypte antique.

• Caractère : **sensibilité, fiabilité, communication, écoute**.

Isla

Ce prénom est un favori en Écosse.

• **Origine écossaise**, référence au nom d'une rivière.

• Caractère : **indépendance, curiosité, esprit d'entreprise, épicurisme**.

Isolde

Ce prénom est une des formes médiévales d'Isabelle.

• **Origine hébraïque**, signifie « Dieu est plénitude ».

• Caractère : **affectivité, activité, ambition, passion**.

• Variantes : *Iselda, Isilde, Isotta*.

Isoline

Ce prénom est une forme composée d'Isabelle et de Line.

• **Origine hébraïque**, signifie « Dieu est plénitude ».

• Caractère : **émotivité, charisme, passion, idéalisme**.

Ivana

Forme slave de Jeanne.
• **Origine hébraïque**, signifie « Dieu a fait grâce ».
• Caractère : **intuition, altruisme, sensibilité, créativité.**

Ivy

• **Origine anglaise**, signifie « lierre ».
• Caractère : **sensibilité, douceur, sagesse, altruisme.**

Izia

Ce prénom progresse très rapidement.
• **Origine grecque**, signifie « souveraine ».
• Caractère : **calme, réserve, écoute, altruisme.**

Izoenn

L'une des nombreuses formes féminines dérivées d'Yves.
• **Origine celte**, signifie « if ».
• Caractère : **diplomatie, charisme, adaptabilité, sociabilité.**
• Variante : *Izoène.*

Jacinthe

S'orthographie aussi Hyacinthe, et sous cette forme il est mixte. Il est en forte croissance actuellement.
• **Origine arabe**, signifie « jacinthe ».
• Caractère : **spiritualité, réflexion, générosité, réserve.**
• Variante : *Hyacinthe.*

Jacqueline

Cette forme féminine de Jacques fut fréquente au début du XXe s.
• **Origine hébraïque**, signifie « Dieu a soutenu ».
• Caractère : **activité, dynamisme, travail, sociabilité.**
• Diminutifs : *Jackie, Jacotte, Jacquette.*
• Anglo-saxon : *Jackaleen.* Breton : *Jakeza.*

Jade

En vogue depuis les années 1980, Jade est en tête du top 200 des prénoms féminins.

• **Origine française**, du nom de la pierre précieuse de couleur verte.
• Caractère : **passion, volonté, travail, perfectionnisme**.

Les pierres précieuses

Elles sont à l'origine de beaux prénoms féminins : Béryl, Jade et Esméralda, Ruby sont les plus modernes. Pierrette et Perrine ont eu leur vogue. À quand Topaze ou Saphir ?

Jaëlle

Ce prénom progresse rapidement.

• **Origine hébraïque**, signifie « qui monte ».
• Caractère : **autonomie, énergie, activité, volonté**.

Jamie

Cette forme diminutive écossaise de James est très en vogue aux États-Unis, pour les garçons comme pour les filles. Ce prénom apparaît en France depuis 2000.

• **Origine hébraïque**, signifie « Dieu a soutenu ».
• Caractère : **sociabilité, besoin de protection, curiosité, opportunisme**.
• Variante : *Jaimie*

Jana

Forme slave de Jeanne.

• **Origine hébraïque**, signifie « Dieu est miséricordieux ».
• Caractère : **énergie, travail, détermination, autorité**.

Janine

Ce prénom est une forme de Jeanne qui est courante au début du XXe s.

• **Origine hébraïque**, signifie « Dieu est miséricordieux ».
• Caractère : **énergie, volonté, réalisme, sociabilité**.
• Autres orthographes : *Jeanine, Jeannine*.
• Variantes : *Janice, Janik, Janique*.

Jasmine

• **Origine persane**, du nom du jasmin.
• Caractère : **courage, ambition, activité, perfectionnisme**.
• Variante : *Yasmine*.
• Arabe : *Yasmina*.

Jaya

• **Origine indienne**, signifie « victorieuse »
• Caractère : **passion, force de caractère, ambition, énergie**.

Jayden

Ce prénom mixte est en vogue aux États-Unis.
• **Origine hébraïque**, signifie « Dieu sauve ».
• Caractère : **calme, réflexion, sérieux, affectivité**.
• Autre orthographe : *Jaden*.

Jean

Cette forme écossaise de Jeanne est un prénom féminin courant aux États-Unis, qui doit être prononcé « Djinn ».
• **Origine hébraïque**, signifie « Dieu est miséricordieux ».
• Caractère : **communication, créativité, harmonie, charisme**.

Jeanne

Après les faveurs du Moyen Âge, Jeanne a connu son apogée à la fin du XIXe s. Ce prénom réapparaît depuis les années 1990. Il est aujourd'hui dans le peloton de tête du top 200 des prénoms féminins.
• **Origine hébraïque**, signifie « Dieu est miséricordieux ».
• Caractère : **émotivité, affectivité, travail, opiniâtreté**.
• Variantes : *Evane*, *Ivane*, *Janie*, *Janine*.
• Anglo-saxon : *Jane*, *Janet*, *Jenna*, *Jenny*. Breton : *Janik*. Espagnol : *Juana*, *Juanita*. Forme hébraïque : *Johanna*. Forme médiévale : *Jehanne*. Italien : *Gianna*, *Giovanna*. Provençal : *Jano*. Russe : *Vanina*, *Vassina*.

Les Jeanne

Tout comme Jehan devient Jean, Jehanne s'est transformé en Jeanne. Le Moyen Âge leur fait honneur et leur succès ne se dément pas au cours des siècles suivants. Le XXe s. donne à Jeanne des formes dérivées variées : c'est Jeannine, écrite aussi Janine dès les années 1920. Puis Johanna dans les années 1960, qui dut probablement sa vogue à sa consonance anglo-saxonne. Jeanne revient aujourd'hui à l'état civil dans sa simplicité, à la suite de Marie, et accompagnée de Louise. Dans les pays anglo-saxons, Jane, Janet et Jean sont toujours d'actualité.

Jenna

Ce prénom est une des formes anglo-américaines de Jeanne.

• **Origine hébraïque**, signifie« Dieu a fait grâce ».

• Caractère : **réflexion, sens pratique, rigueur, équilibre**.

Jennifer

Dérivé de Guinevere, la forme anglo-saxonne de Guenièvre.

• **Origine celte**, signifie « blanche » et « douce ».

• Caractère : **rêverie, étude, réflexion, douceur**.

• Autre orthographe : *Jennyfer*.

Jéromine

Ce prénom est la forme féminine, peu courante, de Jérôme.

• **Origine grecque**, signifie « nom sacré ».

• Caractère : **vivacité, travail, ambition, exigence**.

Jessica

Forme féminine de Jessé, prénom biblique, répandue aux États-Unis.

• **Origine hébraïque**, signifie « Dieu est ».

• Jessé est le père du roi David.

• Caractère : **charme, éloquence, sens de l'observation, intuition**.

• Variantes : *Jessie, Jessy, Seasaid*.

Jessie

Ce prénom est la forme américaine de Jessé, père du roi David dans la Bible. Il apparaît discrètement à l'état civil, aussi bien pour les filles, comme diminutif de Jessica, que pour les garçons.

• **Origine hébraïque**, signifie « Dieu existe ».

• Caractère : **méthode, ordre, persévérance, travail**.

• Variante : *Jessy*.

Joceline

• **Origine germanique**, de Gauz, nom d'une divinité.

• Caractère : **charme, énergie, opportunisme, ambition**.

Joëlle

Ce féminin de Joël a connu la faveur des parents dans les années 1950. Joël est prophète en Israël au VIe s. av. J.-C. et auteur du livre qui porte son nom.

• **Origine hébraïque**, signifie « Yahvé est Dieu ».

• Caractère : **opportunisme, adaptabilité, mystère, réserve**.

• Variantes : *Yoëlle, Yaëlle*.

Joéva

Elle est la forme féminine de Joévin.

- **Origine latine**, de « Jovis », nom donné à Jupiter.
- Caractère : **individualisme, ambition, persévérance, sens des affaires.**

Johanna

Forme anglicisée de Jeanne.

- **Origine hébraïque**, signifie « Dieu est miséricordieux ».
- Caractère : **sens de la justice, harmonie, charisme, rigueur**.
- Autre orthographe : *Joanna.*
- Variante : *Joanie.*
- Slave : *Jana, Janika, Januska.*

Jonelle

Elle est une forme dérivée de Joëlle. Joël est prophète en Israël au VIe s. av. J.-C. et auteur du livre qui porte son nom.

- **Origine hébraïque**, signifie « Yavhé est Dieu ».
- Caractère : **intuition, sensibilité, émotivité, réserve.**
- Variantes : *Jodelle, Jonella.*

Josée

Ce prénom, qui est l'une des formes féminines de Joseph, est le plus souvent associé à Marie.

- **Origine hébraïque**, signifie « Dieu ajoute ».
- Caractère : **sensibilité, idéalisme, rêverie, créativité**.
- Espagnol : *Josefa, Peppa.* Italien : *Giuseppa, Giuseppina.*

Joséphine

Cette forme féminine de Joseph est très prisée au XIXe s. Elle est en vogue depuis les années 1990 et figure au top 200 des prénoms féminins.

- **Origine hébraïque**, signifie « Dieu ajoute ».
- Caractère : **indépendance, sens des responsabilités, travail, volonté**.
- Espagnol : *Josefa, Josefina.* Italien : *Giuseppina.*

Josette

Lorsque Joséphine se démode, dans les années 1940, Josette et Josiane prennent la relève. Elles sont aujourd'hui oubliées.

- **Origine hébraïque**, signifie « Dieu ajoute ».
- Caractère : **sérieux, rigueur, détermination, exigence**.

Josiane

- **Origine hébraïque**, signifie « Dieu ajoute ».

• Caractère : **vivacité, curiosité, charisme, adaptabilité**.

Joy

Ce prénom anglais peut être rapproché, par son sens, de Laetitia, italienne et française, et d'Allegria, espagnole. Il est assez courant aux États-Unis.

• **Origine anglaise**, signifie « joie ».
• Caractère : **adaptabilité, indépendance, goût de l'aventure, humour**.

Judith

Dans la Bible, Judith, pour sauver la ville de Béthulie, séduit le général ennemi, l'enivre et le décapite pendant son sommeil.

• **Origine hébraïque**, signifie « juive ».
• Caractère : **sensibilité, dévouement, diplomatie, communication**.
• Anglo-saxon : *Jodie, Judy*. Espagnol : *Judit, Judita*. Germanique : *Jetta, Juditha, Jutta*. Italien : *Giuditta*. Scandinave : *Jutta*.

Judy

Forme anglo-américaine de Judith, en pleine croissance en France.

• **Origine hébraïque**, signifie « juive ».
• Caractère : **sérieux, sagesse, volonté, écoute**.
• Autre orthographe : *Judie*.

Julie

Très en vogue au XIXe s., Julie connaît dans les années 1980 un regain de succès qui se poursuit aujourd'hui. Elle est toujours dans le top 200.

• **Origine latine**, signifie « de la famille Iulius ».
• Caractère : **réalisme, sociabilité, communication, charme**.
• Anglo-saxon : *Gill Gillian, Jill*. Espagnol : *Julia*. Hongrois : *Juliska, Julka*. Italien : *Giulia, Giuliana*. Néerlandais : *Juliana*.

Juliette

Succédant à Julie au hit-parade de l'état civil, elle est dans le peloton de tête du top 200.

• **Origine latine**, signifie « de la famille Iulius ».
• Caractère : **charme, persévérance, esprit pratique, sensibilité**.
• Anglo-saxon : *Juliet*. Espagnol : *Julieta, Julita*. Italien : *Giulietta*.

June

Ce prénom courant outre-Manche est en pleine progression en France.

• **Origine anglaise**, signifie « juin ».

• Caractère : **adaptabilité, goût de l'aventure, indépendance, charisme.**

• Espagnol : *Juny*. Germanique : *Junia*.

Justine

Ce prénom figure au top 200 des prénoms féminins.

• **Origine latine**, signifie « juste ».

• Caractère : **passion, courage, détermination, franchise.**

• Italien : *Giustina*.

Kaela

Prénom en pleine évolution.

• **Origine arabe et hébraïque**, signifie « aimée »

• Caractère : **vivacité, dynamisme, communication, curiosité.**

Kalie

Forme anglaise d'un prénom irlandais, Calleigh

• **Origine celte**, signifie « mince ».

• Caractère : **sociabilité, affectivité, générosité, efficacité.**

• Variante : *Calleigh*.

Kaori

• **Origine japonaise**, signifie « parfum ».

• Caractère : **sociabilité, communication, organisation, énergie.**

Karen

Forme scandinave de Carine.

• **Origine grecque**, signifie « pure ».

• Caractère : **sensibilité, réserve, volonté, travail.**

Kayla

Ce prénom est en forte progression.

• **Origine hébraïque**, signifie « couronne »

• Caractère : **énergie, curiosité, pragmatisme, activité.**

• Autre orthographe : *Kaïla*.

Kelia

Variante de Kelly, ce prénom en pleine expansion figure au top 200.

• **D'origine celte**, signifie « église ».

• Caractère : **idéalisme, rêverie, générosité, sagesse.**
• Autre orthographe : *Kelya.*

Kelly

Ce prénom en vogue aux États-Unis est une variante de Ceallagh.
• **Origine celte**, signifie « église ».
• Caractère : **énergie, créativité, franchise, ambition.**

Kendra

Prénom en forte progression.
• **Origine celte**, signifie « puissante ».
• Caractère : **détermination, énergie, courage, autorité.**

Kenza

• **Origine arabe**, signifie « trésor ».
• Caractère : **sens artistique, sociabilité, harmonie, communication.**

Keren

• **Origine hébraïque**, signifie « rayon de soleil ».
• Caractère : **volonté, passion, ambition, énergie.**

Kerin

Ce dérivé anglo-saxon de Catherine est répandu aux États-Unis.
• **Origine grecque**, signifie « pure ».
• Caractère : **communication, sens artistique, harmonie, charisme.**

Kerry

Un des prénoms géographiques très en vogue dans les pays anglo-saxons.
• **Origine irlandaise**, du nom d'une région de l'Irlande.
• Caractère : **adaptabilité, goût de l'aventure, curiosité, indépendance.**

Kessy

Diminutif de Catherine, ce prénom évolue rapidement.
• **D'origine grecque**, signifie « pure ».
• Caractère : **étude, sagesse, spiritualité, réserve.**

Khadija

Ce prénom est celui de la première épouse de Mahomet.
• **Origine arabe**, signifie « précoce ».
• Caractère : **sens pratique, équilibre, sens de la justice, rigueur.**

Kim

Prénom mixte apprécié aux États-Unis depuis plusieurs décennies.

• **Origine anglaise**, signifie « celle qui commande ».

• Caractère : **charme, affectivité, communication, perfectionnisme.**

Kimberley

Prénom depuis les années 1960 en vogue dans les pays anglo-saxons.

• **Origine anglaise**, signifie « prairie royale ».

• Caractère : **volonté, ambition, communication, activité.**

Kinnie

Forme féminine de Ken.

• **Origine celte**, signifie « belle ».

• Caractère : **réalisme, ambition, opiniâtreté, rigueur.**

Kira

Forme féminine de Cyril. Ce prénom est en pleine expansion.

• **Origine grecque**, signifie « maître ».

• Caractère : **sociabilité, harmonie, communication, créativité.**

• Autre orthographe : *Kyra.*

Kitty

Ce diminutif anglo-saxon de Catherine est désormais un prénom à part entière.

• **Origine grecque**, signifie « pure ».

• Caractère : **charme, sensibilité, prudence, altruisme.**

Kylie

Forme féminine du prénom anglais Kyle.

• **Origine anglo-saxonne**, signifie « mince ».

• Caractère : **force, passion, énergie, courage.**

Labériane

Ce prénom est, avec Lacmé, l'une des formes féminines de Lambert. Saint Lambert, évêque de Maastricht au VIIe s., sermonne le maire du palais, Pépin de Herstal, pour son inconduite : celui-ci le fait assassiner.

• **Origine germanique**, signifie « terre illustre ».
• Caractère : **rigueur, travail, ténacité, stabilité**.

Lacmé

Ce joli prénom est une forme féminine de Lambert.
• **Origine germanique**, signifie « terre illustre ».
• Caractère : **séduction, créativité, communication, originalité**.
• Autre orthographe : *Lakmé*.

Laelia

• **Origine espagnole**, en référence à une famille noble du IIIe s.
• Caractère : **persévérance, rigueur, énergie, sérieux**.

Laetitia

Ce prénom est en vogue depuis les années 1970.
• **Origine latine**, signifie « allégresse ».
• Caractère : **sagesse, réflexion, discrétion, douceur**.
• Anglo-saxon : *Letitia, Lettice, Leda*. Espagnol : *Leticia*. Italien : *Letizia*.

Laïa

Forme catalane d'Eulalie, ce prénom progresse rapidement.
• **D'origine grecque**, signifie « belle parole »
• Caractère : **énergie, travail, communication, exigence**.

Laïli

• **Origine indienne**, référence à la jument de combat très aimée d'un maharadjah du XVIIIe s dans le Penjab.
• Caractère : **travail, méthode, exigence, rigueur**.

Lalie

Ce diminutif d'Eulalie figure au top 200 des prénoms féminins.
• **Origine grecque**, signifie « bonne parole »
• Caractère : **sensibilité, réserve, intuition, réflexion**.
• Autre orthographe : *Laly*.
• Variante : *Lalia*.

Lamia

Ce prénom est l'un des plus populaires dans les familles musulmanes.
• **Origine arabe**, signifie « l'accordée ».
• Caractère : **générosité, charisme, rêverie, sociabilité**.

Lana

Cette forme d'Hélène n'est pas très récente, mais elle a toujours été discrète. Depuis 2005, son ascension est très remarquée. Elle est dans le peloton de tête du top 200 des prénoms.

• **Origine grecque**, signifie « éclat du soleil ».

• Caractère : **émotivité, activité, volonté, passion.**

Lara

Dans la mythologie romaine, Lara est une nymphe, fille du fleuve Tibre, et mère des dieux lares, protecteurs du foyer. Ce prénom est lui aussi dans le top 200.

• **Origine grecque**, signifie « mouette ».

• Caractère : **sociabilité, affectivité, séduction, fantaisie.**

Larissa

• **Origine grecque**, signifie « mouette ».

• Caractère : **réflexion, étude, spiritualité, réserve.**

Latoya

Ce prénom est l'un des plus célèbres aux États-Unis, selon la coutume récente qui consiste à composer des prénoms avec le préfixe « La » et un prénom existant : Ladonna, Lakeisha, Latania...

• Caractère : **réflexion, spiritualité, étude, travail.**

Laudine

Ce prénom médiéval a presque disparu.

• **Origine latine**, signifie « celle qui loue ».

• Caractère : **réserve, détermination, diplomatie, douceur.**

• Variante : *Laudie.*

Laura

Cette forme italienne de Laure connaît un grand succès depuis les années 1980. Elle figure toujours au top 200 des prénoms féminins.

• **Origine latine**, signifie « laurier ».

• Caractère : **énergie, méthode, communication, charisme.**

Laure

Ce prénom est l'une des formes féminines de Laurent

• **Origine latine**, signifie « laurier ».

• Caractère : **charme, séduction, sensibilité, éloquence.**

• Variantes : *Laurelle, Laurène, Laurie, Laurine.*

• Anglo-saxon : *Laureen, Lauren, Laurie.* Espagnol : *Laura, Lorena.*

Italien : *Laura, Lora, Loredana, Lorella, Loretta.*

Laurence

Ce prénom fait partie des grands classiques intemporels.

• **Origine latine**, signifie « laurier ».
• Caractère : **sociabilité, réflexion, ambition, exigence.**
• Espagnol : *Lorentina.* Italien : *Lorenza.*

Laurentine

Cette forme féminine de Laurent était en vogue au XIXe s.

• **Origine latine**, signifie « laurier ».
• Caractère : **franchise, autorité, volonté, travail.**

Lavena

• **Origine celte**, signifie « gaie ».
• Caractère : **dynamisme, énergie, optimisme, sens pratique.**
• Variante : *Levenez.*

Lavinia

Ce prénom était très courant dans la Rome antique.

• **Origine latine**, signifie « originaire du Lavinium ».
• Caractère : **sensibilité, charme, indépendance, goût de l'aventure.**

Léa

L'un des favoris des années 1990-2000, ce prénom figure au top 200 des prénoms féminins. Dans la Bible, Léa est la première femme du patriarche Jacob et la mère de six fils qui devinrent les ancêtres des tribus d'Israël.

• **Origine hébraïque**, signifie « vache sauvage ».
• Caractère : **fantaisie, intuition, détermination, sensibilité.**
• Variante : *Léane.*
• Anglo-saxon : *Leah.*

Léana

Composé de Léa et d'Anna, il figure au top 200 des prénoms féminins, tout comme sa variante Léane.

• **Origine hébraïque**, signifie « vache sauvage » et « grâce »..
• Caractère : **charme, curiosité, vivacité, épicurisme.**
• Variante : *Léane.*

Léandra

Forme féminine de Léandre.

• **Origine grecque**, signifie « homme ».
• Caractère : **charme, curiosité, vivacité, épicurisme.**

Léïa

Ce prénom progresse très vite.
- **Origine latine**, signifie « lien ».
- Caractère : **sensibilité, harmonie, fiabilité, écoute**.

Leïla

Symbole de l'intimité et du repos, ce prénom est très apprécié depuis des générations. Il figure au top 200 des prénoms féminins.
- **Origine arabe**, signifie « douceur de la nuit ».
- Caractère : **sociabilité, harmonie, communication, sens artistique**.

Lélia

L'étymologie la plus vraisemblable de ce diminutif est le prénom Élie. Mais on ne peut exclure un rapport avec le prénom Liliane.
- **Origine hébraïque**, signifie « mon maître est Dieu », ou **origine latine**, signifie « lys ».
- Caractère : **sensibilité, charisme, altruisme, générosité**.
- Variante : *Lilia*.

Léna

Diminutif d'Éléna, Léna est un prénom allemand, breton, espagnol, grec et suédois. L'un des favoris des années 2000.
- **Origine grecque,** signifie « éclat du soleil ».
- Caractère : **curiosité, vivacité, détermination, autorité**.
- Variante : *Léni*.
- Breton : *Lénaïc, Lénaïg*.

Lenaelle

Prénom est en pleine expansion.
- **Origine grecque**, signifie « éclat du soleil ».
- Caractère : **sensibilité, créativité, sociabilité, harmonie**.

Léona

Ce prénom, toute nouvelle variante de Léone, progresse très vite.
- **Origine latine**, signifie « lionne ».
- Caractère : **sociabilité, écoute, diplomatie, sagesse**.

Léone

Ce prénom est l'une des formes féminines de Léon.
- **Origine latine**, signifie « lionne ».
- Caractère : **ambition, sens des responsabilités, activité, perfectionnisme**.
- Variantes : *Léona, Léonie*.

Leonella

Forme féminine de Lionel.
- **Origine latine**, signifie « lionne ».

• Caractère : **énergie, autorité, courage, activité.**

Léonille

• **Origine latine**, signifie « lionne ».
• Caractère : **optimisme, éloquence, communication, charisme.**

Léonore

Diminutif d'Éléonore, considéré comme un prénom à part entière depuis une dizaine d'années. Il progresse rapidement.
• **Origine grecque**, signifie « compassion ».
• Caractère : **franchise, curiosité, dynamisme, opiniâtreté.**
• Autre orthographe : *Léonor.*
• Variante : *Liénor.*
• Anglo-saxon : *Lenore.* Espagnol : *Lenora.* Italien : *Leonora.*

Léontine

Ce prénom est l'une des formes féminines de Léon.
• **Origine latine**, signifie « lionne ».
• Caractère : **réserve, affectivité, franchise, stabilité.**

Léopoldine

Ce féminin de Léopold est courant au XIXe s.
• **Origine germanique**, signifie « peuple courageux ».
• Caractère : **autorité, courage, détermination, sens pratique.**
• Italien : *Leopoldina.*

Leslie

Diminutif anglo-saxon d'Élisabeth, très en vogue outre-Manche.
• **Origine hébraïque**, signifie « Dieu est plénitude ».

Lexane

Ce prénom est une forme dérivée d'Alexia, version féminine d'Alexis.
• **Origine grecque**, signifie « celle qui repousse ».
• Caractère : **secret, élitisme, fidélité, intuition.**

Liczenn

• **Origine celte**, signifie « pure ».
• Caractère : **adaptabilité, diplomatie, émotivité, activité.**

Liana

Ce diminutif de Liliane est en pleine expansion.
• **Origine latine**, signifie « lys ».

• Caractère : **vivacité, activité, autorité, exigence.**
• Variante : **Liane.**

Lila

Ce prénom récent, sans doute un diminutif de Liliane, est en vogue depuis 2005. Il fait partie du top 200 des prénoms féminins.
• **Origine latine**, signifie « lys ».
• Caractère : **réflexion, étude, réserve, prudence.**
• Variante : *Lilia.*

Liliane

• **Origine latine**, signifie « lys ».
• Caractère : **énergie, activité, intuition, séduction.**
• Diminutifs : *Liana, Lila, Lily.*
• Anglo-saxon : *Lilian.* Espagnol : *Liliana.*

Lilou

Variante de Lou, diminutif de Louise, et de Lily, diminutif de Liliane ou d'Élisabeth. Il occupe une bonne place dans le top 50 des prénoms féminins.
• **Origine germanique**, signifie « victoire glorieuse »
• Autre orthographe : *Leelou, Liloo.*

Lilwenn

Ce prénom est une contraction de Lily, diminutif d'Élisabeth ou de Liliane, et de Gwenn. Il progresse rapidement.
• **Origine hébraïque ou latine et celte**, signifie « Dieu est plénitude » ou « lys » et « blanche ».
• Caractère : **franchise, rigueur, ordre, travail.**

La vogue des diminutifs

Ils sont courts, modernes, familiers.

Élisa	Léna	Lina	Lou
Élise	Liana	Line	Naëlle
Élsa	Liane,	Lisa	Naïs
Lalia	Lili ou Lily	Lise	Nélia
Lalie	Lilia,	Lola	
Lélia	Lilou	Lolita	

Lily

Diminutif de Liliane ou d'Élisabeth, Lily figure au top 200 des prénoms.
• Caractère : **rigueur, sérieux, détermination, sensibilité.**
• Autre orthographe : *Lili.*

Lina

Ce diminutif d'Adeline a été en vogue au début du XXe s. Il revient depuis 2005 et figure aujourd'hui en bonne place dans le top 200 des prénoms féminins.
• **Origine germanique**, signifie « noble ».
• Caractère : **réflexion, étude, sérieux, travail.**
• Variante : *Linaëlle.*

Linaëlle

Ce prénom composé de Lina et de Maëlle est en pleine progression.
• **Origine germanique**, signifie « noble », et **origine celte**, signifie « princesse ».
• Caractère : **étude, réflexion, intuition, sérieux.**

Linda

Ce prénom est un diminutif d'Alida, dérivé italien d'Adèle.
• **Origine germanique**, signifie « noble ».
• Caractère : **volonté, fierté, travail, ambition.**

Lindsay

Prénom mixte très en vogue pour les filles aux États-Unis. En France, il figure au top 200 et ne cesse de progresser.
• **Origine anglaise**, signifie « île aux tilleuls ».
• Caractère : **sensibilité, charme, vivacité, communication.**

Line

Ce prénom est un diminutif d'Adeline, forme dérivée d'Adèle.
• **Origine germanique**, signifie « noble ».
• Caractère : **réalisme, sens des responsabilités, rigueur, ordre.**
• Variante : *Lina.*

Linnea

Ce prénom, favori en Suède, arrive en France.
• **Origine suédoise**, référence au patronyme du botaniste Linné.
• Caractère : **travail, ambition, individualisme, courage.**

Linoa

Prénom composé de Li, syllabe issue du prénom Liliane, et de Noah. Il est en pleine évolution.

• **Origine hébraïque** (signifie « mouvement ») et **latine** (« lys »).
• Caractère : **sérieux, étude, sagesse, réflexion**.

Lior

Prénom en forte progression.

• **Origine hébraïque**, signifie « lumière ».
• Caractère : **écoute, réflexion, sagesse, étude**.
• Variantes : *Élior, Liora*.

Lisa

Diminutif d'Élisabeth devenu un prénom à part entière. Il figure au top 200, tout comme sa variante Lison.

• **Origine hébraïque**, signifie « Dieu est plénitude ».
• Caractère : **détermination, travail, prudence, efficacité**.

D'Isalis à Mabelle…

Pendant des siècles, les prénoms composés sont formés à partir des deux grands classiques, Jean et Marie. Les prénoms composés atteignent leur apogée dans les années 1950 : Jean-Pierre et Marie-Christine sont premiers au hit-parade. Les années 1970 voient arriver les prénoms composés avec Anne et Pierre : Anne-Sophie, Anne-Charlotte, Anne-Laure, Pierre-Yves, Pierre-François… Mais peu de parents ont l'audace de mélanger les syllabes de plusieurs prénoms pour composer un prénom original. Liselotte en est un rare exemple. Depuis les années 1990, on voit fleurir Méloé, Chlolise, Paulien… Voici quelques idées.

• Annwenn : Anne et Gwenn.
• Éliselore : Élise et Laure.
• Garlone : Gabrielle et Léone.
• Homéric : Homère et Éric.
• Isalis : Isabelle et Alice.
• Lilou : Liliane et Louise.
• Linoa : Liliane et Noa.
• Liselotte : Lise et Charlotte.
• Maëline : Maëlle et Line.
• Maëlwenn : Maëlle et Gwenn.
• Maïwen : Marie et Gwenn.
• Maloé : Malo et Chloé.
• Mananaïg : Marie et Annaïg.
• Méloé : Mélodie et Chloé.

- Variantes : *Lisette, Lison.*
- Anglo-saxon : *Lisa, Liz, Liza.*

Lisandra

Forme féminine de Lisandre.

- **D'origine grecque**, signifie « celle qui défend l'humanité ».
- Caractère : **rigueur, conscience professionnelle, diplomatie, écoute.**
- Autre orthographe : *Lysandra.*

Liv

Ce prénom scandinave commence à faire des adeptes en France.

- **Origine scandinave**, signifie « protection »
- Caractère : **réserve, étude, droiture, réflexion.**

Livia

Diminutif d'Olivia, ce prénom connaît son apogée dans l'Antiquité, à Rome. Il a réapparu après des siècles d'absence et progresse vite.

- **Origine latine**, signifie « olive ».
- Caractère : **rigueur, sens pratique, travail, sérieux.**
- Variante : *Livie.*

Loane

Peut-être une forme composée de Louise et d'Anne, ou bien le féminin de Loan, diminutif d'Élouan. Très en vogue depuis 2000, il figure aujourd'hui au top 200.

- **Origine germanique**, signifie « glorieux vainqueur », ou **origine celte**, signifie « belle lumière ».
- Caractère : **sociabilité, diplomatie, discrétion, rigueur.**
- Variante : *Loana.*

Loaven

- **Origine celte**, du nom d'une île en Bretagne.
- Caractère : **fidélité, harmonie, stabilité, affectivité.**
- Variantes : *Loéva, Loéve.*

Loélia

Diminutif de Cloélia.

- **D'origine latine**, référence aux Cloelius, une famille illustre de l'Antiquité.
- Caractère : **charisme, diplomatie, écoute, sens des responsabilités.**
- Variantes : *Loéliane, Loélie.*

Loéva

Prénom est en vogue en Bretagne, son succès s'étend peu à peu.

- **Origine celte**, signifie « polie ».
- Caractère : **charisme, idéalisme, épicurisme, sensibilité.**
- Variante : *Séva.*

Lola

Ce diminutif de Dolorès figure dans le peloton de tête du top 200.

• **Origine latine**, signifie « douleur ».

• Caractère : **travail, rigueur, courage, ténacité.**

Lolita

Ce diminutif de Dolorès fut lancé par le roman de Vladimir Nabokov.

• **Origine latine**, signifie « douleur ».

• Caractère : **fidélité, sens des responsabilités, affectivité, harmonie.**

Lomane

• **Origine celte**, signifie « lumière » et « pensée ».

• Caractère : **équilibre, sens des responsabilités, charme, générosité.**

Lomée

Diminutif de Salomé.

• **Origine hébraïque**, signifie « paix ».

• Caractère : **charme, courage, franchise, professionnalisme.**

Lorelei

Prénom inspiré de la littérature germanique du XIXe s. Lorelei est une magicienne dont l'extraordinaire beauté et la voix de sirène exercent, malgré elle, une fascination maléfique sur les navigateurs, qui se jettent sur un rocher dangereux surplombant le Rhin. L'évêque, lui-même envoûté par les charmes de la belle, la condamne à la claustration dans un couvent. Lorelei préfère la mort et se noie dans le Rhin.

• Caractère : **détermination, sagesse, rigueur, réserve.**

Lorraine

• **Origine française**, du nom de la Lorraine.

• Caractère : **énergie, courage, travail, volonté.**

• Autres orthographes : *Laurène, Lorène.*

• Espagnol : *Lorena.*

Lou

Ce diminutif de Louise est devenu un prénom à part entière depuis les années 1980. Il est en bonne place dans le top 200 des prénoms.

• **Origine germanique**, signifie « glorieux vainqueur ».

• Caractère : **créativité, communication, sens artistique, harmonie**.
• Variante : *Leelou*.

Louane

Prénom composé de Lou et d'Anne, Louane est l'un des favoris depuis 2005. Il peut aussi être considéré comme un dérivé féminin d'Elouan. Il est dans le peloton de tête des prénoms féminins.
• **Origine germanique**, signifie « victoire glorieuse », et **hébraïque**, signifie « grâce ».
• Caractère : **sociabilité, coopération, diplomatie, tact**.
• Variantes : *Louana, Louanne*.

Louella

Forme moderne de Louise.
• **Origine germanique**, signifie « glorieuse combattante ».
• Caractère : **éloquence, séduction, intuition, réflexion**.

Louise

Ce grand classique des XVIIe-XIXe s. réapparaît depuis les années 1990. Il est l'un des favoris du top 200.
• **Origine germanique**, signifie « glorieuse combattante ».
• Caractère : **discrétion, rigueur, opiniâtreté, sens du devoir**.
• Diminutifs : *Lou, Louisette, Louison*.
• Variantes : *Aloïse, Louella*. Anglo-saxon : *Louisa*. Espagnol : *Luisa*. Germanique : *Aloisia*. Italien : *Luigia, Gina*.

Louisianne

Ce prénom, composé de Louise et d'Anne, apparaît timidement.
• **Origine germanique**, signifie « glorieuse combattante ».
• Caractère : **sens des responsabilités, perfectionnisme, affectivité, sensibilité**.

Louison

Fille ou garçon, Louison est un diminutif de Louis ou de Louise. Il connaît un regain de faveur depuis 2005 et progresse rapidement.
• **Origine germanique**, signifie « glorieux vainqueur ».
• Caractère : **charme, sens des responsabilités, sociabilité, raffinement**.

Louna

Un nouveau prénom en pleine évolution depuis 2005.
• **Origine latine**, signifie « Lune ».
• Caractère : **réflexion, réserve, étude, sérieux**.
• Variante : *Luna*.

Lourdes

Ce prénom, en référence à la ville de Lourdes et aux apparitions de la Vierge, est en vogue aux États-Unis.

• Caractère : **travail, rigueur, sens de l'organisation, courage.**

• Espagnol : *Lorda.*

Lucie

Féminin de Luc, ce prénom est en vogue depuis les années 1980. Il est dans le peloton de tête du top 200.

• **Origine latine**, signifie « lumière ».

• Caractère : **sociabilité, diplomatie, communication, indépendance.**

• Anglo-saxon : *Lucy*. Espagnol et italien : *Lucia.*

Lucienne

Le succès de cette forme féminine de Lucien n'a pas dépassé le début du XXe s.

• **Origine latine**, signifie « lumière ».

• Caractère : **affectivité, calme, rigueur, réserve.**

• Italien : *Luciana.*

Lucile

Forme féminine de Luc en vogue depuis les années 1980. Il fait partie du top 200 des prénoms féminins.

• **Origine latine**, signifie « lumière ».

• Caractère : **activité, générosité, fierté, volonté.**

• Autre orthographe : *Lucille.* Anglo-saxon, espagnol, germanique, italien : *Lucilla.*

Lucrèce

Ce prénom mixte, illustré par un poète latin, est presque exclusivement féminin aujourd'hui.

• **Origine latine**, signifie « gagnante ».

Les prénoms mixtes à tendance féminine

Claude et Dominique ont fait leur temps. Les nouveaux prénoms mixtes progressent.

Alix : 80% féminin.
Andréa : 60% féminin.
Camille : 75% féminin.
Charlie : 50% féminin.
Louison : 50% féminin.
Sasha : 90% féminin.
Solène : 90% féminin.
Thaïs : 80% féminin.
Yaël : 50% féminin.

• Caractère : **calme, sérieux, travail, étude.**
• Espagnol : *Lucrecia*. Germanique : *Lukrezia*. Italien : *Lucrezia*.

Ludivine

Ce prénom connaît le succès dans les années 1980.
• **Origine germanique**, signifie « douce amie ».
• Caractère : **réflexion, sensibilité, harmonie, détermination.**
• Variantes : *Ledwine, Lidwine*. Espagnol : *Liduvina*. Germanique : *Lidwina*.

Ludmilla

• **Origine slave**, signifie « aimée du peuple ».
• Caractère : **charme, réalisme, communication, affectivité.**

Ludovique

Cette forme féminine de Ludovic est rare.
• **Origine germanique**, signifie « glorieuse combattante ».
• Caractère : **discrétion, rigueur, opiniâtreté, sens du devoir.**
• Germanique : *Ludovica*. Slave : *Ludwika*.

Lupita

• **Origine celte**, signifie « lionne ».
• Caractère : **étude, réflexion, spiritualité, réserve.**

Lyane

Forme diminutive de Liliane.
• **Origine latine**, signifie « lys ».
• Caractère : **créativité, harmonie, communication, éclectisme.**

Lydie

• **Origine latine**, signifie « de Lydie », ancienne contrée d'Asie mineure, sur la mer Égée.
• Caractère : **discrétion, sociabilité, prudence, exigence.**
• Anglo-saxon : *Lydia*. Espagnol et italien : *Lidia*.

Lys

Il suit la vogue des prénoms botaniques et progresse vite.
• **Origine française**, désigne la fleur de lys.
• Caractère : **discrétion, rigueur, opiniâtreté, sens du devoir.**

Mabelle

Forme féminine d'Aimable.

- **Origine latine**, signifie « qui mérite d'être aimée ».
- Caractère : **sociabilité, affectivité, travail, vivacité**.
- Variante : *Amabillis*.

Macarena

Prénom espagnol en vogue dans la région de Séville où il est attribué en l'honneur de Notre-Dame de Macarena, protectrice de la ville.

- **Origine grecque**, signifie « épée ».
- Caractère : **diplomatie, émotivité, adaptabilité, charisme**.

Macha

Prénom russe typique, forme slave de Marie.

- **D'origine hébraïque**, qui signifie « celle qui élève ».
- Caractère : **autorité, travail, énergie, persévérance**.

Maddy

Diminutif de Madeleine en pleine évolution.

- **Origine hébraïque**, signifie « de Magdala », nom d'un village de Galilée.
- Caractère : **sociabilité, écoute, sagesse, réserve**.

Madeleine

Ce prénom fut un grand classique du XIXe s.

- **Origine hébraïque**, signifie « de Magdala », nom d'un village de Galilée.
- Caractère : **mystère, passion, sociabilité, charisme**.
- Diminutif : *Madelon*.
- Variantes : *Magdeleine*.
- Anglo-saxon : *Madeline, Madly*. Breton : *Madalen*. Espagnol : *Magdalena*. Italien : *Madalena*. Provençal : *Madeloun*. Basque : *Maïalen*.

Madena

Forme féminine de Maden.

- **Origine celte**, signifie « bonne ».
- Caractère : **diplomatie, charisme, émotivité, adaptabilité**.

Madison

Prénom rare en France, mais très en vogue aux États-Unis.

• **Origine anglo-américaine**, signifie «fille de Maud».

• Caractère : **sociabilité, éloquence, ambition, autorité**.

Mae

Forme américaine de Marie, mais certains le considèrent comme un diminutif de Maëlle.

• **Origine hébraïque** (« celle qui élève ») ou **celte** (« princesse »).

• Caractère : **énergie, activité, ambition, charme**.

Maëlane

Une des nombreuses variantes de Maëlle.

• **Origine celte**, signifie « prince ».

• Caractère : **autorité, charisme, travail, ambition**.

Maëline

Forme composée de Maëlle et de Line, diminutif d'Adeline. Il figure au top 200 des prénoms féminins.

• **Origine celte** (« princesse » pour Maëlle) et **germanique** (« noble » pour Adeline).

• Caractère : **vitalité, charme, sensibilité, intuition**.

• Variante : *Maëlie*.

Maëlle

Ce prénom très en vogue depuis 2000 a de nombreuses variantes. Il figure au top 200.

• **Origine celte**, signifie « princesse ».

• Caractère : **vivacité, charisme, curiosité, séduction**.

• Variantes : *Maëlane, Maëlia, Maëline, Maëly, Maëlys*.

Maëly

Variante de Maëlle, elle aussi au top 200 des prénoms.

• **Origine celte**, signifie « princesse ».

• Caractère : **vivacité, charisme, curiosité, séduction**.

• Autre orthographe : *Maëlie*.

Maëlys

Un composé de Maëlle, à ne pas confondre avec le prénom basque Maïlys. Il est dans le peloton de tête du top 200.

• **Origine celte**, signifie « princesse ».

• Caractère : **sensibilité, discrétion, rigueur, réflexion**.

• Autre orthographe : *Maëlis*.

Maëna

• **Origine grecque**, signifie « lune ».
• Caractère : **réserve, rigueur, perfectionnisme, spiritualité**.

Maëva

Ce prénom connaît un succès qui ne se dément pas depuis les années 1990. Il figure au top 200.
• **Origine polynésienne**, signifie « bienvenue ».
• Caractère : **sensibilité, harmonie, ambition, sens des responsabilités**.
• Variante : *Maëvane*.

Maëve

Origine imprécise : certains y voient une forme contractée de Marie et Ève, d'autres une forme francisée de Maëva (« bienvenue » en tahitien).
• Caractère : **douceur, calme, rigueur, persévérance**.

Mafalda

Ce prénom courant en Espagne est une forme dérivée de Mathilde.
• **Origine germanique**, signifie « force au combat ».
• Caractère : **charme, énergie, vivacité, charisme**.

Magali

Forme provençale de Marguerite.
• **Origine latine**, signifie « perle ».
• Caractère : **séduction, activité, opportunisme, vivacité**.

Maguelonne

Ce prénom est une forme dérivée de Marguerite.
• **Origine latine**, signifie « perle ».
• Caractère : **charme, tradition, altruisme, sociabilité**.

Mahalla

Ce prénom de l'Ancien Testament est en vogue au XIXe s. aux États-Unis.
• **Origine hébraïque**, signifie « affection ».
• Caractère : **goût de l'aventure, sensibilité, adaptabilité, indépendance**.
• Variante : *Malia*.

Mahaut

Forme médiévale de Mathilde.
• **Origine germanique**, signifie « force au combat ».
• Caractère : **goût de l'aventure, vivacité, indépendance, spontanéité**.
• Autres orthographes : *Mahaud, Mahault*.

Maider

Ce prénom basque est une forme contractée de Marie-Belle.

• Caractère : **goût de l'aventure, rigueur, sociabilité, adaptabilité.**

Maïlys

Ce prénom d'origine basque est une contraction de Marie-des-Lys, une madone vénérée dans cette région.

• Caractère : **affectivité, activité, énergie, ambition.**

• Autre orthographe : *Maylis.*

Maïssa

• **Origine arabe**, signifie « gracieuse ».

• Caractère : **charisme, autorité, exigence, méthode.**

• Variantes : *Maïssane, Méïssa, Méïssane.*

Maïwen

Ce prénom, forme contractée de Marie et de Gwenn, est très en vogue depuis les années 1990.

• **Origine hébraïque et celte,** signifie « goutte de mer sacrée ».

• Caractère : **diplomatie, émotivité, adaptabilité, sensibilité.**

Maloe (Maloé)

Léger frémissement pour ce prénom composé de Malo et de Chloé.

• **Origine celte**, signifie « prince sage» et grecque, signifie «jeune pousse »

• Caractère : **sociabilité, énergie, ambition, droiture.**

Malvina

Une variante de Mauve.

• **Origine latine**, signifie « mauve ».

• Caractère : **courage, travail, sensibilité, fidélité.**

• Variantes : *Malva, Malvane, Malvy, Mauve.*

Mannaïg

Contraction de Marie et d'Annaïg, forme bretonne d'Annick. Plus courant que Marie-Annick, passé de mode.

• **Origine hébraïque**, signifie « goutte de mer » et « grâce ».

• Caractère : **adaptabilité, indépendance, sensibilité, goût de l'aventure.**

Manon

Ce prénom est une forme dérivée de Marianne, traditionnelle dans le midi de la France, avant de devenir un des prénoms les plus appréciés dans les années 1980. Il est toujours dans le top 200.

• **Origine hébraïque,** signifie « celle qui élève ».
• Caractère : **sociabilité, fantaisie, indépendance, adaptabilité**.

Mara

Une variante de Marie en pleine progression.

• **Origine hébraïque**, signifie « celle qui élève ».
• Caractère : **sociabilité, souplesse, vivacité, efficacité**.

Marcelle

Féminin de Marcel, qui connaît le succès au début du XXe s.

• **Origine latine,** signifie « marteau ».
• Caractère : **sociabilité, souplesse, vivacité, efficacité**.

Marcelline

Forme féminine de Marcellin.

• **Origine latine,** signifie « petit marteau ».
• Caractère : **imagination, idéalisme, intuition, fantaisie**.
• Variante : *Céline*.

Margalide

Ce prénom est une forme de Marguerite.

• **Origine latine,** signifie « perle ».
• Caractère : **stabilité, efficacité, sens pratique, travail**.

Margot

La reine Margot, Marguerite de Valois, épouse d'Henri IV, a rendu ce prénom célèbre. Après des siècles de discrétion, il est dans le peloton de tête du top 200.

• **Origine latine,** signifie « perle ».
• Caractère : **indépendance, prudence, exigence, volonté**.
• Autre orthographe : *Margaux*.

Marguerite

Ce prénom apparu au Moyen Âge connaît le succès au XIXe s. Sainte Marguerite d'Antioche, fille d'un religieux païen du IIIe s. et convertie par sa nourrice, est chassée par son père après son baptême. Le préfet d'Orient s'éprend d'elle et la fait enlever. Comme elle repousse ses avances, il la fait périr.

• **Origine latine,** signifie « perle ».
• Caractère : **persévérance, travail, opiniâtreté, altruisme**.

• Variantes : *Maguelonne, Maguy, Margot, Rita.*
• Anglo-saxon : *Daisy, Maggie, Margaret, Marjorie, Meg, Meggie, Peg, Peggy.* Breton : *Marc'haïd, Marc'halid, Marc'harid.* Champenois : *Margaine, Marganne.* Forme hébraïque : *Margalit.* Germanique : *Greta, Gretchen, Gretel.* Italien : *Margarita.* Normand : *Marjerie.* Occitan : *Magalide.* Provençal : *Magali.*

Marianne

Les XVIIe et XVIIIe s. voient le succès de Marianne, qui reste rare depuis. Ce prénom est la contraction de Marie et d'Anne.
• Caractère : **sociabilité, vivacité, indépendance, optimisme**.
• Anglo-saxon : *Mariann.* Espagnol et italien : *Mariana.*

Marie

Le plus attribué dans le monde. Il est au hit-parade de l'état civil depuis les années 1980, et ses variantes sont très nombreuses. Il est toujours dans le peloton de tête du top 200.
• **Origine hébraïque,** signifie « celle qui élève ».
• Caractère : **réserve, douceur, sens des responsabilités, exigence**.
• Variantes : *Maïté, Marielle, Mariette, Marion, Maritie, Marlène, Marylène, Maryline, Marylise, Maryse, Maryvonne, Milène, Mirabelle, Myriam.*
• Anglo-saxon : *Mary, Mitzi, Molly.* Arabe : *Myriem.* Espagnol et italien : *Maria.* Forme hébraïque : *Myriam.* Germanique : *Marika.* Irlandais : *Muriel.* Néerlandais : *Marieke, Marijke.* Provençal : *Maioun, Mireille.* Russe : *Macha, Masha.*

Marielle

• **Origine hébraïque,** signifie « goutte de mer ».
• Caractère : **sens artistique, équilibre, douceur, calme**.

Marilou

Contraction de Marie-Louise, en vogue depuis 2000.
• **Origine hébraïque,** signifie « goutte de mer », et **germanique,** signifie « victoire glorieuse ».
• Caractère : **énergie, autorité, travail, persévérance**.

Marilyn

Ce prénom n'est pas fréquent, malgré l'immense succès de Marilyn Monroe.
• **Origine hébraïque,** signifie « goutte de mer ».

• Caractère : **réflexion, détermination, charisme, sens de l'organisation.**

Marine

Cette forme féminine de Marin est un des prénoms phares des années 1990 et demeure dans le top 200 des favoris féminins.

• **Origine latine,** signifie « mer ».
• Caractère : **vivacité, sensibilité, optimisme, affectivité.**
• Variante : *Marinette.*
• Italien : *Marinella.* Russe : *Marina.*

Marion

Forme dérivée de Marie, bien placée au top 200 des prénoms féminins.

• **Origine hébraïque,** signifie « goutte de mer ».
• Caractère : **intuition, calme, réflexion, esprit d'analyse.**

Marisa

On peut attibuer à ce prénom deux étymologies : il peut être une forme dérivée de Maryse, variante de Marie, ou bien être une forme européenne de Maresha, prénom hébraïque qui signifie « colline ».

• Caractère : **séduction, réflexion, opportunisme, originalité.**

Marjorie

Forme américaine de Marguerite.

• **Origine latine,** signifie « perle ».
• Caractère : **ambition, volonté, passion, vivacité.**

Marlène

Ce prénom est une contraction de Marie et de Magdeleine.

• **Origine hébraïque,** signifie « goutte de mer ».
• Caractère : **charme, fantaisie, affectivité, séduction.**
• Espagnol : *Marlena.*

Marta

Forme slave, espagnole, italienne, basque et corse de Marthe.

• **D'origine araméenne**, signifie « maîtresse de maison ».
• Caractère : **discrétion, fidélité, générosité, écoute.**

Marthe

Ce prénom connaît ses heures de gloire à la fin du XIXe *s.*

• **Origine araméenne,** signifie « dame ».
• Caractère : **dynamisme, activité, opportunisme, diplomatie.**
• Anglo-saxon : *Martha.* Espagnol et italien : *Marta.*

Martine

Cette forme féminine de Martin connaît le succès dans les années 1950.

• **Origine latine,** signifie « guerrier ».

• Caractère : **calme, réserve, énergie, travail.**

• Espagnol, italien, slave : *Marta, Martina.*

Marylène

Forme contractée de Marie-Hélène.

• **Origine hébraïque,** signifie « goutte de mer » et « éclat du soleil ».

• Caractère : **élégance, émotivité, imagination, vivacité.**

Maryse

Cette forme dérivée de Marie a eu ses adeptes au début du XXe s.

• **Origine hébraïque,** signifie « goutte de mer ».

• Caractère : **réalisme, imagination, indépendance, sensibilité.**

Maryvonne

Ce prénom, forme contractée de Marie et d'Yvonne, fut fréquent en Bretagne jusqu'à la moitié du XXe s.

• **Origine hébraïque**, signifie « goutte de mer ».

• Caractère : **charme, séduction, détermination, travail.**

Mathilde

Ce prénom, fréquent au Moyen Âge, est aujourd'hui dans le peloton de tête du top 200.

• **Origine germanique,** signifie « force au combat ».

• Caractère : **douceur, sensibilité, harmonie, curiosité.**

• Variantes : *Mahaut, Maud, Mechtilde.*

• Anglo-saxon : *Matilda.* Espagnol : *Mafalda.*

La ronde des prénoms guerriers

Mathilde est l'un des fleurons de notre état civil. Ce beau prénom doux et fort à la fois fait partie d'une grande famille, celle des prénoms féminins d'**Origine germanique**, se terminant en -hilde, qui signifie « combat ». La plupart sont méconnus, malgré leur belle sonorité : Blichilde, Mechtilde, Nanthilde, Sichilde, Swanahilde, Théodechilde. Tous ont été en vogue en Europe entre le Ve et le VIIIe s.

Mattéa

Variante féminine de Mattéo, forme italienne de Mathieu.

• **D'origine hébraïque**, signifie « don de Dieu ».
• Caractère : **discrétion, prudence, sérieux, exigence.**
• Autre orthographe : Mathéa.

Maud

Variante de Mathilde.

• **Origine germanique,** signifie « force au combat ».
• Caractère : **charisme, fidélité, esprit, volonté.**

Maurane

Forme féminine de Maurice.

• **Origine latine,** signifie « maure ».
• Caractère : **ambition, énergie, rigueur, autorité.**

Maureen

Forme anglo-saxonne de Maure.

• **Origine latine,** signifie « maure ».
• Caractère : **sociabilité, prudence, réflexion, réserve.**

Maxine

• **Origine latine**, signifie « la plus grande »
• Caractère : **vivacité, créativité, indépendance, originalité.**

Maya

On lui prête plusieurs origines : hébraïque, il signifie « source ». Dans la mythologie grecque, il nomme la fille d'Atlas, mère d'Hermès, ainsi qu'une des Pléiades. Maya est en bonne place dans le top 200.

• Caractère : **sagesse, discrétion, spiritualité, efficacité.**
• Autre orthographe : *Maïa.*

Maylis

Cette forme dérivée de Marie est très en vogue depuis le début de ce siècle. Sainte Marie, mère de Jésus, est sa patronne.

• **Origine hébraïque,** signifie « goutte de mer ».
• Caractère : **dynamisme, activité, ambition, sensibilité.**
• Autre orthographe : *Maïlys.*

Mazarine

Jules Mazarin, prélat et diplomate d'origine italienne, est le principal ministre d'Anne d'Autriche pendant la minorité de Louis XIV. Ses nièces, qu'il s'ingénie à marier habilement, sont surnommées les « mazarines ».

• Caractère : **volonté, ambition, efficacité, réserve.**

Médée

Ce prénom est issu de la mythologie grecque. Médée, épouse de Jason qui l'abandonne, se venge en égorgeant ses enfants. Elle inspire des tragédies à Euripide, Sénèque et Corneille.

- **Origine grecque**, signifie « intransigeance ».
- Caractère : **adaptabilité, sensibilité, indépendance, goût de l'aventure.**
- Espagnol : *Medea.*

Médine

Ce prénom, d'origine arabe, fait référence à la ville de Médine.

- Caractère : **charisme, dynamisme, curiosité, activité.**

Mégane

Ce prénom est la forme galloise de Marguerite ; il eut un grand succès populaire dans les années 1980.

- **Origine latine,** signifie « perle ».
- Caractère : **passion, épicurisme, vivacité, goût de l'aventure.**
- Autres orthographes : *Megan, Meghan.*

Mélanie

- **Origine latine,** signifie « noire ».
- Caractère : **franchise, curiosité, vivacité, indépendance.**
- Anglo-saxon : *Melloney.* Espagnol et italien : *Melania.*

Mélia

- **Origine latine,** signifie « miel ».
- Caractère : **travail, rigueur, sens de l'organisation, persévérance.**
- Variante : *Mélinda.*

Mélina

Ce prénom est dans le peloton de tête des prénoms féminins, comme sa variante Méline.

- **Origine grecque,** signifie « miel ».
- Caractère : **discrétion, gentillesse, sociabilité, élitisme.**
- Variantes : *Méline, Mélia.*

Mélinda

Variante de Bélinda, issu de Béline, prénom qui n'est plus en usage.

- **Origine germanique,** signifie « resplendissante ».
- Caractère : **sensibilité, travail, indépendance, discrétion.**
- Variantes : *Béline, Bélinda.*

Mélisande

Ce prénom est une forme dérivée de Mélanie.

- **Origine latine,** signifie « noire ».
- Caractère : **opiniâtreté, indépendance, fidélité, volonté.**
- Anglo-saxon : *Millicent.*

Mélissa

Ce prénom est une forme dérivée de Melle. Il est en bonne place dans le top 200.

• **Origine latine,** signifie « miel ».
• Caractère : **douceur, harmonie, intuition, diplomatie.**

Mélodie

Ce prénom a suivi la vogue d'Élodie.

• **Origine grecque,** signifie « chanson ».
• Caractère : **spiritualité, altruisme, générosité, rêverie.**
• Anglo-saxon : *Melody.*

Mélusine

Mélusine, dans les romans de chevalerie du Moyen Âge, est une fée malheureuse, femme et mère exemplaire de bonté, cruellement condamnée à se transformer chaque samedi en femme-serpent.

• **Origine latine,** signifie « noire ».
• Caractère : **charme, diplomatie, indépendance, vivacité.**

Mercédès

Ce prénom est courant dans les pays hispaniques.

• **Origine latine,** signifie « faveur ».
• Caractère : **émotivité, curiosité, adaptabilité, harmonie.**

Mérédith

Ce prénom désormais féminin est masculin à l'origine. Longtemps méconnu, il progresse vite.

• **Origine galloise,** signifie « grand chef ».
• Caractère : **ambition, autorité.**

Merryl

Ce prénom est la forme féminine anglo-saxonne de Merri.

• **Origine germanique,** signifie « courage de roi ».
• Caractère : **curiosité, dynamisme, éclectisme, souplesse.**

Mewena

Ce prénom est la forme féminine de Méen, prénom traditionnel breton.

• **Origine celte,** signifie « jeune homme ».
• Caractère : **étude, réflexion, spiritualité, discrétion.**

Mia

Une variante d'Aimée, courante aux États-Unis. Il figure dans le top 200 des prénoms féminins et continue de progresser.

• **Origine latine,** signifie « aimée ».
• Caractère : **fidélité, efficacité, détermination, sociabilité.**
• Autre orthographe : *Mya.*

Michaela

Ce prénom est la forme féminine de Michaël, forme originelle de Michel.
• **Prénom hébraïque,** signifie « comme Dieu ».
• Caractère : **calme, harmonie, générosité, habileté.**
• Autres orthographes : *Micaela, Mikaela.*

Michèle

Ce prénom est très répandu au milieu du XXe s.
• **Origine hébraïque,** signifie « comme Dieu ».
• Caractère : **séduction, sérieux, détermination, travail.**
• Autre orthographe : *Michelle.*
• Espagnol : *Miguela.* Italien : *Michela.*

Micheline

Variante féminine de Michel, moins courante que Michèle.
• **Origine hébraïque,** signifie « comme Dieu ».
• Caractère : **sensibilité, activité, méthode, détermination.**

Mila

Diminutif de Ludmilla, ce prénom est courant en Serbie et fait des adeptes dans les pays anglophones. Il est dans le top 200 des prénoms féminins dans l'Hexagone.
• **Origine slave,** signifie « aimée du peuple ».
• Caractère : **sociabilité, travail, charisme, générosité.**
• Variantes : *Ludmilla, Milla.*

Milana

Forme féminine de Milan, ce prénom slave est en pleine expansion.
• **D'origine slave,** signifie « aimée du peuple »
• Caractère : **méthode, travail, énergie, ambition.**
• Variantes : *Milane, Milena.*

Millie

Diminutif de Mildred, il est présent dans tous les pays anglophones.
• **Origine germanique,** signifie « douce conseillère ».
• Caractère : **affectivité, stabilité générosité, discrétion.**
• Variante : *Mildred.*

Minna

Diminutif de Wilhelmina, forme germanique de Guillemette.
• **Origine germanique,** signifie « casque » et « volonté ».
• Caractère : **sens des responsabilités, conscience**

professionnelle, affectivité, dévouement.
• Autre orthographe : *Mina.*

Minnie

Ce prénom est un diminutif anglo-saxon de Wilhelmine.
• **Origine germanique,** signifie « volonté » et « protection ».
• Caractère : **activité, volonté, ambition, autorité.**

Mireille

Cette forme dérivée de Marie a été pendant plusieurs décennies un favori en Provence. Sainte Marie, mère de Jésus, est sa patronne.
• **Origine hébraïque,** signifie « goutte de mer ».
• Caractère : **altruisme, indépendance, ambition.**
• Espagnol : *Mireya.* Italien : *Mirella.*

Moïra

• **Origine incertaine :** on peut rattacher ce prénom à Maur, dont il serait une forme féminine, ou au prénom polynésien Moïra, qui signifie « vallée fleurie ».
• Caractère : **sociabilité, diplomatie, volonté, travail.**

Monique

Un classique de la première moitié du XXe s.
• **Origine grecque,** signifie « seule ».
• Caractère : **réflexion, générosité, fidélité, rigueur.**
• Breton : *Mona.* Espagnol et italien : *Monica.*

Montserrat

• **Origine espagnole,** la Vierge de Montserrat étant la patronne de la Catalogne.

Les prénoms voués à la Vierge

En Espagne, de nombreux prénoms sont attribués aux petites filles en l'honneur de Marie : c'est le cas de Montserrat, pour la Vierge de Montserrat, patronne de la Catalogne ; de Macarena, pour la protectrice de Séville ; de Mercédès en référence à la Vierge de la Merced (de la Merci) à Barcelone ; de Milagros pour Notre-Dame de los Milagros, patronne des Canaries ; de Nievès pour Notre-Dame-des-Neiges.

• Caractère : **esprit pratique, équilibre, sens de la justice, rigueur.**

Morgane

Dans la légende médiévale, Morgane est la sœur du roi Arthur, fée bienveillante et guérisseuse dont les exploits sont cités dans les chansons de Merlin et d'Ogier le Danois. Ce prénom mixte, qui a connu son apogée dans les années 1980, fait encore partie du top 200.

• **Origine celte,** signifie « enfant de la mer ».

• Caractère : **volonté, vivacité, goût de l'aventure, originalité.**

• Variantes : *Morgaine, Morganenn, Morganez, Morrigaine, Morrigane.*

Morwenna

Forme féminine de Morvan.

• **Origine celte,** signifie « femme de la mer ».

• Caractère : **émotivité, charisme, adaptabilité, diplomatie.**

• Variante : *Morvena.*

Mouna

• **Origine arabe,** signifie « désir ».

• Caractère : **autorité, discipline, ambition, volonté.**

Muriel

Forme normande de Marie.

• **Origine hébraïque,** signifie « goutte de mer ».

• Caractère : **détermination, discrétion, fidélité, sensibilité.**

Myriam

Forme originelle de Marie. Il est dans le top 200 des prénoms.

• **Prénom hébraïque,** signifie « celle qui élève ».

• Caractère : **dynamisme, perfectionnisme, générosité, réserve.**

• Arabe : *Myriem.* Espagnol : *Miriam.*

Myrtille

• **Origine latine,** signifie « myrte ».

• Caractère : **optimisme, épicurisme, persuasion, adaptabilité.**

• Anglo-saxon : *Myrtle.*

Nabila

• **Origine arabe,** signifie « généreuse ».
• Caractère : **volonté, ambition, travail, sociabilité.**

Nadège

• **Origine slave,** signifie « espérance ».
• Caractère : **courage, travail, sensibilité, fidélité.**
• Russe : *Nadejda, Nadiona, Nadioussa, Najda.*

Nadia

Forme espagnole de Nadège.
• **Origine slave,** signifie « espérance ».
• Caractère : **sensibilité, intuition, idéalisme, altruisme.**

Nadine

Les années 1960 voient le succès de ce prénom, tombé depuis dans l'oubli.
• **Origine slave,** signifie « espérance ».
• Caractère : **exigence, passion, indépendance, volonté.**

Naëlle

Diminutif d'Anaëlle, forme bretonne d'Anne.
• Origine **hébraïque** (« grâce ») et **arabe** (« qui a étanché la soif »).
• Caractère : **rigueur, exigence, sérieux, sens des responsabilités.**

Naïla

Ce prénom en pleine expansion figure au top 200.
• **Origine arabe**, signifie « désaltérante ».
• Caractère : **énergie, autorité, ambition, travail.**

Naïs

Ce prénom est le diminutif d'Anaïs, forme méridionale d'Anne.
• **Origine hébraïque,** signifie « grâce ».
• Caractère : **énergie, sens des responsabilités, charme, franchise.**

Nancy

Forme anglo-saxonne d'Anne, très prisée aux États-Unis.
• **Origine hébraïque,** signifie « grâce ».
• Caractère : **charme, sociabilité, détermination, diplomatie.**

Nanthilde

Ce prénom est porté par la deuxième femme de Dagobert Ier au VIIe s.
• **Origine germanique,** signifie « combat de chef ».
• Caractère : **fidélité, sens des responsabilités, stabilité, affectivité.**

Naomi

Cette forme originelle de Noémi est en vogue aux États-Unis. Noémi, personnage biblique, est la belle-mère de Ruth, à Bethléem, en Judée.
• **Origine hébraïque,** signifie « gracieuse ».
• Caractère : **curiosité, goût de l'aventure, persuasion.**

Natalène

Variante de Nathalie.
• **Origine latine,** signifie « natale ».
• Caractère : **éloquence, rapidité, séduction, adaptabilité.**

Nathalie

Ce prénom connaît un immense succès dans les années 1960.
• **Origine latine,** signifie « natale ».
• Caractère : **réserve, esprit d'analyse, réflexion, fidélité.**
• Anglo-saxon et germanique : *Natalie.* Espagnol : *Natividad.* Italien : *Natalia.* Russe : *Natasha.*

Neila

Prénom est en pleine expansion.
• **Origine celte,** signifie « championne ».
• Caractère : **courage, ténacité, ambition, travail.**
• Variantes : *Neela, Niala, Nialla, Nyla.*

Nélia

Ce diminutif de Cornélia est en pleine expansion.
• **Origine latine**, signifie « corneille ».
• Caractère : **énergie, activité, curiosité, charisme.**

Nelly

Ce prénom est une des formes anglo-saxonnes d'Hélène.
• **Origine grecque,** signifie « éclat du soleil ».
• Caractère : **vivacité, curiosité, séduction, indépendance.**

Néréa

Ce prénom basque est en pleine évolution.

- **Origine basque,** signifie « mienne ».
- Caractère : **calme, étude, réflexion, affectivité.**

Néva

Très apprécié en Espagne, ce prénom commence à progresser dans l'Hexagone.

- **Origine espagnole**, signifie « neige ».
- Caractère : **affectivité, sens des responsabilités, rigueur, sagesse.**
- Variante : *Nievès.*

Niamh

Ce prénom est très en vogue en Irlande depuis 2010.

- **Origine celte,** signifie « radieuse ».
- Caractère : **ambition, travail, énergie, sociabilité.**

Nicole

Cette forme féminine de Nicolas est un des classiques des années 1950.

- **Origine grecque,** signifie « victoire du peuple ».
- Caractère : **prudence, opiniâtreté, travail, affectivité.**
- Variantes : *Coline, Nicolin, Nicky.*
- Italien : *Nicoletta.*

Nikita

Ce prénom est une forme russe de Nicétas, prénom rarissime en France. Il est aujourd'hui attribué aussi bien aux filles qu'aux garçons.

- **Origine grecque,** signifie « vainqueur ».
- Caractère : **ordre, travail, exigence, autorité.**

Nina

Ce diminutif d'Anne est dans le peloton de tête du top 200, tout comme sa variante Ninon.

- **Origine hébraïque**, signifie « grâce ».
- Caractère : **altruisme, sagesse, rigueur, fiabilité.**
- Variantes : *Nine, Ninon.*

Nine

Forme diminutive d'Anne.

- **Origine hébraïque,** signifie « grâce ».
- Caractère : **harmonie, fidélité, affectivité, sens des responsabilités.**
- Variantes : *Nina, Ninon, Ninotchka.*

Ninnog

Prénom traditionnel breton.
• **Origine celte,** signifie « sommet ».
• Caractère : **ambition, autorité, volonté, travail.**

Nioba

Dans la mythologie grecque, Niobé est la fille de Tantale et la petite-fille de Zeus. Mariée, mère de sept garçons très forts et de sept filles très belles, et dotée d'une grande fortune, elle devrait louer les dieux, mais elle les provoque. Les dieux font périr sous ses yeux, les uns après les autres, tous ses enfants. La légende veut que Niobé soit changée en rocher, mais que ses larmes continuent de couler...
• **Origine grecque,** signifie « fougère ».
• Caractère : **vivacité, curiosité, intelligence, goût de l'aventure.**

Noa

Dans la Bible, Noa est une descendante de Joseph.
• **Origine hébraïque,** signifie « la mouvante ».
• Caractère : **énergie, sociabilité, adaptabilité, goût de l'aventure.**
• Autre orthographe : *Noah.*

Noélie

Cette variante de Noëlle progresse depuis 2000. Elle est dans le top 200, comme sa variante Noëla.
• **Origine hébraïque,** signifie « Dieu est avec nous ».
• Caractère : **intuition, idéalisme, imagination, sensibilité.**
• Variantes : *Noëla, Noëline.*

Noëlla

• **Origine hébraïque,** signifie « Dieu avec nous ».
• Caractère : **sensibilité, idéalisme, émotivité, romantisme.**
• Breton : *Nédéleg, Novela, Novelenn.* Espagnol : *Noella.*

Noémie

Rare pendant des siècles, Noémie a beaucoup progressé et figure en bonne place dans le top 200. Dans la Bible, Noémi est la belle-mère de Ruth.
• **Origine hébraïque,** signifie « gracieuse ».
• Caractère : **critique, exigence, prudence, travail.**

Nola

Ce prénom est en pleine croissance.
• **Double origine :** diminutif de Fionnula, d'origine irlandaise, (« jeune fille aux belles épaules »,

et féminin de Neal, d'origine celte (« champion »).
• Caractère : **générosité, droiture, affectivité, sens des responsabilités.**
• Variantes : *Nolane, Nyla.*

Nolwenn

Longtemps cantonné à sa région, Nolwenn est aujourd'hui apprécié dans la France entière.
• **Origine celte,** signifie « agneau blanc ».
• Caractère : **sensibilité, intuition, altruisme, rêverie.**
• Diminutifs : *Nolwenna, Nolwennig.*
• Variantes : *Gwennoal, Gwennig, Noalig, Noluen, Noyale.*

Nonn

• **Origine galloise,** de signification inconnue.
• Caractère : **communication, harmonie, éclectisme, sens artistique.**
• Variantes : *Nonna, Nonnen.*

Nora

Ce prénom fait partie du top 200 des prénoms féminins.
• **Origine grecque**, diminutif d'Éléonore (« compassion »), et **origine arabe** (« lumière »).
• Caractère : **sociabilité, franchise, adaptabilité, indépendance.**
• Irlandais : *Noreen.*

Noriane

Ce prénom est une forme dérivée d'Éléonore.
• **Origine grecque,** signifie « compassion ».
• Caractère : **séduction, vivacité, détermination, curiosité.**

Norig

Ce prénom est une forme diminutive d'Énora.
• **Origine celte,** signifie « honneur ».
• Caractère : **diplomatie, émotivité, adaptabilité, charisme.**

Norma

Ce prénom est la forme féminine de Norman.
• **Origine germanique,** signifie « femme du Nord ».
• Caractère : **étude, réflexion, réserve, spiritualité.**

Nour

Ce prénom fait partie du top 200 et continue de progresser.
• **Origine arabe**, signifie « la lumineuse ».

• Caractère : **équilibre, ambition, harmonie, sens de la justice.**
• Variante : **Noura.**

Nova

Ce prénom tout neuf est en pleine évolution dans les pays scandinaves.
• **Origine latine,** signifie « nouvelle ».
• Caractère : **réflexion, sérieux, étude, curiosité.**

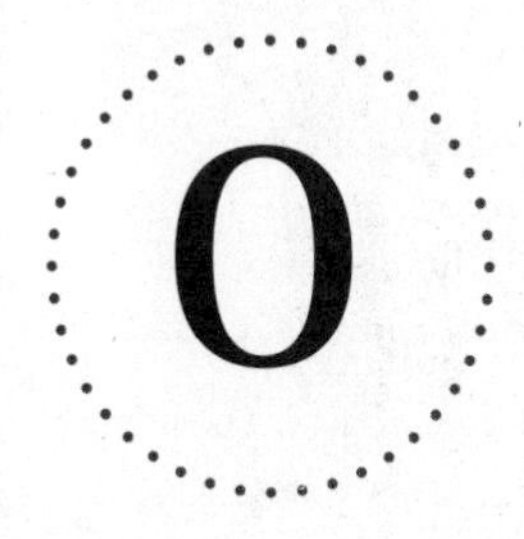

Oana

Forme bretonne d'Agnès, ce prénom progresse rapidement.
• **Origine grecque**, signifie « chaste ».
• Caractère : **générosité, altruisme, idéalisme, énergie**.
• Variantes : *Oanel, Oanelle.*
• Diminutifs : *Nelig, Oanez, Oanig.*

Océane

Dans la mythologie grecque, Océan est l'aîné des Titans et le père des Océanides, nymphes de la mer et des eaux. Ce prénom figure au top 200.
• **Origine grecque,** signifie « océan ».
• Caractère : **activité, dynamisme, perfectionnisme, générosité.**
• Variante : *Ocella.*

Ocella

Ce prénom est une des formes féminines d'Océan.
• **Origine grecque,** signifie « océan ».
• Caractère : **intuition, harmonie, diplomatie, équilibre.**

Octavie

Ce prénom, forme féminine d'Octave, est en vogue dans la Rome antique ; il est porté par la femme de Néron et la femme d'Antoine.
• **Origine latine,** signifie « huitième ».
• Caractère : **générosité, fantaisie, curiosité, sociabilité**.
• Italien : *Ottavia.*

Odette

Ce prénom est en vogue au début du XXᵉ s.

• **Origine germanique,** signifie « richesse ».

• Caractère : **générosité, force de caractère, efficacité, séduction.**

• Variantes : *Oda, Odiane, Odile.*

Odiane

Dérivé moderne d'Odette.

• **Origine germanique,** signifie « richesse ».

• Caractère : **communication, calme, équilibre, stabilité.**

Odile

• **Origine germanique,** signifie « richesse » et « combat ».

• Caractère : **spiritualité, altruisme, générosité, rêverie.**

• Variante : *Odiane.*

• Espagnol : *Odilia.* Provençal : *Oudilo.*

Odyssea

Ce prénom fait référence à l'œuvre d'Homère, L'Iliade *et* L'Odyssée.

• Caractère : **spiritualité, étude, réflexion, discrétion.**

Olga

• **Origine slave,** signifie « consacrée aux dieux ».

• Caractère : **énergie, autorité, exigence, opportunisme.**

Olivia

Ce prénom figure dans le top 200.

• **Origine latine,** signifie « olive ».

• Caractère : **réflexion, étude, indépendance, rapidité.**

Olympe

• **Origine grecque,** d'Olumpos, nom d'une montagne de Thessalie.

• Caractère : **dynamisme, indépendance, courage, travail.**

• Espagnol et italien : *Olimpia.*

Ombeline

Ce prénom distingué connaît un discret succès.

• **Origine latine,** signifie « ombrelle ».

• Caractère : **équilibre, franchise, sociabilité, curiosité.**

Ondine

Dans la mythologie latine, Ondine est la déesse des Eaux. Ce prénom marin a précédé Marine et Océane à l'état civil.

• **Origine latine,** signifie « onde ».

• Caractère : **spiritualité, rêverie, étude, méditation.**
• Espagnol : *Ondina.*

Onnen

• **Origine celte,** signifie « frêne ».
• Caractère : **sensibilité, réflexion, sens de la justice, altruisme.**
• Variante : *Oona.*

Ophélie

Ce prénom connaît deux brèves phases de succès, au XIXe s. et à la fin du XXe s.
• **Origine grecque,** signifie « recours ».
• Caractère : **secret, méditation, étude, intuition.**
• Anglo-saxon et germanique : *Ophelia.* Espagnol et italien : *Ofelia.*

Orane

Ce prénom est un dérivé d'Aure.
• **Origine latine,** signifie « en or ».
• Caractère : **passion, énergie, indépendance, curiosité.**
• Variantes : *Oria, Oriane.*

Orla

• **Origine celte,** signifie « princesse en or ».
• Caractère : **énergie, émotivité, travail, rapidité.**

Oria

Ce prénom évolue favorablement.
• **Origine latine**, signifie « en or ».
• Caractère : **réflexion, étude, sagesse, sérieux.**

Orlane

Version francisée d'Orlana, dérivé d'Orlanda, forme italienne de Rolande.
• **Origine germanique,** signifie « terre glorieuse ».
• Caractère : **énergie, charme, sensibilité, idéalisme.**

Ornella

Ce prénom très en vogue est une forme italienne d'Aure.
• **Origine latine,** signifie « en or ».
• Caractère : **passion, émotivité, persévérance, exigence.**

Ottilia

• **Origine germanique**, signifie « l'héritière ».
• Caractère : **sensibilité, altruisme, rêverie, réserve.**
• Variantes : *Oda, Ottilie.*

Palmyre

- **Origine grecque,** de Palmura, nom d'une antique cité syrienne.
- Caractère : **secret, idéalisme, étude, réflexion.**
- Espagnol : *Palmira.*

Paloma

Ce prénom est apprécié dans les pays hispaniques. En France, il fait partie du top 200.

- **Origine latine,** signifie « colombe ».
- Caractère : **franchise, courage, détermination, autorité.**

Paméla

Ce prénom est inspiré d'un prénom littéraire, issu d'un roman anglais de Samuel Richardson.

- Caractère : **franchise, vivacité, optimisme, curiosité.**

Paola

Forme italienne de Paule.

- **Origine latine,** signifie « petite ».
- Caractère : **autorité, activité, intelligence, goût de la perfection.**

Paquita

Forme espagnole de Marguerite.

- **Origine latine,** signifie « perle ».
- Caractère : **volonté, travail, franchise, fidélité.**

Pascale

Ce prénom est le féminin de Pascal.

- Caractère : **sociabilité, vivacité, curiosité, fantaisie.**
- Variante : *Pascaline.*
- Italien : *Pasqualina.*

Patricia

Ce féminin de Patrice connaît le succès dans les années 1950.

- **Origine latine,** signifie « patricien ».
- Caractère : **franchise, charme, indépendance, rapidité.**
- Espagnol : *Tricia.* Italien : *Patrizia.*

Paule

Ce prénom est le féminin de Paul.

- **Origine latine,** signifie « petite ».
- Caractère : **autorité, activité, intelligence, goût de la perfection.**

• Variante : *Paulette*.
• Anglo-saxon : *Paula*. Italien : *Paola*. Russe : *Pavla*.

Pauline

Cette forme féminine de Paul connaît le succès aux XVIIIe et XIXe s., et depuis les années 1980. Elle figure au top 200 des prénoms féminins.
• **Origine latine,** signifie « faible ».
• Caractère : **douceur, calme, sens artistique, affectivité**.
• Espagnol : *Paulina*.

Peggy

Ce prénom est une forme anglo-saxonne de Marguerite.
• **Origine latine,** signifie « perle ».
• Caractère : **dynamisme, curiosité, fantaisie, épicurisme**.

Pélagie

• **Origine grecque,** signifie « pleine mer ».
• Caractère : **audace, passion, volonté, courage**.

Pénélope

Ce prénom dérivé d'Hélène est illustré dans la mythologie grecque par la femme d'Ulysse, symbole de la fidélité conjugale, qui attendit vingt ans le retour de son mari sans céder à ses prétendants.
• **Origine grecque,** signifie « éclat du soleil ».
• Caractère : **sociabilité, réserve, curiosité, sens de l'observation**.
• Anglo-saxon : *Penny*.

Perle

• **Origine latine,** signifie « perle ».
• Caractère : **volonté, autorité, indépendance, émotivité**.
• Anglo-saxon : *Pearl*. Breton : *Perlezen*.

Pernelle

Variante de Pétronille.
• **Origine latine,** signifie « pierre ».
• Caractère : **sensibilité, idéalisme, dévouement, rêverie**.
• Anglo-saxon : *Pernella*.

Perrine

• **Origine latine,** signifie « pierre ».
• Caractère : **sensibilité, prudence, passion, charisme**.

Pétronille

Une autre forme féminine de Pierre, plus courante que Pierrette.
• **Origine latine,** signifie « pierre ».
• Caractère : **sensibilité, rêverie, idéalisme, dévouement**.
• •Breton : *Pétrounel*. Espagnol : *Petronila*.

Phalène

- **Origine grecque**, du nom d'un papillon de nuit.
- Caractère : **prudence, intuition, réflexion, réserve.**

Phèdre

Dans la mythologie grecque, Phèdre est la fille du roi Minos ; elle épouse Thésée et tombe amoureuse d'Hippolyte, son beau-fils, qui la repousse. Vexée, Phèdre le dénonce à son mari qui voue le jeune homme à la colère du dieu Poséidon. Dévorée de remords, Phèdre se pend. Son histoire est le thème de tragédies écrites par Sénèque, Euripide et Racine.

- **Origine grecque,** signifie « brillante ».
- Anglo-saxon : *Phedra.*

Philadelphie

Ce prénom est très en vogue aux États-Unis, probablement en raison de sa consonance géographique en référence à la ville.

- **Origine grecque,** signifie « qui aime ses frères ».
- Caractère : **sensibilité, harmonie, générosité, écoute.**
- Anglo-saxon : *Philadelphia.*

Philippine

Forme féminine de Philippe.

- **Origine grecque,** signifie « qui aime les chevaux ».
- Caractère : **élégance, perfectionnisme, sensibilité, indépendance.**
- Variante : *Philippa.*
- Anglo-saxon : *Philippa.*

Philomène

- **Origine grecque,** signifie « qui aime la parole ».
- Caractère : **calme, intuition, affectivité, réflexion.**
- Anglo-saxon : *Philomena.*

Phyllis

- **Origine grecque,** signifie « feuillage ».
- Caractère : **douceur, calme, charme, sensibilité.**

Pia

Ce prénom est courant en Italie.

- **Origine latine,** signifie « pieuse ».
- Caractère : **énergie, activité, autorité, sociabilité.**

Pierrette

Ce féminin de Pierre connaît le succès au début du XXe s.

- **Origine latine,** signifie « pierre ».
- Caractère : **volonté, courage, ambition, affectivité.**
- Espagnol : *Petra*. Italien : *Piera*.

Poéma

- **Origine tahitienne**, signifie « perle des mers profondes ».
- Caractère : **volonté, autorité, droiture, responsabilité.**

Priscille

Les années 1980 voient son apogée.

- **Origine latine,** signifie « antique ».
- Caractère : **réflexion, bon sens, affectivité, tradition.**
- Variantes : *Praxilla*, *Prisca*, *Priscilla*.

Prune

Ce prénom connaît une vague de succès dans les années 1980.

- **Origine française,** du nom de la prune, fruit du prunier.
- Caractère : **charme, vivacité, travail, intuition.**
- Variante : *Prunelle*.
- Anglo-saxon : *Prunella*.

Quintilla

Forme féminine de Quentin.

- **Origine latine,** signifie « cinquième ».
- Caractère : **combativité, sens des affaires, opiniâtreté, travail.**
- Variante : *Quintiane*.

Quitterie

- **Origine latine,** signifie « tranquille ».
- Caractère : **curiosité, vivacité, indépendance, sociabilité.**
- Espagnol : *Quiteria*.

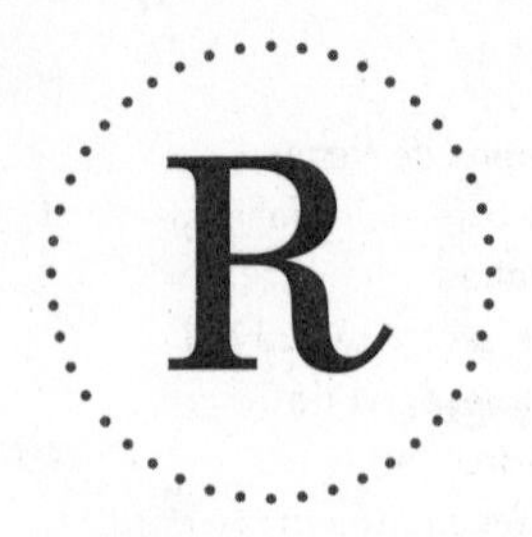

Rachel

Rachel, personnage de la Bible, est la femme de Jacob, la mère de Joseph et de Benjamin.
• **Origine hébraïque,** signifie « brebis ».
• Caractère : **exigence, passion, générosité, fidélité.**
• Espagnol : *Raquel*. Italien : *Raquele*.

Radegonde

Prénom porté par la quatrième femme de Clotaire au VIe s.
• **Origine germanique,** signifie « combat » et « conseil ».
• Caractère : **ambition, énergie, volonté, indépendance.**

Ramona

Forme espagnole de Raymonde.
• **Origine germanique,** signifie « conseil du monde ».
• Caractère : **réserve, goût de l'aventure, sensibilité, adaptabilité.**

Raphaëlle

Comme Gabrielle, Raphaëlle n'a pas atteint le succès de sa forme masculine.
• **Origine hébraïque,** signifie « Dieu a guéri ».
• Caractère : **communication, créativité, énergie, sociabilité.**
• Anglo-saxon : *Raphaëla.*

Raymonde

C'est dans les années 1920 que ce féminin de Raymond connaît un relatif succès. Aymone lui est préféré aujourd'hui.
• **Origine germanique,** signifie « conseil du monde ».
• Caractère : **réserve, sensibilité, goût de l'aventure, adaptabilité.**
• Autre orthographe : *Raimonde.*
• Variantes : *Aymone, Raymondine.*

Rebecca

Dans la Bible, Rebecca est la femme d'Isaac, la mère d'Esaü et de Jacob.
• **Origine hébraïque,** signifie « celle qui rassasie ».
• Caractère : **activité, autorité, détermination, indépendance.**
• Espagnol : *Rebeca.*

Régine

Forme féminine de Régis.

• **Origine latine,** signifie « reine ».

• Caractère : **émotivité, travail, sens des responsabilités, rigueur**.

• Variantes : *Reine, Réjane*.

• Espagnol et italien : *Regina, Gina*.

Reine

Forme francisée de Régine.

• **Origine latine,** signifie « reine ».

• Caractère : **affectivité, dévouement, diplomatie, harmonie**.

Réjane

*C'est la grande comédienne qui rend ce prénom célèbre au début du XX*e *s.*

• **Origine latine,** signifie « reine ».

• Caractère : **énergie, volonté, ambition, courage**.

Rénalda

Ce prénom est la forme féminine italienne de Renaud.

• **Origine germanique,** signifie « conseil de gouverneur ».

• Caractère : **ambition, dynamisme, sensibilité, indépendance**.

• Variantes : *Rénaldine, Rénilde*.

Renée

Forme féminine de René.

• **Origine latine,** signifie « née à une nouvelle vie ».

• Caractère : **activité, travail, opportunisme, sens de l'organisation**.

• Breton : *Rénéa*. Italien : *Renata*.

Rhéa

• **Origine grecque,** du nom de la déesse de la Terre, fille d'Ouranos et de Gaïa, épouse de Cronos.

• Caractère : **adaptabilité, indépendance, goût de l'aventure, sensibilité**.

Rhiannon

Dans la mythologie galloise, Rhiannon est la déesse de la Fertilité.

• **Origine galloise,** signifie « grande reine ».

• Caractère : **créativité, sens artistique, communication, éclectisme**.

Riana

Une variante de Rhiannon.

• **Origine galloise**, signifie « grande reine ».

• Caractère : **sérieux, sagesse, rigueur, étude**.

• Autre orthographe : *Rihana*.

Richarde

Ce prénom, féminin de Richard, a toujours été rare à l'état civil.

• **Origine germanique,** signifie « roi fort ».

• Caractère : **sociabilité, altruisme, adaptabilité, dévouement.**

• Espagnol : *Rica, Ricarda.* Italien : *Ricca, Riccarda.*

Richilde

Ce prénom médiéval est la forme féminine alsacienne de Richard.

• **Origine germanique,** signifie « combat de roi ».

• Caractère : **sociabilité, altruisme, adaptabilité, dévouement.**

Rita

Diminutif de Marguerite.

• **Origine latine,** signifie « perle ».

• Caractère : **charme, gentillesse, ambition, volonté.**

Rivanon

• **Origine celte,** signifie « pique du roi ».

• Caractère : **travail, rigueur, courage, ténacité.**

• Variante : *Rivanone.*

Roberte

Forme féminine de Robert.

• **Origine germanique,** signifie « gloire illustre ».

• Caractère : **réflexion, étude, réserve, spiritualité.**

• Espagnol : *Roberta.*

Rochelle

Forme féminine de Roch.

• **Origine germanique,** signifie « gloire ».

• Caractère : **courage, passion, combativité, efficacité.**

Rolande

Forme féminine de Roland.

• **Origine germanique,** signifie « gloire » et « terre ».

• Caractère : **stabilité, fidélité, dynamisme, sens des responsabilités.**

• Espagnol : *Orlanda, Rolanda.*

Romane

Cette forme féminine de Romain connaît le succès depuis les années 1980. Elle est en tête du top 200 des prénoms féminins.

• **Origine latine,** signifie « romaine ».

• Caractère : **vivacité, charme, enthousiasme, intuition.**

Roméa

• **Origine latine,** signifie « de la ville de Rome ».
• Caractère : **émotivité, ambition, générosité, altruisme.**
• Variante : *Romée.*
• Hongrois : *Romika.*

Romy

Ce diminutif de Rosemarie figure au top 200 et continue de progresser.
• **Origine latine** (« rose ») et **hébraïque** (« goutte de mer »).
• Caractère : **sens pratique, équilibre, justice, rigueur.**

Rosalba

Forme composée d'origine latine qui signifie « rose blanche ».
• Caractère : **sensibilité, indépendance, goût de l'aventure, adaptabilité.**

Rosalie

En faveur au XIXe s., Rosalie revient discrètement à l'état civil.
• **Origine latine,** signifie « rose » et « lys ».
• Caractère : **curiosité, étude, réflexion, secret.**
• Espagnol : *Rosalia.*

Rosalinde

• **Origine latine** et **germanique,** signifie « jolie rose ».
• Caractère : **équilibre, rigueur, sens de la justice, travail.**
• Anglo-saxon : *Rosalind.* Italien : *Rosalinda.*

Rosanne

Forme composée de Rose et d'Anne qui apparaît au XVIIIe s. en Angleterre.
• **Origine latine** et **hébraïque,** signifie « rose » et « grâce ».
• Caractère : **équilibre, rigueur, sens de la justice, travail.**
• Autre orthographe : *Roseanne.*
• Italien : *Rosanna.*

Rose

Ce prénom revient depuis 2000. Dans le peloton de tête du top 200.
• **Origine latine,** signifie « rose ».
• Caractère : **dynamisme, éloquence, vivacité, charme.**
• Espagnol et italien : *Rosa.* Néerlandais : *Rosel.*

Rosemarie

Forme composée de Rose et Marie.
• **Origine latine** (« rose ») et **hébraïque** (« goutte de mer »).
• Caractère : **grâce, ambition, travail, détermination.**
• Diminutif : *Romy.*

Rosemonde

• **Origine latine,** signifie « rose ».
• Caractère : **indépendance, goût de l'aventure, sensibilité, adaptabilité.**
• Anglo-saxon : *Rosamond.*
Espagnol et italien : *Rosamunda.*

Rosine

Ce prénom est une variante de Rose.
• **Origine latine,** signifie « rose ».
• Caractère : **énergie, écoute, sens pratique, dévouement.**
• Espagnol : *Rosina.*

Rosita

Forme hispanique de Rose.
• **Origine latine,** signifie « rose ».
• Caractère : **autorité, ambition, travail, rigueur.**

Rosy

Cette variante de Rose est en pleine progression.
• **Origine latine**, signifie « rose ».
• Caractère : **charisme, curiosité, éloquence, aventure.**
• Autre orthographe : *Rosie.*

Rowena

Féminin de Rowen ou Riowen.
• **Origine celte,** signifie « heureux roi ».
• Caractère : **communication, créativité, éclectisme, harmonie.**

Roxane

Roxane est capturée en 327 av. J.-C. par les troupes d'Alexandre le Grand qui, séduit par sa beauté, l'épouse. Elle a un fils qui devient roi de Macédoine, mais elle est assassinée avec lui sur ordre de Cassandre. Ce prénom figure au top 200.
• **Origine persane,** signifie « brillante comme l'aurore ».
• Caractère : **écoute, dévouement, séduction, force de caractère.**
• Espagnol : *Roxana.* Italien : *Rosanna.*

Rozenn

Forme bretonne de Rose.
• **Origine latine,** signifie « rose ».
• Caractère : **diplomatie, charme, adaptabilité, émotivité.**

Ruby

En vogue dans les pays anglophones, il progresse en France.
• **Origine anglaise,** fait référence à la couleur rubis et à la pierre précieuse du même nom.

• Caractère : **vivacité, sociabilité, créativité, sens artistique.**

Ruth

Ruth, personnage biblique, veuve très jeune, s'expatrie avec sa belle-mère Noémi, puis revient à Bethléem pour épouser Booz. Elle est l'arrière-grand-mère du roi David. Son histoire est racontée dans le Livre de Ruth.

• **Origine hébraïque,** signifie « celle qui compatit ».

• Caractère : **prudence, générosité, travail, exigence.**

Sabine

• **Origine latine,** signifie « issue des Sabins », nom d'un peuple qui occupait l'Italie centrale.

• Caractère : **autorité, énergie, activité, éclectisme.**

• Anglo-saxon et italien : *Sabina*. Espagnol : *Savina*.

Sabrina

Ce prénom, très en vogue entre 1970 et 1990, est une forme dérivée de Sabine.

• **Origine latine,** signifie « issue de la famille des Sabins ».

• Caractère : **ambition, indépendance, affectivité, rigueur.**

Saïda

Ce prénom est le féminin de Saïd.

• **Origine arabe,** signifie « la bienheureuse ».

• Caractère : **étude, réserve, intuition, prudence.**

Sally

Ce prénom, courant aux États-Unis, est une forme diminutive de Sarah.

• **Origine hébraïque,** signifie « princesse ».

• Caractère : **altruisme, calme, douceur, calme, tradition.**

Sakura

Ce prénom est l'un des préférés au Japon.

• **Origine japonaise**, signifie « fleur de cerisier »

• Caractère : **volonté, activité, organisation, rigueur.**

Salma

Ce prénom figure au top 200.
• **Origine arabe**, signifie « pure »
• Caractère : **autonomie, volonté, travail, ambition.**
• Variantes : *Salima, Selma.*

Salomé

Ce prénom, qui figure au top 200, est une forme féminine de Salomon. Salomé, fille d'Hérodiade et nièce d'Hérode Antipas, séductrice redoutable et perverse, danse devant son oncle au cours d'une fête et lui demande en récompense qu'on lui apporte la tête de Jean le Baptiste sur un plateau.
• **Origine hébraïque,** signifie « paix ».
• Caractère : **charme, courage, franchise, professionnalisme.**

Samantha

Prénom en vogue outre-Manche.
• **Origine germanique,** signifie « juste pensée ».
• Caractère : **sensibilité, force de caractère, charme, fidélité.**
• Autre orthographe : *Samthann.*

Samia

Ce prénom très populaire est le féminin de Samy.
• **Origine arabe,** signifie « la céleste ».
• Caractère : **discrétion, réflexion, conscience professionnelle, rigueur.**

Samira

• **Origine arabe,** signifie « compagne des veillées ».
• Caractère : **réflexion, étude, travail, réserve.**

Sandra

Diminutif d'Alexandra.
• **Origine grecque,** signifie « celle qui repousse ».
• Caractère : **communication, dynamisme, vivacité, séduction.**

Sandrine

Ce prénom, dérivé d'Alexandre, fut un des favoris des années 1970.
• **Origine grecque,** signifie « celle qui repousse ».
• Caractère : **raffinement, éloquence, sens de l'observation, affectivité.**

Sarah

Dans la Bible, Sarah est l'épouse d'Abraham. Elle n'a pas eu d'enfant et en a toujours souffert. Bien qu'elle n'ait plus l'âge d'en avoir, un ange vient lui annoncer sa prochaine maternité. Isaac naît dans l'année. Ce prénom fait partie des intemporels, toujours en vogue, jamais démodés. Il figure dans le peloton de tête du top 200.

• **Origine hébraïque,** signifie « princesse ».

• Caractère : **douceur, charme, générosité, affectivité.**

• Anglo-saxon : *Sally, Zarah.* Espagnol : *Sara, Saray.*

Sasha

Diminutif d'Alexandre, ce prénom s'orthographie Sacha pour les garçons et se féminise en Sasha. Il est dans le top 200 et continue de progresser.

• **Origine grecque,** signifie « qui repousse l'ennemi ».

• Caractère : **vivacité, adresse, tact, activité.**

Saskia

Ce prénom rare a été illustré par la première femme de Rembrandt.

• **Origine germanique,** signifie « couteau ».

• Caractère : **harmonie, sens des responsabilités, tradition, générosité.**

Scarlett

Ce prénom anglo-saxon évolue rapidement.

• **Origine anglaise**, signifie « écarlate »

• Caractère : **sociabilité, droiture, ténacité, réalisme.**

Ségolène

• **Origine germanique,** signifie « douce victoire ».

• Caractère : **curiosité, charisme, adaptabilité, éclectisme.**

Seiko

• **Origine japonaise**, signifie « enfant du succès »

• Caractère : **indépendance, énergie, réalisme, vitalité.**

Sélène

Dans la mythologie grecque, Séléné, sœur d'Hélios, le dieu Soleil, est la déesse Lune, jeune femme à la silhouette brillante et argentée. Une nuit, se penchant par-dessus les nuages, elle aperçoit un berger qui sommeille dans la campagne à l'abri d'une grotte. Elle s'en éprend et le maintient dans un sommeil

magique pour l'éternité, afin de pouvoir, chaque nuit, s'étendre auprès de lui et l'embrasser.
• **Origine grecque,** signifie « lune ».
• Caractère : **douceur, affectivité, diplomatie, sensibilité**.
• Espagnol : *Selena*.

Selma

Une des formes féminines d'Anselme, mais aussi une variante de Salma.
• **Origine germanique** (« protégée du dieu Ans ») et **origine arabe** (« pure »).
• Caractère : **travail, volonté, opiniâtreté, rigueur**.

Séphora

Forme française de Tsipora, prénom biblique porté par une épouse de Moïse.
• **Origine hébraïque,** signifie « oiselle ».
• Caractère : **intuition, communication, sens pratique, harmonie**.
• Espagnol : *Sefora*.

Séraphine

• **Origine hébraïque,** signifie « séraphin ».
• Caractère : **imagination, sociabilité, indépendance, altruisme**.
• Variantes : *Séraphie, Séraphina*.

Séréna

• *Origine latine*, signifie « sereine »
• Caractère : *rigueur, activité, énergie, volonté*.

Serlana

Forme féminine slave de Serge.
• **Origine latine,** signifie « issu des Sergius », nom d'une famille romaine célèbre du Ier s.
• Caractère : **ambition, indépendance, imagination, sensibilité**.
• Variante : *Serlane*.

Servane

• **Origine latine,** signifie « esclave ».
• Caractère : **communication, curiosité, adaptabilité, rêverie**.

Séverine

• **Origine latine,** signifie « exigeante ».
• Caractère : **élégance, volonté, intuition, rigueur**.

Shana

L'une des formes irlandaises de Jeanne. Il fait partie du top 200.
• **Origine hébraïque,** signifie « Dieu a fait grâce ».

• Caractère : **activité, curiosité, charme, énergie.**
• Variante : *Shanice.*

Shannon

Ce prénom mixte apprécié par les familles irlandaises est plus courant pour les filles.
• **Origine irlandaise,** signifie « ancienne ».

Les prénoms mixtes

Pendant des décennies, les prénoms mixtes se limitaient aux deux grands classiques Claude et Dominique. Ils sont aujourd'hui beaucoup plus nombreux, en particulier dans les pays anglo-saxons. Voici les plus en vogue aujourd'hui : Adisson, Andréa, Ashley, Austen, Berckeley, Bertil, Beryl, Beverly, Calliste, Camille, Céleste, Charlie (diminutif de Charles), Clarence, Éden, Gwenn, Hyacinthe, Jayden, Jessie (diminutif de Jessé et de Jessica), Kim, Leslie, Lindsay, Mallaury, Maxence, Morgan, Noa, Sacha, Shannon, Shelley, Swann, Yaël.

• Caractère : **adaptabilité, indépendance, goût de l'aventure, sensibilité.**
• Variante : *Shana.*

Sharon

Ce prénom est courant aux États-Unis pour les filles, alors qu'il est plutôt masculin en Israël. Il fait référence à un lieu géographique de l'Ancien Testament situé au pied du mont Carmel.
• **Origine hébraïque,** signifie « plaine ».
• Caractère : **sociabilité, adaptabilité, optimisme, indépendance.**

Shéhérazade

Shéhérazade est un personnage des contes arabes Les Mille et Une Nuits, *écrits entre le* X^e^ *et le* XIIe *s. à Bagdad, en Égypte et en Perse. Elle est l'amante séduisante, mystérieuse et pudique d'un sultan, parfaite incarnation, pour l'Occident, de la femme orientale.*
• **Origine persane,** du nom littéraire du conte.
• Caractère : **fantaisie, sensibilité, imagination, sociabilité.**

Sheil

Forme anglo-saxonne de Cécilia, dérivé de Cécile.

• **Origine latine,** signifie « aveugle ».

• Caractère : **émotivité, charme, générosité, sens artistique.**

Shelley

Une forme anglo-saxonne de Cécile. Il est mixte en Angleterre, avec une tendance féminine.

• **Origine latine,** signifie « aveugle ».

• Caractère : **dynamisme, curiosité, sociabilité, indépendance.**

Sheril

Diminutif anglo-saxon de Charlotte.

• **Origine germanique,** signifie « virile ».

• Caractère : **sens des responsabilités, générosité, charme, tradition.**

Shirley

Ce prénom anglais était masculin jusqu'à la moitié du XIXe s. Il est aujourd'hui presque exclusivement attribué aux filles.

• **Origine anglaise,** signifie « prairie lumineuse ».

• Caractère : **vivacité, sociabilité, volonté, optimisme.**

Shona

Ce prénom est le féminin de Sean, forme irlandaise de Jean.

• **Origine hébraïque,** signifie « Dieu a fait grâce ».

• Caractère : **curiosité, communication, exigence, charisme.**

Shoshana

Forme originelle de Suzanne.

• **Origine hébraïque,** signifie « lys ».

• Caractère : **diplomatie, opiniâtreté, ambition, adaptabilité.**

Siana

Forme galloise de Jeanne, ce prénom est en grande progression.

• **D'origine hébraïque**, signifie « Dieu fait grâce ».

• Caractère : **émotivité, discrétion, sagesse, travail.**

Sibylle

Forme européenne de Sibulla, prêtresse d'Apollon réputée pour ses prophéties.

• Caractère : **générosité, altruisme, affectivité, fantaisie.**

• Espagnol : *Sibila.*

Sichilde

Prénom porté par une reine obscure, troisième femme de Clotaire II, au VIIe s.

• **Origine germanique,** signifie « victoire au combat ».

• Caractère : **sensibilité, rigueur, harmonie, sens des responsabilités.**

Sidonie

Ce prénom, en vogue au XIXe s., est le féminin de Sidoine.

• **Origine hébraïque,** du nom d'une ville du Liban, Sidon.

• Caractère : **dynamisme, assurance, vivacité, curiosité.**

Sienna

Prénom est en grande progression.

• **Origine italienne**, référence à la ville de Sienne.

• Caractère : **organisation, rigueur, ordre, fiabilité.**

Sigismonde

Forme féminine de Sigismond.

• **Origine germanique,** signifie « victoire » et « protection ».

• Caractère : **harmonie, fidélité, affectivité, sens des responsabilités.**

Sighild

• **Origine scandinave**, signifie « guerrière victorieuse ».

• Caractère : **charme, réserve, sensibilité, responsabilité.**

Sigrid

Forme dérivée de Sigrade, prénom peu usité.

• **Origine germanique,** signifie « victoire du chevalier ».

• Caractère : **indépendance, volonté, émotivité, sensibilité.**

• Variante : *Sigrade.*

Simone

Cette forme féminine de Simon est très courante au début du XXe s.

• **Origine hébraïque,** signifie « exaucée ».

• Caractère : **dynamisme, curiosité, charisme, adaptabilité.**

Siloé

Siloé évoque une source d'eau à Jérusalem.

• **Origine hébraïque**, signifie « canal ».

• Caractère : **sensibilité, harmonie, générosité, sens des responsabilités.**

Siri

Siri est parfois considéré comme le diminutif de Sigrid.

- **Origine scandinave**, signifie «juste».
- Caractère : **autonomie, sérieux, détermination, rigueur**.

Sirine

Ce prénom figure dans le top 200.

- **Origine arabe**, signifie « agréable »
- Caractère : **charisme, intuition, communication, droiture**.
- Autre orthographe : *Syrine*.
- Variante : *Siriane, Syriane*.

Siriane

Forme dérivée de Cyr.

- **Origine grecque,** signifie « maître ».
- Caractère : **vivacité, rigueur, indépendance, autorité**.
- Autre orthographe : *Syriane*.

Sixtine

Ce féminin de Sixte est un prénom en vogue depuis les années 1990.

- **Origine latine,** signifie « sixième ».
- Caractère : **indépendance, goût de l'aventure, vivacité, charme**.

Sklaeren

Ce prénom est l'équivalent breton de Claire.

- **Origine celte,** signifie « claire ».
- Caractère : **travail, rigueur, persévérance, volonté**.

Soane

Ce prénom, une variante de Jeanne, progresse rapidement.

- **Origine hébraïque**, signifie « Dieu a fait grâce ».
- Caractère : **intuition, sensibilité, charme, idéalisme.**
- Variantes : *Soana, Soanie*.

Soizic

Ce prénom est une des formes bretonnes de Françoise.

- **Origine latine,** signifie « de France ».
- Caractère : **intuition, sensibilité, charme, idéalisme.**
- Autre orthographe : *Soazic*.

Solange

- **Origine latine,** signifie « solennelle ».
- Caractère : **vivacité, adaptabilité, énergie, volonté**.

Solène

Exclusivement masculin au Moyen Âge, ce prénom est devenu féminin. Il figure au top 200.

• **Origine latine,** signifie « annuelle ».

• Caractère : **secret, esprit d'analyse, réflexion, sérieux.**

• Autres orthographes : *Solen, Solenn, Solenne.*

• Variantes : *Soléa, Soléane, Solena, Soline.*

Soline

Une variante de Solène.

• **Origine latine,** signifie « annuelle ».

• Caractère : **sensibilité, intuition, calme, diplomatie.**

Solveig

Ce prénom scandinave a séduit l'Hexagone et poursuit sa croissance.

• **Origine germanique,** signifie « soleil » et « chemin ».

• Caractère : **indépendance, travail, opiniâtreté, émotivité.**

Sonia

Forme slave de Sophie.

• **Origine grecque,** signifie « sagesse ».

• Caractère : **sens des responsabilités, sérieux, rigueur, travail.**

Sophie

Grand classique intemporel, il figure toujours au top 200, devancé par sa forme espagnole Sofia.

• **Origine grecque,** signifie « sagesse ».

• Caractère : **réserve, sensibilité, exigence, fidélité.**

• Espagnol : *Sofia.*

Soraya

• **Origine persane,** signifie « excellente ».

• Caractère : **harmonie, réserve, réflexion, générosité.**

Stella

Forme italienne et anglo-américaine d'Estelle. Il figure au top 200.

• **Origine latine,** signifie « étoile ».

• Caractère : **harmonie, réserve, mesure, patience.**

Stéphanie

Cette forme féminine de Stéphane connaît le succès entre 1960 et 1980.

• **Origine grecque,** signifie « couronnée ».

• Caractère : **sensibilité, prudence, discrétion, affectivité.**

Sterenn

• **Origine celte,** signifie « étoile ».
• Caractère : **indépendance, adaptabilité, goût de l'aventure, éclectisme.**

Sunilda

• **Origine scandinave**, signifie « guerrière du soleil ».
• Caractère : **intuition, sensibilité, activité, sociabilité.**

Sunniva

• **Origine scandinave**, signifie « don du soleil ».
• Caractère : **affectivité, réserve, perfectionnisme, générosité**.

Surya

• **Origine indienne**, référence au dieu du soleil.
• Caractère : d**ynamisme, énergie, autorité, détermination.**

Suzanne

Dans la Bible, Suzanne est une très belle jeune femme accusée à tort d'adultère par deux vieillards dont elle a repoussé les avances, mais le prophète Daniel la sauve de la mort en confondant les accusateurs.

• **Origine hébraïque,** signifie « lys ».
• Caractère : **élégance, perfectionnisme, générosité, charisme.**
• Diminutifs : *Suzel*, *Suzie*, *Suzon*.
• Anglo-saxon : *Susannah*. Breton : *Suzel*, *Suzelle*. Espagnol : *Susana*. Italien : *Susanna*.

Svenja

• **Origine scandinave**, signifie « jeune fille »
• Caractère : **affectivité, charme, sociabilité, écoute.**

Swanahilde

Elle est la femme de Charles Martel, maire du palais d'Austrasie et de Neustrie, au VIIIe s.

• **Origine germanique,** signifie « combat de Swan ».
• Caractère : **ambition, volonté, autorité, travail.**

Swann

Ce prénom mixte est surtout connu en France par l'œuvre de Marcel Proust.

• **Origine anglaise,** signifie « cygne ».
• Caractère : **réserve, charme, calme, sens des responsabilités.**

Sylvaine

Ce prénom est le féminin de Sylvain.
• **Origine latine,** signifie « de la forêt ».
• Caractère : **autorité, ambition, matérialisme, volonté.**
• Italien : *Sylvana.*

Sylvie

Ce prénom connaît le succès dans les années 1950.
• **Origine latine,** signifie « forêt ».
• Caractère : **féminité, charme, courage, loyauté.**
• Diminutif : *Sylvette.*
• Variante : *Sylviane.* Espagnol et italien : *Silvia.*

Tahia

• **Origine tahitienne,** référence à la déesse de l'Amour.
• Caractère : **générosité, dynamisme, activité, droiture.**

Talia

• **Origine hébraïque,** signifie « rosée de Dieu ».
• Caractère : **ambition, énergie, curiosité, épicurisme.**
• Variantes : *Lital, Tal, Talie.*

Tamara

• **Origine hébraïque,** signifie « palmier ».
• Caractère : **charme, prudence, émotivité, rêverie.**

Tanaïs

Variante de Tatiana.
• **Origine latine,** de Tatius, nom du roi des Sabins en Italie au VIIIe s.
• Caractère : **sensibilité, émotivité, adaptabilité, tradition.**

Tania

Diminutif de Tatiana.
• **Origine latine,** du nom de Tatius, souverain des Sabins.
• Caractère : **émotivité, idéalisme, courage, altruisme.**

Tanit

Ce prénom vient de la mythologie carthaginoise, du nom de la déesse de la Moisson et de la Prospérité.
• Caractère : **autorité, ambition, travail, rigueur.**

Tatiana

Ce prénom latin a beaucoup d'adeptes dans les pays slaves.

• **Origine latine**, du nom de Tatius, souverain des Sabins.

• Caractère : **sensibilité, générosité, fantaisie, curiosité**.

• Variantes : *Tanaïs, Tania*.

Téana

Composé de Théa de Anna, ce prénom est en pleine progression.

• **Origine grecque**, signifie « Dieu » et hébraïque, qui signifie « grâce ».

• Caractère : **autonomie, énergie, ambition, volonté**.

• Autre orthographe : *Théana*.

• Variante : *Téane, Théane*.

Tess

Forme diminutive de Thérèse assez courante aux États-Unis. Il figure au top 200 en France, tout comme sa variante Tessa.

• **Origine grecque**, signifie « chasse ».

• Caractère : **affectivité, altruisme, intuition, écoute**.

• Variante : *Tessa*.

Téva

• **Origine tahitienne**, signifie « grande voyageuse ».

• Caractère : **activité, réalisme, dynamisme, sociabilité**.

Thaïs

Ce prénom très ancien revient au goût du jour, sans doute pour sa consonance de diminutif. Il figure en bonne place au top 100 des prénoms féminins.

• **Origine grecque**, signifie « bandeau ».

• Caractère : **séduction, optimisme, ordre, rigueur**.

Thalassa

Après Marine et Océane, Thalassa pourrait bien prendre la suite des prénoms maritimes.

• **Origine grecque**, signifie « mer ».

• Caractère : **altruisme, spiritualité, persévérance, rêverie**.

Thalie

Ce prénom est le nom de la muse de la Comédie, représentée avec un masque et une guirlande de lierre.

• **Origine grecque**, signifie « florissante ».

• Caractère : **ambition, volonté, travail, autorité**.

Théa

Diminutif de Théodora.
• **Origine grecque**, signifie « don de Dieu ».
• Caractère : **indépendance, dynamisme, adaptabilité, curiosité.**

Théana

• **Origine grecque**, signifie « dieu ».
• Caractère : **travail, rigueur, stabilité, ambition.**

Thelma

Une forme féminine d'Anselme.
• **Origine germanique**, signifie « protégée du dieu Ans ».
• Caractère : **sensibilité, affectivité, charme, réserve.**
• Espagnol : *Telma.*

Théodechilde

Elle est la quatrième femme de Caribert.
• **Origine germanique**, signifie « combat de Dieu ».
• Caractère : **sens de la justice, harmonie, diplomatie, réserve.**

Théodora

Ce prénom fut porté par deux impératrices de Byzance : l'une, au VIe s., est la femme de Justinien dont elle dirige le gouvernement ; l'autre est la mère de Michel, dont elle assure la régence et rétablit le culte des images jusque-là interdit.
• Caractère : **indépendance, dynamisme, adaptabilité, curiosité.**
• Diminutifs : *Dora, Théa, Théana.*

Théophanée

Théophanée, dans la mythologie grecque, est une superbe jeune fille dont Poséidon tombe amoureux. Il prend l'apparence d'un bélier et la transforme en brebis pour s'unir à elle. L'agneau qui naît de cette étreinte a une toison d'or dont Jason s'emparera plus tard.
• **Origine grecque**, signifie « déesse lumineuse ».
• Caractère : **intelligence, curiosité, charisme, travail.**
• Anglo-saxon : *Theophania.*

Théoxane

Ce prénom était en vogue dans l'Antiquité.
• **Origine grecque**, signifie « déesse étrangère ».
• Caractère : **réalisme, sensibilité, sens artistique, volonté.**

Thérèse

Un grand classique du début du XXe s.

- **Origine grecque**, signifie « chasse ».
- Caractère : **affectivité, altruisme, intuition, écoute**.
- Diminutifs : *Terry, Tess, Tessa*.
- Anglo-saxon : *Theresa*. Espagnol : *Teresa*.

Tiffanie

Variante de Tiphaine.

- **Origine grecque**, signifie « illustre ».
- Caractère : **travail, courage, exigence, rigueur**.

Timéa

Forme féminine de Timéo.

- **D'origine grecque**, signifie « qui honore Dieu »
- Caractère : **optimisme, activité, charisme, énergie.**

Tiphaine

Ce prénom a connu le succès dans les années 1980.

- **Origine grecque**, signifie « illustre ».
- Caractère : **travail, courage, exigence, rigueur**.
- Autre orthographe : *Tiffenn*.

Toscane

Ce prénom géographique suit la vogue de Brittany ou Calédonia.

- **Origine latine**, du nom de la province italienne, la Toscane, dont la capitale est Florence.
- Caractère : **intuition, idéalisme, générosité, adaptabilité**.

Trifina

Ce prénom breton est lié à une légende : fille du comte de Vannes au Ve s., Trifina épouse Conomor, « Barbe-Bleue », veuf de quatre épouses disparues dans des conditions étranges. Il assassine Trifina qui est ressuscitée par saint Gildas. Trifina retourne chez son père et l'époux meurtrier est traduit en justice.

- Caractère : **autorité, volonté, ambition, intelligence**.

Tullia

Il est le diminutif de Tertullia, prénom oublié depuis longtemps.

- **Origine latine**, signifie « troisième ».
- Caractère : **sociabilité, curiosité, activité, énergie**.

Ulphie

Ce prénom est la forme féminine d'Ulphe, vieux prénom germanique complètement tombé dans l'oubli.

• **Origine germanique**, signifie « louve ».

• Caractère : **conscience professionnelle, travail, tradition, sens des responsabilités.**

• Autre orthographe : *Ulfie*.

Uranie

Uranie est la muse de l'Astronomie dans la mythologie grecque.

• **Origine grecque**, signifie « qui vient du ciel ».

• Caractère : **sensibilité, imagination, créativité, fantaisie.**

• Anglo-saxon : *Urania*.

Urielle

Uriel est le nom d'un archange de l'armée céleste.

• **Origine hébraïque**, signifie « Dieu est léger ».

• Caractère : **franchise, loyauté, autorité, ambition.**

Ursane

Ce prénom est une forme composée d'Ursule et d'Anne.

• **Origine latine**, signifie « ourse ».

• Caractère : **calme, persévérance, tradition, affectivité.**

Ursule

• **Origine latine**, signifie « ourse ».

• Caractère : **calme, persévérance, tradition, affectivité.**

• Anglo-saxon, espagnol et italien : *Ursula*.

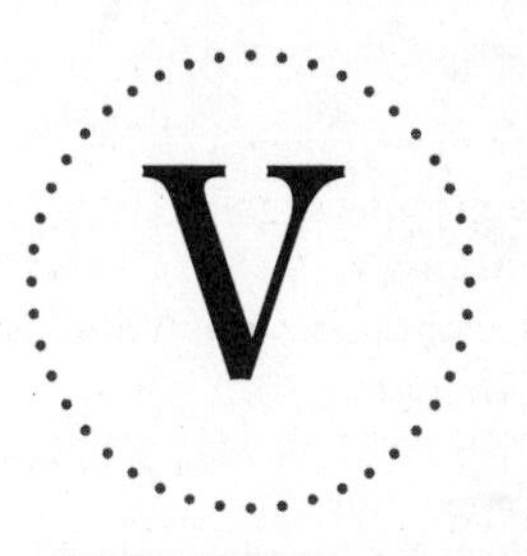

Valentine

Forme féminine de Valentin en vogue depuis les années 1980 et toujours en bonne place dans le top 200.

• **Origine latine**, signifie « vaillante ».

• Caractère : **enthousiasme, dynamisme, vivacité, éclectisme.**
• Anglo-saxon, espagnol, italien, russe : *Valentina.*

Valérie

Ce prénom classique est le féminin de Valère.
• **Origine latine**, signifie « valeureuse ».
• Caractère : **courage, travail, sensibilité, fidélité.**
• Variante : *Valériane.*

Vanessa

Ce prénom connaît le succès dans les années 1980.
• **Origine latine**, du nom d'un papillon diurne.
• Caractère : **douceur, ordre, tradition, rêverie.**

Vashti

Ce prénom est porté par la femme du roi de Perse Assuérus.
• **Origine persane**, signifie « jolie ».
• Caractère : **réflexion, étude, spiritualité, altruisme.**

Veïa

Forme féminine bretonne d'Hervé.
• **Origine celte**, signifie « forte » et « ardente ».
• Caractère : **énergie, volonté, intelligence, ambition.**
• Diminutifs : *Veïg, Veilana.*

Velma

Forme diminutive de Guglielmina, Guillemette en italien.
• **Origine germanique**, signifie « volonté » et « protection ».
• Caractère : **charme, créativité, imagination, sociabilité.**
• Variante : *Vilma.*

Vénus

Dans la mythologie romaine, Vénus est la déesse de la Beauté et de l'Amour. Ce prénom, en vogue dans les pays anglo-saxons du XVIIIe au XIXe s., est devenu rare.
• Caractère : **sensibilité, harmonie, affectivité, charme.**

Véra

• **Origine slave**, signifie « foi ».
• Caractère : **volonté, travail, perfectionnisme, exigence.**
• Variante : *Veroscha.*

Véronique

Après une longue période de succès entre 1950 et 1970, Véronique a cédé la place à Bérénice, qui a la même étymologie.

- **Origine grecque**, signifie « porteuse de victoire ».
- Caractère : **fierté, exigence, vivacité, franchise**.
- Anglo-saxon, espagnol et italien : *Veronica*.

Victoire

Ce féminin de Victor est un des prénoms favoris des années 1990. Il figure dans le top 200.

- **Origine latine**, signifie « victoire ».
- Caractère : **volonté, travail, courage, affectivité**.
- Diminutif : *Vicky*.
- Variante : *Victorine*.
- Anglo-saxon et espagnol : *Victoria*. Italien : *Vittoria*.

Victoria

Forme anglo-saxonne de Victoire, rendue célèbre par la reine Victoria d'Angleterre au XIX*e s. Il devance Victoire au top 200 des prénoms.*

- **Origine latine**, signifie « victoire ».
- Caractère : **calme, réflexion, affectivité, réserve**.

Vigdis

Ce prénom est très apprécié en Norvège.

- **Origine scandinave**, signifie « déesse combattante ».
- Caractère : **communication, éloquence, énergie, sensibilité**.

Vinciane

Forme féminine de Vincent.

- **Origine latine**, signifie « vaincre ».
- Caractère : **intuition, volonté, curiosité, ambition**.
- Variante : *Vincienne*.
- Anglo-saxon : *Vincentia*.

Violaine

Une variante de Violette.

- **Origine latine**, signifie « violette ».
- Caractère : **optimisme, habileté, éloquence, épicurisme**.

Violette

Ce prénom connaît un court succès au début du XX*e s., dans le sillage de Rose et de Marguerite. Il revient et se place en bonne position dans le top 200.*

- **Origine latine**, signifie « violette ».
- Caractère : **idéalisme, sensibilité, dévouement, collaboration**.

• Anglo-saxon : *Violet*. Espagnol : *Violeta*. Italien : Violetta.

Virginie

Un prénom de la génération de Véronique.

• **Origine latine**, signifie « vierge ».
• Caractère : **féminité, imagination, rêverie, douceur.**
• Anglo-saxon, espagnol et italien : *Virginia*.

Viridiana

• **Origine latine**, signifie « verdure ».
• Caractère : **travail, courage, ambition, réalisme.**

Viviane

Ce prénom est illustré par la fée Viviane qui, dans la légende bretonne, retient l'enchanteur Merlin prisonnier dans la forêt de Brocéliande.

• **Origine latine**, signifie « vivante ».
• Caractère : **douceur, féminité, énergie, exigence.**
• Variante : *Vivienne*.

Wallis

Forme féminine de Wallace.

• **Origine galloise**, signifie « originaire du pays de Galles ».
• Caractère : **sensibilité, éclectisme, épicurisme, charme.**

Waltrade

Elle est la sixième femme de Clotaire Ier au VIe s.

• **Origine germanique**, signifie « volonté » et « fidélité ».
• Caractère : **communication, éloquence, charisme, sens artistique.**

Wendy

Wendy est l'héroïne de l'œuvre de James Barrie, Peter Pan.

• Caractère : **détermination, indépendance, activité, passion.**

Whitney

Prénom est mixte jusqu'à la moitié du XXe s., il est majoritairement féminin depuis lors.

- **Origine anglaise**, signifie « île blanche ».
- Caractère : **charme, sensibilité, séduction, intuition.**

Wilhelmine

Forme germanique de Guillemette.

- **Origine germanique**, signifie « volonté » et « protection ».
- Caractère : **activité, volonté, altruisme, affectivité.**
- Diminutifs : *Mina, Minnie, Wilma.*

Wilma

Diminutif de Wilhelmine.

- **Origine germanique**, signifie « volonté » et « protection ».
- Caractère : **réserve, intuition, volonté, autorité.**
- Variante : *Vilma.*

Winifrid

Une des formes de Gwenvred.

- **Origine celte**, signifie « pensée sacrée ».
- Caractère : **affectivité, générosité, sens des responsabilités, équilibre.**

Winona

Ce prénom est en vogue aux États-Unis depuis les années 1990.

- **Origine peau-rouge**, signifie « fille aînée ».
- Caractère : **sensibilité, imagination, épicurisme, charisme.**

Wivine

- **Origine germanique**, signifie « amie de la forêt ».
- Caractère : **curiosité, opportunisme, énergie, goût de l'aventure.**

Xavière

Forme féminine de Xavier.

- **Origine basque**, signifie « maison neuve ».
- Caractère : **dynamisme, activité, enthousiasme, vivacité.**
- Variante : *Xaviera.*

Xena

Ce prénom est en pleine progression.
- **Origine grecque**, signifie « hospitalier ».
- Caractère : **énergie, ambition, autorité, charisme.**

Xénia

Forme slave d'Eugénie.
- **Origine grecque**, signifie « bien née ».
- Caractère : **sensibilité, force de caractère, esthétisme, rigueur**.

Xytilise

Ce prénom est une forme rare dérivée d'Élisabeth.
- **Origine hébraïque**, signifie « Dieu est plénitude ».
- Caractère : **élégance, sensibilité, ténacité, courage**.

Yaël

Ce prénom mixte à forte tendance féminine progresse rapidement.
- **Origine hébraïque**, signifie « antilope ».
- Caractère : **sociabilité, curiosité, travail, rigueur**.
- Autre orthographe : *Yaëlle*.

Yasmine

Ce prénom fait partie du top 200.
- **Origine arabe**, signifie « jasmin ».
- Caractère : **sensibilité, créativité, imagination, épicurisme.**
- Variantes : *Jasmine*, *Yasmina*.

Yolande

Ce prénom médiéval a toujours été rare.
- **Origine latine**, signifie « violette ».
- Caractère : **discrétion, rigueur, émotivité, perfectionnisme.**
- Espagnol : *Yola*, *Yolanda*.

Yona

Mixte à l'origine dans la Bible, ce prénom est dorénavant exclusivement féminin.
• **Origine hébraïque**, signifie « colombe ».
• Caractère : **indépendance, réflexion, volonté, étude.**

Youna

Forme dérivée d'Yves.
• **Origine celte**, signifie « if ».
• Caractère : **travail, rigueur, sens de l'organisation, stabilité.**
• Variante : *Younen.*

Yseult

Ce prénom médiéval fait partie de la légende de Tristan et Yseult.
• **Origine celte**, signifie « belle ».
• Caractère : **communication, charme, altruisme, exigence.**
• Autres orthographes : *Iseult, Iseut, Yseut.*
• Variantes : *Isolde, Zolda.*

Yvette

Ce prénom est une forme féminine d'Yves, un peu désuète aujourd'hui.
• **Origine celte**, signifie « if ».
• Caractère : **activité, dynamisme, perfectionnisme, charme.**
• Breton : *Erwana, Erwane, Youna.*

Yvonne

Forme féminine d'Yvon.
• **Origine celte**, signifie « if ».
• Caractère : **indépendance, dynamisme, curiosité, vivacité.**

Zahra

• **Origine arabe**, signifie « blanche ».
• Caractère : **spiritualité, altruisme, rêverie, générosité.**

Zaïde

• **Origine arabe**, signifie « grâce ».
• Caractère : **énergie, volonté, charisme, autorité.**
• Espagnol : *Zaïda.*

Zaïna

Ce prénom est en progression.
• **Origine arabe**, signifie « belle ».
• Caractère : **sensibilité, sérieux, énergie, travail.**

Zelda

Diminutif de Griselda.
• **Origine grecque**, de la sixième lettre de l'alphabet grec.
• Caractère : **énergie, travail, négociation, sociabilité.**

Zélie

Variante de Solène, il figure en bonne place au top 200.
• **Origine latine**, signifie « annuelle ».
• Caractère : **secret, esprit d'analyse, réflexion, sérieux.**
• Variante : *Zéline.*

Zénaïde

Ce prénom est le féminin de Zénas.
• **Origine grecque**, signifie « cadeau de Zeus ».
• Caractère : **intuition, rapidité, détermination, finesse.**
• Espagnol : *Zenaïda.*

Zénobie

• **Origine grecque**, signifie « pouvoir de Zeus ».
• Caractère : **travail, détermination, rigueur, volonté.**

Zilia

Forme basque de Cécile.
• **D'origine latine**, signifie « aveugle ».
• Caractère : **altruisme, travail, énergie, écoute.**

Zilpa

Dans la Bible, Zilpa est la mère de deux fils de Jacob, Gad et Asher, à l'origine de deux tribus d'Israël.
• **Origine hébraïque**, signifie « qui coule ».
• Caractère : **énergie, autorité, indépendance, charisme.**

Zita

• **Origine grecque**, de la sixième lettre de l'alphabet grec.
• Caractère : **sensibilité, écoute, indépendance, altruisme.**

Zoé

Une star du top 200 des prénoms féminins.
• **Origine grecque**, signifie « vie ».
• Caractère : **indépendance, ambition, affectivité, rigueur**.
• Variantes : *Zoélie, Zoéline, Zoïa.*

Zolda

Ce prénom est un dérivé d'Isabelle.

• **Origine hébraïque**, signifie « Dieu est plénitude ».

• Caractère : **féminité, sensibilité, générosité, idéalisme.**

Zoubida

Variante de Zbéïda, ce prénom fut porté par une reine d'Arabie au VIIIe s.

• **Origine arabe**, signifie « cadeau ».

• Caractère : **émotivité, activité, indépendance, harmonie.**

Index des prénoms

A

B

C

D

E

F

G

H

I

M

N

O

P

T

U

V

Table des encadrés

Prénoms de garçons

Prénoms de filles

Imprimé en Allemagne par GGP MEDIA GMBH
pour le compte des Éditions Marabout (Hachette Livre)
58, rue Jean-Bleuzen, 92178 Vanves Cedex
Achevé d'imprimer en décembre 2016

ISBN : 978-2-501-11700-5
7248338 / 01
dépôt légal : janvier 2017